ALEXANDRE DUMAS

Né en 1802, Alexandre Dumas est le fils du général Alexandre Davy Dumas. Clerc de notaire à quatorze ans, il s'installe à Paris et fait son entrée sur la scène littéraire. Adepte des œuvres de Friedrich Schiller, William Shakespeare et Walter Scott, il se lance d'abord dans l'écriture théâtrale avant de se tourner vers le roman. Il obtient alors un triomphe tout d'abord avec *Le Comte de Monte-Cristo* (1844), puis avec *Les Trois mousquetaires* (1844) et *La Reine Margot* (1845). Alexandre Dumas s'est distingué par son talent à camper des personnages emblématiques et inoubliables. Il est mort en 1870 à Puys, près de Dieppe.

LES BORGIA

ALEXANDRE DUMAS

LES BORGIA

Le papier de cet ouvrage est composé de fibres naturelles, renou-velables, recyclables et fabriquées à partir de bois provenant de forêts plantées et cultivées durablement pour la fabrication du papier.

© 2011, Pocket, un département d'Univers Poche,
pour la présente édition.

ISBN : 978-2-266-21708-8

Le 8 avril 1492, dans une chambre à coucher du palais de Carreggi, situé à une lieue à peu près de Florence, trois hommes étaient groupés autour d'un lit où agonisait un quatrième.

Le premier de ces trois hommes, qui était assis au pied de la couche mortuaire, et à moitié enveloppé dans les rideaux de brocart d'or, afin de cacher ses larmes, était Ermolao Barbaro, l'auteur du *traité du Célibat*, et des *Études sur Pline*, qui, l'année précédente, étant à Rome en qualité d'ambassadeur de la république de Florence, avait été nommé patriarche d'Aquilée par Innocent VIII.

Le second, qui était agenouillé, et qui tenait une main du mourant entre les siennes, était Ange Politien, le Catulle du quinzième siècle, esprit antique et fleuri, et qu'on eût pris à ses vers latins pour un poète du temps d'Auguste.

Enfin le troisième, qui était debout, appuyé contre une des colonnes torses du chevet, et qui suivait avec une profonde mélancolie les progrès du mal sur le visage du moribond, était le fameux Pic de la Mirandole, qui à l'âge de vingt ans parlait vingt-deux langues, et qui offrait de répondre dans chacune d'elles à sept cents questions qui lui seraient faites par les vingt hommes les plus instruits du monde entier, si l'on pouvait les réunir à Florence.

Quant au mourant, c'était Laurent le Magnifique, qui atteint depuis le commencement de l'année d'une fièvre âcre et profonde, à laquelle s'était jointe la goutte, maladie héréditaire dans sa famille, et voyant enfin que les boissons de perles dissoutes que lui faisait prendre le charlatan Leoni de Spolète, comme s'il eût voulu proportionner ses remèdes à la richesse plutôt qu'aux besoins du malade, étaient inutiles et impuissantes, avait compris qu'il lui fallait quitter ses femmes aux tendres paroles, ses poètes aux doux chants, ses palais aux riches tentures, et avait fait demander, pour lui donner l'absolution de ses péchés, que chez un homme moins haut placé on eût peut-être appelé des crimes, le dominicain Jérôme-François Savonarole.

Au reste, ce n'était pas sans une crainte intérieure, contre laquelle étaient impuissantes les louanges de ses amis, que le voluptueux usurpateur attendait le prédicateur sombre et sévère dont la parole remuait Florence, et sur le pardon duquel reposait désormais tout son espoir d'un autre monde. En effet, Savonarole était un de ces hommes de marbre, qui, pareils à la statue du commandeur, viennent frapper à la porte des voluptueux au milieu de leurs fêtes et de leurs orgies, pour leur dire qu'il est cependant bien l'heure qu'ils commencent à penser au ciel. Né à Ferare, où sa famille, l'une des plus illustres de Padoue, avait été appelée par le marquis Nicolas d'Est, il s'était, à l'âge de vingt-trois ans, emporté par une vocation irrésistible, enfui de la maison paternelle, et avait fait profession dans le cloître des religieux dominicains de Florence. Là, destiné par ses supérieurs à donner des leçons de philosophie, le jeune novice avait eu à lutter tout d'abord contre les défauts d'un organe faible et dur, contre une prononciation défectueuse, et surtout contre l'abattement de ses forces physiques, épuisées par une abstinence trop sévère.

Savonarole se condamna dès lors à la retraite la plus absolue, et disparut dans les profondeurs de son couvent, comme si la pierre de la tombe était déjà retombée sur lui. Là, agenouillé sur les dalles, priant sans cesse devant un crucifix de bois, exalté par les veilles et par les pénitences, il passa bientôt de la contemplation à l'extase et commença de sentir en lui-même cette impulsion secrète et prophétique qui l'appelait à prêcher la réformation de l'Église.

Cependant la réformation de Savonarole, plus respectueuse que celle de Luther, qu'elle précédait de vingt-cinq ans à peu près, respectait les choses tout en attaquant les hommes, et ayant pour but de changer les dogmes humains, mais non la foi divine. Il ne procédait pas, comme le moine allemand, par la raison mais par l'enthousiasme. La logique chez lui cédait toujours à l'inspiration ; ce n'était pas un théologien, c'était un prophète.

Néanmoins son front, courbé jusque-là devant l'autorité de l'Église, s'était déjà relevé devant la puissance temporelle. La religion et la liberté lui paraissaient deux vierges également saintes ; de sorte que dans son esprit Laurent lui semblait aussi coupable en asservissant l'une que le pape Innocent VIII en déshonorant l'autre. Il en résultait que, tant que Laurent avait vécu, riche, heureux et magnifique, Savonarole n'avait jamais voulu, quelques instances qui lui eussent été faites, sanctionner par sa présence un pouvoir qu'il regardait comme illégitime. Mais Laurent au lit de mort le faisait appeler, c'était autre chose. L'austère prédicateur s'était aussitôt mis en route, les pieds et la tête nus, espérant sauver non seulement l'âme du moribond, mais encore la liberté de la république.

Laurent, comme nous l'avons dit, attendait l'arrivée de Savonarole avec une impatience mêlée d'inquiétude ; de sorte que, lorsqu'il entendit le bruit de ses pas, son visage pâle prit une teinte plus cadavéreuse encore, tandis qu'en même temps il se soulevait, sur le coude, ordonnant par un geste à ses trois amis de s'éloigner. Ceux-ci obéirent aussitôt, et à peine étaient-ils sortis par une porte, que la portière de l'autre se souleva, et que le moine, pâle, immobile et grave, apparut sur le seuil. En l'apercevant, Laurent de Médicis, lisant sur son front de marbre l'inflexibilité d'une statue, retomba sur son lit en poussant un soupir si profond, que l'on eût pu croire que c'était le dernier.

Le moine jeta un coup d'œil autour de l'appartement, comme pour s'assurer qu'il était bien seul avec le mourant, puis il s'avança d'un pas lent et solennel vers le lit. Laurent le regarda s'approcher avec terreur, puis quand il fut à ses côtés :

— Ô mon père, j'étais un bien grand pécheur ! s'écria-t-il.

— La miséricorde de Dieu est infinie, répondit le moine, et je suis chargé de la miséricorde divine vis-à-vis de toi.

— Vous croyez donc que Dieu me pardonnera mes péchés ? s'écria le mourant, se reprenant à l'espoir en entendant des paroles si inattendues sortir de la bouche du moine.

— Tes péchés et tes crimes, Dieu te pardonnera tout, répondit Savonarole. Dieu te pardonnera tes plaisirs frivoles, tes voluptés adultères, tes fêtes obscènes : voilà pour les péchés. Dieu te pardonnera d'avoir promis deux mille florins de récompense à qui t'apporterait la tête de Dietisalvi, de Nerone Nigi, d'Angelo Antinori, de

Nicolo Soderini, et le double à qui te les livrerait vivants ; Dieu te pardonnera d'avoir fait mourir sur l'échafaud ou sur le gibet le fils de Papi Orlandi, Francesco de Brisighella, Bernardo Nardi, Jacob Frescobaldi, Amoretto Baldovinetti, Pierre Balducci, Bernardo de Baudino, Francesco Frescobaldi, et plus de trois cents autres dont les noms, pour être moins célèbres que ceux-ci, n'en étaient pas moins des noms chers à Florence : voilà pour les crimes.

Et à chacun de ces noms, que Savonarole prononça lentement, les yeux fixés sur le moribond, celui-ci répondit par un gémissement qui prouvait que la mémoire du moine n'était que trop fidèle. Puis enfin, lorsqu'il eut fini :

— Et vous croyez, mon père, répondit Laurent avec l'accent du doute que, péchés et crimes, Dieu me pardonnera tout ?

— Tout, dit Savonarole, mais à trois conditions.

— Lesquelles ? demanda le mourant.

— La première, dit Savonarole, c'est que tu sentiras une foi entière dans la puissance et dans la miséricorde de Dieu.

— Mon père, répondit Laurent avec vivacité, je sens cette foi dans le plus profond de mon cœur.

— La seconde, dit Savonarole, c'est que tu rendras la propriété d'autrui que tu as injustement confisquée et retenue.

— Mon père, en aurai-je le temps ? demanda le moribond.

— Dieu te le donnera, répondit le moine.

Laurent ferma les yeux comme pour réfléchir plus à l'aise ; puis après un instant de silence :

— Oui, mon père, je le ferai, répondit-il.

— La troisième, reprit Savonarole, c'est que tu

rendras à la république son ancienne indépendance et son antique liberté.

Laurent se dressa sur son lit, soulevé par un mouvement convulsif, interrogeant des yeux les yeux du dominicain, comme pour savoir s'il ne s'était pas trompé et s'il avait bien entendu. Savonarole répéta les mêmes paroles.

— Jamais ! jamais ! s'écria Laurent en retombant sur son lit et en secouant la tête… Jamais !

Le moine, sans répondre une seule parole, fit un pas pour se retirer.

— Mon père ! mon père ! dit le moribond, ne vous éloignez pas ainsi ; ayez pitié de moi !

— Aie pitié de Florence, dit le moine.

— Mais, mon père, s'écria Laurent, Florence est libre, Florence est heureuse.

— Florence est esclave, Florence est pauvre, s'écria Savonarole, pauvre de génie, pauvre d'argent, et pauvre de courage. Pauvre de génie, parce qu'après toi, Laurent, viendra ton fils Pierre ; pauvre d'argent, parce que des deniers de la république tu as soutenu la magnificence de ta famille et le crédit de tes comptoirs ; pauvre de courage, parce que tu as enlevé aux magistrats légitimes l'autorité que leur donnait la constitution, et détourné les concitoyens de la double voie militaire et civile, dans laquelle, avant que tu ne les eusses amollis par ton luxe, ils avaient déployé des vertus antiques : de sorte que, lorsque le jour se lèvera, qui n'est pas loin, continua le moine, les yeux fixes et ardents comme s'il lisait dans l'avenir, où les barbares descendront des montagnes, les murailles de nos villes, pareilles à celles de Jéricho, tomberont au seul bruit de leurs trompettes.

— Et vous voulez que je me dessaisisse au lit de mort de cette puissance qui a fait la gloire de toute ma vie ! s'écria Laurent de Médicis.

14

— Ce n'est pas moi qui le veux, c'est le Seigneur, répondit froidement Savonarole.

— Impossible ! impossible ! murmura Laurent.

— Eh bien ! meurs donc comme tu as vécu ! s'écria le moine, au milieu de tes courtisans et de tes flatteurs, et qu'ils perdent ton âme comme ils ont perdu ton corps !

Et à ces mots, le dominicain austère, sans écouter les cris du moribond, sortit de la chambre avec le même visage et du même pas qu'il y était entré, tant il semblait, esprit déjà détaché de la terre, planer au-dessus des choses humaines.

Au cri que poussa Laurent de Médicis en le voyant disparaître, Ermolao, Politien et Pic de la Mirandole, qui avaient tout entendu, rentrèrent dans la chambre, et trouvèrent leur ami serrant convulsivement entre ses bras un crucifix magnifique qu'il venait d'arracher du chevet de son lit. En vain essayèrent-ils de le rassurer par des paroles amies : Laurent le Magnifique ne leur répondit que par ses sanglots ; et une heure après la scène que nous venons de raconter, les lèvres collées aux pieds du Christ, il expira entre les bras de ces trois hommes, dont le plus privilégié, quoiqu'ils fussent jeunes tous trois, ne devait pas lui survivre plus de deux ans.

— Comme sa perte devait entraîner beaucoup de calamités, le ciel, dit Nicolas Machiavel, en voulut donner des présages trop certains : la foudre tomba sur le dôme de l'église de Santa-Reparata, et Roderic Borgia fut nommé pape.

LES BORGIA

Vers la fin du quinzième siècle, c'est-à-dire à l'époque où s'ouvre ce récit, la place de Saint-Pierre de Rome était loin d'offrir l'aspect grandiose sous lequel elle se présente de nos jours à ceux qui y arrivent par la place *dei Rusticucci*.

En effet, la basilique Constantin n'existait plus, et celle de Michel-Ange, chef-d'œuvre de trente papes, travail de trois siècles, et dépense de deux cent soixante millions, n'existait pas encore. L'ancien édifice, qui avait duré onze cent quarante-cinq ans, avait menacé ruine vers 1440, et Nicolas V, ce précurseur artistique de Jules II et de Léon X, l'avait fait démolir, ainsi que le temple de Probus Anicius qui y attenait, et avait fait jeter à leur place, par les architectes Rosselini et Baptiste Alberti, les fondations d'un nouveau temple ; mais quelques années après Nicolas V étant mort, et le Vénitien Paul II n'ayant pu donner que cinq mille écus pour continuer le projet de son prédécesseur, le monument s'arrêta à peine sorti de terre, et offrit l'aspect d'un édifice mort-né, aspect plus triste encore que celui d'une ruine.

Quant à la place elle-même, elle n'avait encore, comme on le comprend grâce à l'explication que nous venons de donner, ni sa belle colonnade du Bernin, ni ses fontaines jaillissantes, ni son obélisque égyptien, qui, au dire de Pline, fut élevé par le Pharaon Nuncoré dans la ville d'Héliopolis et transporté à Rome par Caligula, qui le plaça dans le cirque de Néron, où il resta jusqu'en 1580 : or, comme le cirque de Néron était situé sur le terrain même où s'élève aujourd'hui Saint-Pierre, et que cet obélisque couvrait de sa base la place où est la sacristie actuelle, on le voyait comme une aiguille gigantesque s'élancer au milieu des colonnes tronquées des murs inégaux et des pierres à moitié taillées.

À droite de cette ruine au berceau, s'élevait le Vatican, splendide tour de Babel, à laquelle tous les architectes célèbres de l'école romaine ont travaillé depuis mille ans ; il n'avait point encore à cette époque ses deux magnifiques chapelles, ses douze grandes salles, ses vingt-deux cours, ses trente escaliers et ses deux mille chambres ; car le pape Sixte-Quint, ce sublime gardeur de pourceaux, qui en cinq ans de règne a fait tant de choses, n'avait pu encore y faire ajouter l'édifice immense qui, du côté oriental, domine la cour de Saint-Damase ; mais c'était déjà le vieux et saint palais aux antiques souvenirs, dans lequel Charlemagne reçut l'hospitalité lorsqu'il se fit couronner empereur par le pape Léon III.

Au reste, le 9 août 1492, Rome tout entière, depuis la porte du Peuple jusqu'au Colysée, et depuis les Thermes de Dioclétien jusqu'au château Saint-Ange semblait s'être donné rendez-vous sur cette place : la multitude qui l'encombrait était si grande, qu'elle refluait dans toutes les rues environnantes, se rattachant au centre comme les rayons d'une étoile, et qu'on la voyait, pareille à un tapis mouvant et bariolé, monter dans la basilique, se grouper sur les pierres, se suspendre aux colonnes, s'étager sur les murs, entrer par les portes des maisons et reparaître à leurs croisées, si nombreuse et si pressée, qu'on eût dit que chaque fenêtre était murée avec des têtes. Or toute cette multitude avait les yeux fixés sur un seul point du Vatican, car le Vatican renfermait le conclave, et comme Innocent VIII était mort depuis seize jours, le conclave était en train d'élire un pape.

Rome est la ville des élections : depuis sa fondation jusqu'à nos jours, c'est-à-dire pendant l'espace de vingt-six siècles à peu près, elle a constamment élu ses rois, ses consuls, ses tribuns, ses empereurs et ses papes : aussi Rome pendant les jours de conclave semble-t-elle atteinte d'une fièvre étrange, qui pousse chacun vers le Vatican ou vers Monte-Cavallo, selon que l'assemblée écarlate se tient dans l'un ou l'autre de ces deux palais : c'est qu'en effet l'exaltation d'un nouveau pontife est une grande affaire pour tout le monde ; car, comme, d'après la moyenne établie depuis saint Pierre jusqu'à Grégoire XVI, chaque pape dure à peu près huit ans, ces huit ans sont, selon le caractère de celui qui est élu, une période de tranquillité ou de désordre, de justice ou de vénalité, de paix ou de guerre.

Or jamais peut-être, depuis le jour où le premier successeur de saint Pierre s'assit au trône pontifical, jusqu'à l'interrègne où l'on était arrivé, l'inquiétude ne s'était manifestée aussi grande qu'elle l'était au moment où nous avons montré tout ce peuple se pressant sur la place Saint-Pierre et dans les rues qui y conduisaient. Il est vrai que ce n'était pas sans raison, car Innocent VIII, que l'on appelait le père de son peuple parce qu'il avait augmenté le nombre de ses sujets de huit fils et d'autant de filles, après avoir passé sa vie dans la volupté, venait, comme nous l'avons dit, de mourir, à la suite d'une agonie pendant laquelle, s'il faut en croire le journal de Stefano Infessura, deux cent vingt meurtres avaient été commis dans les rues de Rome. Le pouvoir était donc échu comme d'habitude au cardinal camerlingue, qui devient souverain dans l'interrègne ; mais comme celui-ci avait dû remplir tous les devoirs de sa charge, c'est-à-dire faire battre monnaie à son nom et à ses armes, ôter l'anneau du pécheur du doigt du pape mort, babiller, raser, farder et faire embaumer le cadavre, descendre après les neuf jours d'obsèques le cercueil dans la niche provisoire où doit se tenir le dernier pape trépassé jusqu'à ce que son successeur vienne y prendre sa place et le renvoyer dans sa tombe définitive ; enfin, comme il lui avait fallu murer la porte du conclave et la fenêtre du balcon où l'on proclame l'élection pontificale, il n'avait pas eu un seul moment pour s'occuper de la police ; de sorte que les assassinats avaient continué de plus belle, et que l'on appelait à grands cris une main énergique qui fit rentrer dans le fourreau toutes ces épées et tous ces poignards.

Les yeux de cette multitude étaient donc fixés, comme nous l'avons dit, sur le Vatican, et particulièrement sur une cheminée de laquelle devait partir le premier signal, quand tout à coup, au moment de l'*Ave Maria*, c'est-à-dire à l'heure où le jour commence à s'éteindre, de grands cris mêlés d'éclats de rire s'élevèrent de toute cette foule, murmure discordant de menaces et de railleries : c'est qu'on venait d'apercevoir au sommet de la cheminée une petite fumée qui semblait, comme un léger nuage, monter perpendiculairement dans le ciel. Cette fumée annonçait que Rome était toujours sans maître, et que le monde n'avait pas encore de pape : car cette fumée était celle des billets de scrutin que l'on brûlait ; preuve que les cardinaux n'étaient point tombés d'accord.

À peine cette fumée eut-elle paru, pour se dissiper presque aussitôt, que tout ce peuple innombrable, sachant bien qu'il n'avait plus rien à attendre et que tout était dit jusqu'au lendemain dix heures du matin, moment auquel les cardinaux faisaient leur premier tirage, se retira tumultueux et railleur, comme après la dernière fusée d'un feu d'artifice ; si bien qu'au bout d'un instant il ne resta plus là, où un quart d'heure auparavant s'agitait tout un monde, que quelques curieux attardés, qui, demeurant dans les environs ou sur la place même, étaient moins pressés que les autres de regagner leur logis ; encore, peu à peu les derniers groupes diminuèrent-ils insensiblement ; car neuf heures et demie venaient de sonner, et à cette heure déjà les rues de Rome commençaient à n'être point sûres ; puis à ces groupes succéda quelque passant solitaire et hâtant le pas ; les portes se fermèrent successivement, les fenêtres s'éteignirent les unes après les autres ; enfin, comme dix heures sonnaient, à l'exception d'une des croisées du Vatican, où l'on voyait veiller une lampe obstinée, maisons, places et rues, tout était tombé dans la plus profonde obscurité.

En ce moment, un homme enveloppé d'un manteau se dressa comme une ombre contre une des colonnes de la basilique inachevée, et, se glissant lentement et avec précaution entre les pierres gisantes autour des fondations du nouveau temple, s'avança jusques auprès de la fontaine qui formait le centre de la place, et qui s'élevait à l'endroit même où est dressé aujourd'hui l'obélisque dont nous avons déjà parlé ; arrivé là, il s'arrêta, doublement caché par l'obscurité de la nuit et par l'ombre du monument, et après avoir regardé autour de lui pour voir s'il était bien seul, il tira son épée, et frappant trois fois de sa pointe le pavé de la place, il en fit jaillir chaque fois des étincelles. Ce signal, car c'en était un, ne fut point perdu ; la dernière lampe qui veillait encore au Vatican s'éteignit, et au même instant un objet lancé par la fenêtre tomba à quelques pas de l'homme au manteau, qui, guidé, par le son argentin qu'il avait rendu en touchant les dalles, ne tarda point à mettre la main dessus malgré les ténèbres, et dès qu'il l'eut en sa possession s'éloigna rapidement.

L'inconnu marcha ainsi et sans se retourner jusqu'à la moitié de Borgo-Vecchio ; mais là, ayant tourné à droite et pris une rue à l'autre extrémité de laquelle était une madone avec sa lampe, il s'approcha de la lumière, et tira de sa poche l'objet qu'il avait ramassé, et qui n'était rien autre chose qu'un écu romain ; seulement cet écu se dévissait, et dans une cavité pratiquée dans son épaisseur renfermait une lettre, que celui à qui elle était adressée commença de lire, au risque d'être reconnu, tant il avait hâte de savoir ce qu'elle contenait.

Nous disons au risque d'être reconnu, car dans son empressement le correspondant nocturne avait rejeté le capuchon de son manteau en arrière, et comme sa tête était tout entière dans le cercle lumineux projeté par la lampe, il était facile de distinguer à la lumière un beau jeune homme de vingt-cinq à vingt-six ans à peu près, vêtu d'un justaucorps violet ouvert aux épaules et aux coudes pour laisser sortir la chemise, et coiffé d'une toque de même couleur dont la longue plume noire retombait jusque sur son épaule. Il est vrai que la station ne fut pas longue ; car à peine eut-il achevé la lettre ou plutôt le billet qu'il venait de recevoir d'une manière si mystérieuse et si étrange, qu'il le replaça dans son portefeuille d'argent, et que, rajustant son manteau de manière à s'en voiler tout le bas de la figure, il reprit sa route d'un pas rapide, traversa

Borgo-San-Spirito et prit la rue della Longara, qu'il suivit jusqu'au-dessus de l'église de Regina-Cœli. Arrivé à cet endroit, il frappa rapidement trois coups à la porte d'une maison de belle apparence, qui s'ouvrit aussitôt ; puis, montant lestement l'escalier, il entra dans une chambre, où l'attendaient deux femmes avec une impatience si visible, que toutes deux en l'apercevant s'écrièrent ensemble :

— Eh bien ! Francesco, quelles nouvelles ?

— Bonnes, ma mère, bonnes, ma sœur, répondit le jeune homme en embrassant l'une et en tendant la main à l'autre : notre père a gagné trois voix aujourd'hui ; mais il lui en manque encore six pour avoir la majorité.

— N'y a-t-il donc pas moyen de les acheter ? s'écria la plus figée des deux femmes, tandis que l'autre, à défaut de la parole, interrogeait du regard.

— Si fait, ma mère, si fait, répondit le jeune homme, et c'est bien à quoi mon père a pensé. Il donne au cardinal Orsini son palais de Rome avec ses deux châteaux de Monticello et de Soriano ; il donne au cardinal Colonna son abbaye de Subiaco ; il donne au cardinal de Saint-Ange l'évêché de Porto avec son mobilier et sa cave, au cardinal de Parme la ville de Nepi, au cardinal de Gênes l'église de Santa-Maria-in-via-Lata, et enfin au cardinal Savelli l'église de Sainte-Marie-Majeure et la ville de Civita-Castellana : quant au cardinal Ascanio Sforza, il sait déjà que nous avons envoyé avant-hier chez lui quatre mulets chargés d'argent et de vaisselle, et sur cet argent il s'est engagé à donner cinq mille ducats au cardinal patriarche de Venise.

— Mais comment ferons-nous connaître aux autres les intentions de Roderic ? demanda la plus âgée des deux femmes.

25

— Mon père a tout prévu, et nous ouvre un moyen facile : vous savez, ma mère, avec quel cérémonial on porte le dîner des cardinaux.

— Oui ; sur un brancard, dans un grand panier aux armes de celui à qui le repas est destiné.

— Mon père a acheté l'évêque qui le visite ; c'est demain jour gras : on enverra aux cardinaux Orsini, Colonna, Savelli, de Saint-Ange, de Parme et de Gênes, des poulets pour rôti, et chaque poulet contiendra une donation en bonne forme, faite par moi au nom de mon père, des maisons, palais ou églises qui leur sont destinés.

— À merveille, dit la plus âgée des deux femmes ; maintenant, j'en suis sûre, tout ira bien.

— Et, par la grâce de Dieu, répondit la plus jeune avec un sourire étrangement railleur, notre père sera pape.

— Oh ce sera un beau jour pour nous ! s'écria François.

— Et pour la chrétienté, répondit sa sœur avec une expression plus ironique encore.

— Lucrèce, Lucrèce, dit la mère, tu ne mérites pas le bonheur qui nous arrive.

— Qu'importe, puisqu'il vient tout de même ? D'ailleurs vous connaissez le proverbe, ma mère : Les nombreuses familles sont bénies du Seigneur : à plus forte raison, la nôtre, qui a tant de ressemblance avec celle des patriarches.

Et en même temps elle jeta à son frère un regard d'une telle lascivité, que le jeune homme en rougit ; mais comme pour le moment il avait à penser à autre chose qu'à ses amours incestueuses, il ordonna de réveiller quatre domestiques ; et tandis que ceux-ci s'armaient pour l'accompagner, il rédigea et signa les six donations qui devaient le lendemain être envoyées aux cardinaux ; car, ne voulant pas être vu chez eux, il comptait profiter de la nuit pour les remettre lui-même aux différentes personnes de confiance qui devaient les leur faire passer, ainsi qu'il avait été convenu, à l'heure du dîner. Puis, lorsque les donations furent en bon ordre et les serviteurs prêts, François sortit avec eux, laissant les deux femmes faire des rêves dorés sur leur grandeur future.

Dès le point du jour, le peuple se précipita de nouveau, aussi ardent et aussi empressé que la veille, sur la place du Vatican, où, au moment accoutumé, c'est-à-dire à dix heures du matin, la fumée vint encore, comme d'habitude, éveillant les rires et les murmures, annoncer qu'aucun des cardinaux n'avait réuni la majorité. Cependant le bruit commençait à se répandre que les chances étaient réparties sur trois candidats, qui étaient Roderic Borgia, Julien della Rovere, et Ascanio Sforza ; car le peuple ignorait encore la circonstance des quatre mulets chargés de vaisselle et d'argent qui avaient été conduits chez ce dernier, et moyennant lesquels il avait cédé ses voix à son concurrent. Au milieu de l'agitation qu'avait excitée dans la foule cette déception nouvelle, on entendit des chants religieux : c'était une procession, commandée par le cardinal camerlingue pour obtenir du ciel la prompte élection d'un pape, et qui, partie de l'église d'Ara-Cœli au Capitole, devait faire des stations devant les principales madones et dans les basiliques les plus fréquentées. Dès qu'on aperçut le crucifix d'argent qui la précédait, le silence le plus profond se rétablit, et chacun se mit à genoux : de sorte qu'un recueillement suprême succéda au tumulte et au bruit qui quelques minutes auparavant se faisait entendre, et qui à chaque fumée nouvelle prenait un caractère plus menaçant. Aussi beaucoup pensèrent-ils que la procession, en même temps que son but religieux, avait un but politique, et que son influence devait être aussi grande sur la terre qu'au ciel. En tout cas, si tel avait été le dessein du cardinal camerlingue, il ne s'était pas trompé, et l'effet produit fut tel qu'il le désirait : la procession passée, les rires et les plaisanteries continuèrent ; mais les cris et les menaces avaient complètement cessé.

Toute la journée s'écoula ainsi ; car à Rome personne ne travaille, on est cardinal ou laquais, et chacun vit on ne sait comment. La foule était donc toujours des plus nombreuses, lorsque, vers les deux heures de l'après-midi, une autre procession, mais qui avait, celle-là, le privilège de provoquer autant de bruit que l'autre commandait de silence, traversa à son tour la place Saint-Pierre : c'était la procession du dîner. Le peuple l'accueillit avec ses éclats de rire habituels, sans se douter, irrévérencieux qu'il était, qu'avec cette procession, plus efficace que la première, le nouveau pape venait de passer.

L'heure de l'*Ave Maria* vint comme la veille, mais, comme la veille, l'attente de toute la journée fut perdue, et à huit heures et demie sonnant, la fumée quotidienne reparut au sommet de la cheminée. Mais, comme au même moment des bruits qui venaient de l'intérieur du Vatican se répandirent, annonçant que, selon toute probabilité, l'élection aurait lieu le lendemain, ce bon peuple prit patience. D'ailleurs il avait fait très chaud ce jour-là, et il était si écrasé de fatigue et si brûlé par le soleil, lui qui vit d'ombre et de paresse, qu'il n'avait plus même la force de crier.

La journée du lendemain qui était celle du 11 août 1492, se leva orageuse et sombre ; ce qui n'empêcha pas la multitude d'encombrer places, rues, portes, maisons, basiliques. D'ailleurs cette disposition du temps était une véritable bénédiction du ciel ; car s'il y avait de la chaleur, du moins il n'y aurait pas de soleil.

Vers les neuf heures un orage terrible s'amoncela sur tout le Transtevère ; mais qu'importaient à cette foule pluie, éclairs et foudre ? elle était préoccupée d'un bien autre soin, elle attendait son pape ; on le lui avait promis pour ce jour-là, et l'on pouvait voir aux dispositions de chacun que, si la journée se passait sans qu'il y eût élection, alors il pourrait bien y avoir émeute : aussi, à mesure que l'heure s'avançait, l'agitation devenait-elle plus grande. Neuf heures, neuf heures et demie, dix heures moins un quart sonnèrent, sans que rien vînt confirmer ou détruire ses espérances ; enfin le premier coup de dix heures se fit entendre : tous les yeux se portèrent vers la cheminée ; dix heures sonnèrent lentement, chaque coup retentissant dans le cœur de la multitude. Enfin le dixième coup vibra, puis s'évanouit frémissant dans l'espace, et un grand cri parti de cent mille poitrines à la fois succéda à ce silence : *Non v'è fumo !* Il n'y a pas de fumée !... C'est-à-dire : Nous avons un pape.

En ce moment la pluie commença de tomber ; mais on ne fit point attention à elle, tant étaient grands les transports de joie et d'impatience de tout ce peuple. Enfin une petite pierre se détacha de la fenêtre murée donnant sur le balcon, et vers laquelle tous les yeux étaient fixés : une acclamation générale accueillit sa chute ; peu à peu l'ouverture s'agrandit, et en peu de minutes elle fut assez large pour permettre à un homme de s'avancer sur le balcon.

Alors le cardinal Ascanio Sforza parut ; mais au moment où il allait sortir, effrayé par la pluie et les éclairs, il hésita un instant, et finit par reculer : aussitôt toute la multitude éclata à son tour comme une tempête, avec des cris, des imprécations, des hurlements, menaçant de démolir le Vatican et d'aller chercher elle-même son pape. À ce bruit, le cardinal Sforza, plus épouvanté de l'orage populaire que de l'orage céleste, s'avança sur le balcon, et entre deux coups de tonnerre, au moment d'un silence incompréhensible à qui venait d'entendre les rumeurs qui l'avaient précédé, il fit la proclamation suivante :

— Je vous annonce une grande joie : l'éminentissime et revérendissime seigneur Roderic Lenzuolo Borgia, archevêque de Valence, cardinal-diacre de San-Nicolae-in-Carcere, vice-chancelier de l'Église, vient d'être élu pape, et s'est imposé le nom d'Alexandre VI.

La nouvelle de cette nomination fut accueillie avec une joie étrange. Roderic Borgia avait la réputation d'un homme dissolu, il est vrai, mais le libertinage était monté sur le trône avec Sixte IV et Innocent VIII ; de sorte qu'il n'y avait rien de nouveau pour les Romains dans cette singulière position d'un pape ayant une maîtresse et cinq enfants. L'important pour l'heure était que le pouvoir tombât dans des mains fermes, et il était encore plus important pour la tranquillité de Rome que le nouveau pape héritât de l'épée de saint Paul que des clefs de saint Pierre.

Aussi, dans les fêtes qui furent données en cette occasion, le caractère qui domine est-il un caractère bien plus guerrier que religieux, et semble-t-il plutôt appartenir à la nomination d'un jeune conquérant qu'à l'exaltation d'un vieux pontife : ce n'étaient que jeux de mots et inscriptions prophétiques sur le nom d'Alexandre, qui pour la seconde fois semblait promettre aux Romains l'empire du monde, et le même soir, au milieu des illuminations ardentes et des feux de joie, qui semblaient faire de la ville un lac de flamme, on lut, au milieu des acclamations de la populace, l'inscription suivante :

Sous César autrefois, Rome par la victoire
Se fit reine chez elle et maîtresse en tout lieu ;
Mais Alexandre encore fera plus pour sa gloire ;
César n'était qu'un homme, Alexandre est un Dieu.

Quant au nouveau pontife, à peine avait-il rempli les formalités d'étiquette que lui imposait son exaltation, et payé à chacun le prix de sa simonie, qu'il jeta, du haut du Vatican, les yeux sur l'Europe, vaste échiquier politique, qu'il avait l'espérance de diriger au gré de son génie.

Le monde en était arrivé à une de ces époques suprêmes où tout se transforme, entre une période qui finit et une ère qui commence : à l'orient la Turquie, au midi l'Espagne, à l'occident la France, au nord l'Allemagne, allaient prendre, avec le titre de grandes nations, cette influence qu'elles devaient exercer dans l'avenir sur les États secondaires. Nous allons donc jeter, avec Alexandre VI, un coup d'œil rapide sur elles, et voir quelle était leur situation respective à l'égard de l'Italie, qu'elles convoitaient toutes comme une proie.

Constantin Paléologue Dragozès, assiégé par trois cent mille Turcs, après avoir appelé en vain toute la chrétienté à son secours, n'ayant pas voulu survivre à la perte de son empire, avait été trouvé au milieu des morts, près de la porte Tophana ; et le 30 mai 1453, Mahomet II avait fait son entrée à Constantinople, où, après un règne qui lui avait mérité le surnom de Fatile, ou le vainqueur, il était mort laissant deux fils, dont l'aîné était monté sur le trône sous le nom de Bajazet II.

Cependant l'avènement du nouveau sultan ne s'était point accompli avec la tranquillité que son droit d'aînesse et le choix de son père devaient lui promettre. Djem, son frère cadet, plus connu sous le nom de Zizim, avait argué de ce qu'il était porphyrogénète, c'est-à-dire né pendant le règne de Mahomet, tandis que Bajazet, antérieur à cette époque, n'était que le fils d'un simple particulier. C'était une assez mauvaise chicane ; mais là où la force est tout et où le droit n'est rien, elle était suffisante pour soulever une guerre. Les deux frères, chacun à la tête d'une armée, se rencontrèrent donc en Asie en 1482, Djem fut défait après un combat de sept heures, et poursuivi par son frère, qui ne lui donna pas le temps de rallier son armée, il fut obligé de s'embarquer en Cilicie, et se réfugia à Rhodes, où il implora la protection des chevaliers de Saint-Jean, qui, n'osant lui donner asile dans leur île si proche de l'Asie, l'envoyèrent en France, où ils le firent garder avec soin dans une de leurs commanderies, malgré les instances de Cait Bay, soudan d'Égypte, lequel, s'étant révolté contre Bajazet, désirait, pour donner à sa rébellion une apparence de guerre légitime, avoir le jeune prince dans son armée. Même demande, au reste, avait été faite successivement, et dans un même but politique, par Mathias Corvin, roi de Hongrie, par Ferdinand, roi d'Aragon et de Sicile, et par Ferdinand, roi de Naples.

De son côté, Bajazet, qui savait toute l'importance d'un pareil rival, si une fois il était allié soit de l'un, soit de l'autre des princes avec lesquels il était en guerre, avait envoyé des ambassadeurs à Charles VIII, lui offrant, s'il s'engageait à retenir Djem auprès de lui, une pension considérable, et la souveraineté de la terre sainte pour la France, dès que Jérusalem serait conquise sur le Soudan d'Égypte. Le roi de France avait accepté.

Mais alors Innocent VIII était intervenu, et avait réclamé Djem à son tour, en apparence pour appuyer des droits du proscrit une croisade qu'il prêchait contre les Turcs, mais en réalité pour toucher la pension de quarante mille ducats due par Bajazet à celui des princes chrétiens, quel qu'il fût, qui se chargeait d'être le geôlier de son frère. Charles VIII n'avait point osé refuser au chef spirituel de la chrétienté une demande appuyée sur de si saintes raisons ; de sorte que Djem avait quitté la France, accompagné du grand maître d'Aubusson, sous la garde directe duquel il était, et qui, moyennant un chapeau de cardinal, avait consenti à céder son prisonnier. De sorte que, le 13 mars 1489, le malheureux jeune homme, point de mire de tant d'intérêts divers, fit son entrée solennelle à Rome, monté sur un superbe cheval, revêtu d'un magnifique costume d'Orient, entre le prieur d'Auvergne, neveu du grand maître d'Aubusson, et François Cibo, fils du pape.

Depuis cette époque, il y était resté, et Bajazet, fidèle à des promesses qu'il avait si grand intérêt à remplir, avait exactement payé au souverain pontife une pension de quarante mille ducats.

Voilà pour la Turquie.

Ferdinand et Isabelle régnaient en Espagne, et jetaient les fondements de cette vaste puissance qui devait, vingt-cinq ans plus tard, faire dire à Charles-Quint que le soleil ne se couchait point sur ses États. En effet, ces deux souverains, auxquels l'histoire a conservé le nom de catholiques, avaient conquis successivement presque toutes les Espagnes, et chassé les

Maures de Grenade, leur dernier retranchement ; tandis que deux hommes de génie, Barthélemy Diaz et Christophe Colomb, venaient, à leur profit, l'un de retrouver un monde perdu, l'autre de conquérir un monde ignoré. Ils avaient donc, grâce à leurs victoires dans l'ancien monde et à leurs découvertes dans le nouveau, acquis à la cour de Rome une influence dont n'avait joui aucun de leurs prédécesseurs.

Voilà pour l'Espagne.

En France, Charles VIII avait succédé, le 30 août 1483, à son père Louis XI, qui, à force d'exécutions, lui avait fait un royaume tranquille et tel qu'il convenait à un enfant montant sur le trône sous la régence d'une femme. Au reste régence glorieuse, et qui avait contenu les prétentions des princes du sang et terminé les guerres civiles, en réunissant à la couronne tout ce qui restait encore de grands fiefs indépendants. Il en résultait qu'à l'époque où nous sommes arrivés, Charles VIII, âgé de vingt-deux ans à peu près, était, s'il faut en croire La Trémouille, un prince petit de corps et grand de cœur ; s'il faut en croire Commines, un enfant ne faisant que sortir du nid, dépourvu de sens et d'argent, faible de sa personne, plein de son vouloir, et accompagné de fous plutôt que de sages gens ; enfin, s'il faut en croire Guicciardini, qui, en sa qualité d'Italien, pourrait bien en avoir porté un jugement un peu partial, un jeune homme peu intelligent des actions humaines, et transporté par un ardent désir de régner et d'acquérir de la gloire, désir bien plus fondé sur sa légèreté et sur son impétuosité que sur la conscience de son génie ; ennemi de toute fatigue et de toute affaire ; lorsqu'il essayait d'y donner son attention, il se montrait presque toujours dépourvu de prudence et de jugement. Si quelque chose paraissait en lui digne de louange au premier coup d'œil, en y regardant de plus près, on trouvait que ce quelque chose était encore moins éloigné du vice que de la vertu. Il était libéral, il est vrai, mais inconsidérément, sans mesure et sans distinction. Il était quelquefois immuable dans sa volonté, mais par obstination et non par constance ; et ce que ses flatteurs appelaient en lui bonté méritait bien mieux le nom d'insensibilité aux injures ou de faiblesse d'âme.

Quant à son portrait physique, s'il faut en croire le même auteur, il était encore moins avantageux, et répondait merveilleusement à cette faiblesse d'esprit et de caractère. Il était petit, avait la tête grosse, le cou gros et court, la poitrine et les épaules larges et élevées, les cuisses et les jambes longues et grêles ; et comme avec cela son visage était laid, à l'exception de son regard, qui avait de la dignité et de la vigueur, et que tous ses membres étaient disproportionnés entre eux, il avait plutôt l'air d'un monstre que d'un homme.

Tel était celui dont la fortune devait faire un conquérant, et auquel le ciel réservait plus de gloire qu'il n'en pouvait porter.

Voilà pour la France.

L'Empire était occupé par Frédéric III, que l'on avait à bon droit appelé le Pacifique, par la raison, non pas qu'il avait toujours maintenu la paix, mais qu'ayant constamment été battu, il avait toujours été contraint de la faire. La première preuve qu'il avait donnée de cette longanimité toute philosophique avait été pendant son voyage à Rome, où il se rendait pour être sacré. En traversant les Apennins, il fut attaqué par des brigands, qui le pillèrent, et contre lesquels il ne fit aucune poursuite. Aussi, encouragés par l'exemple et l'impunité des petits voleurs, les grands s'en mêlèrent-ils bientôt. Amurath s'empara d'une partie de la Hongrie,

Mathias Corvin prit la basse-Autriche, et Frédéric se consola de ces envahissements en répétant cette maxime : *L'oubli est le remède des choses que l'on a perdues*. Au moment où nous en sommes arrivés, il venait, après un règne de cinquante-trois ans, de fiancer son fils Maximilien à Marie de Bourgogne, et de mettre au ban de l'empire son gendre Albert de Bavière, qui prétendait à la propriété du Tyrol. Il était donc trop occupé de ses affaires de famille pour pouvoir s'inquiéter de l'Italie. D'ailleurs, il était en train de chercher une devise à la maison d'Autriche, occupation des plus importantes pour un homme du caractère de Frédéric III. Enfin, cette devise, que devait presque réaliser Charles Quint, fut trouvée, à la grande joie du vieil empereur, qui, jugeant qu'il n'avait plus rien à faire sur la terre après cette dernière preuve de sagacité, mourut le 19 août 1493, laissant l'empire à son fils Maximilien.

Cette devise était tout bonnement les cinq voyelles A E I O U, initiales de ces cinq mots :

AUSTRIÆ EST IMPERARE ORBI UNIVERSO.

Ce qui veut dire :

« C'est le destin de l'Autriche de commander
au monde entier. »

Voilà pour l'Allemagne.

Maintenant que nous avons jeté les yeux sur les quatre nations qui tendaient, comme nous l'avons dit, à devenir des puissances européennes, ramenons nos regards sur les États secondaires qui formaient un cercle plus rapproché autour de Rome, et qui devaient, pour ainsi dire, servir d'armure à la reine spirituelle

du monde, s'il plaisait à quelqu'un des géants politiques que nous avons décrits d'enjamber, pour venir
l'attaquer, les mers ou les montagnes, le golfe Adriatique et les Alpes, la Méditerranée ou les Apennins.

C'étaient le royaume de Naples, le duché de Milan,
la magnifique république de Florence, ou la sérénissime république de Venise.

Le royaume de Naples était aux mains du vieux
Ferdinand, dont la naissance était non seulement illégitime, mais probablement même incestueuse. Son
père, Alphonse d'Aragon, tenait sa couronne de Jeanne
de Naples, qui l'avait adopté pour son successeur.
Mais, comme, par crainte de manquer d'héritier, la
reine à son lit de mort en avait nommé deux au lieu
d'un, Alphonse eut à soutenir ses droits contre René.
Les doux prétendants se disputèrent quelque temps la
couronne. Enfin, la maison d'Aragon l'emporta sur
celle d'Anjou, et pendant l'année 1442, Alphonse
s'affermit définitivement sur le trône. Ce sont les droits
du prétendant expulsé que nous verrons Charles VIII
réclamer bientôt.

Ferdinand n'avait ni la valeur ni le génie de son
père, et cependant il triompha successivement de ses
ennemis ; il eut deux compétiteurs, qui tous deux lui
étaient fort supérieurs en mérite. L'un était le comte
de Viane, son neveu, qui, arguant de la naissance honteuse de son oncle, disposait de tout le parti aragonais ;
l'autre était le duc Jean de Calabre, qui disposait de
tout le parti angevin. Cependant il les écarta tous les
deux, et se maintint sur le trône, fort de sa prudence,
qui allait souvent jusqu'à la duplicité. Il avait l'esprit
cultivé, avait étudié les sciences, et surtout la législa-
tion. Il était d'une taille médiocre, avait la tête grande
et belle, le front ouvert et admirablement encadré dans

de beaux cheveux blancs qui lui tombaient jusque sur les épaules. Enfin, quoiqu'il eût rarement exercé sa force physique par les armes, cette force était si grande, qu'un jour qu'il se trouvait sur la place du marché Neuf, à Naples, il saisit par la corne un taureau qui s'était échappé, et l'arrêta court, quelques efforts que celui-ci tentât pour s'échapper de ses mains. Au reste, l'élection d'Alexandre lui avait causé une grande inquiétude, et, malgré sa prudence, il n'avait pu s'empêcher de dire devant celui qui lui avait apporté cette nouvelle que non seulement il ne se réjouissait pas de cette élection, mais encore qu'il ne pensait pas qu'aucun chrétien pût s'en réjouir, attendu que Borgia, ayant toujours été un méchant homme, serait certainement un mauvais pontife. Au reste, ajouta-t-il, ce choix fût-il excellent, et cette élection dût-elle plaire à tous les autres, elle n'en serait pas moins fatale à la maison d'Aragon, encore qu'il en soit né sujet, et qu'il lui doive la source et les progrès de sa fortune ; car là où entrent les raisons d'État, elles ont bientôt exilé les affections du sang et de la parenté, à plus forte raison par conséquent, les simples relations de sujet et d'obligé.

Ainsi qu'on le voit, Ferdinand jugeait Alexandre VI avec sa perspicacité habituelle ; ce qui ne l'empêcha pas, ainsi que nous le verrons bientôt, d'être le premier qui contracta alliance avec lui.

Le duché de Milan appartenait nominativement à Jean Galéas, petit-fils de François Sforza, qui s'en était emparé par violence, le 26 février 1460, et l'avait légué à Galéas Marie, son fils, père du jeune prince régnant : nous disons nominativement, parce que le véritable maître du Milanais était à cette heure, non pas l'héritier légitime, qui était censé le posséder, mais son oncle

Ludovic, surnommé *il Moro*, à cause du mûrier qu'il portait dans ses armes. Exilé avec ses deux autres frères, Philippe, qui mourut empoisonné en 1479, et Ascagne, qui devint cardinal, il rentra dans Milan quelques jours après l'assassinat de Galéas Marie, qui eut lieu le 26 décembre 1476 dans la basilique de Saint-Étienne, et s'empara de la régence du jeune duc, qui n'avait alors que huit ans. Depuis cette époque, et quoique son neveu eût atteint l'âge de vingt-deux ans, Ludovic avait continué de gouverner, et, selon toutes probabilités, devait gouverner longtemps encore ; car quelques jours après avoir manifesté le désir de reprendre le pouvoir, le pauvre jeune homme était tombé malade, et l'on disait tout haut qu'il avait pris un de ces poisons lents, mais mortels, dont les princes de cette époque faisaient un usage si fréquent, que, lors même qu'une maladie était naturelle, on lui cherchait toujours une cause que l'on pût rattacher à quelque grand intérêt. Quoi qu'il en soit, Ludovic avait relégué son neveu, trop faible pour s'occuper désormais des affaires de son duché, dans le château de Pavie, où il languissait sous les yeux de sa femme Isabelle, fille du roi Ferdinand de Naples.

Quant à Ludovic, c'était un ambitieux à la fois plein de courage et d'astuce, familier avec l'épée et le poison, qui, selon les occasions, sans avoir de prédilection ni de répugnance pour l'une ou pour l'autre, les employait alternativement, et qui, au reste, était bien décidé à hériter de son neveu, soit qu'il mourût, ou soit qu'il ne mourût pas.

Florence, quoique ayant conservé le nom d'une république, en avait peu à peu perdu toutes les libertés, et appartenait de fait, sinon de droit, à Pierre de Médicis, à qui Laurent l'avait, ainsi que nous l'avons vu, au risque du salut de son âme, léguée comme un bien paternel. Malheureusement le fils était loin d'avoir le génie du père : il était beau, il est vrai, tandis qu'au contraire, Laurent était d'une laideur remarquable ; il avait une voix agréable et harmonieuse, tandis que Laurent avait toujours nasillé ; il était instruit dans les langues grecque et latine, il avait la conversation agréable et facile, et improvisait des vers presque aussi bien que celui qu'on avait nommé le Magnifique ; mais il était, quoique ignorant aux affaires politiques, orgueilleux et insolent envers ceux qui en avaient fait une étude. Au reste, ardent aux plaisirs, passionné pour les femmes, incessamment occupé des exercices du corps qui pouvaient le faire briller à leurs yeux, et surtout de la paume, jeu auquel il était d'une grande force, et se promettant bien, aussitôt que son deuil serait passé, d'occuper non seulement Florence, mais encore l'Italie tout entière, par la splendeur de sa cour et par le bruit de ses fêtes. Ainsi du moins l'avait résolu Pierre de Médicis ; mais le ciel en décida autrement.

Quant à la sérénissime république de Venise, dont Augustin Barbarigo est le doge, elle est parvenue, à l'heure où nous sommes arrivés, à son plus haut degré de puissance et de splendeur. Depuis Cadix jusqu'aux Palus Méotides, elle n'a pas un port qui ne soit ouvert à ses mille vaisseaux ; elle possède en Italie, outre le littoral des lagunes et l'ancien duché de Venise, les provinces de Bergame, de Brescia, de Crèmone, de Vérone, de Vicence et de Padoue ; elle a la Marche Trévisane, qui comprend le Feltrin, le Bellunois ; le Cadorin, la Polésine de Rovigo, et la principauté de Ravenne ; elle a le Frioul, moins Aquilée ; l'Istrie, moins Trieste ; elle a, sur la côte orientale du golfe, Zara, Spalatro, et le littoral de l'Albanie ; elle a dans la mer Ionienne les îles de Zante et de Corfou ; elle a en Grèce Lépante et

Patras ; elle a dans la Morée Moron, Coron, Napoli di Romanie et Argos ; enfin, dans l'archipel, outre plusieurs petites villes et des établissements sur les côtes, elle a Candie et le royaume de Chypre.

Ainsi, depuis l'embouchure du Pô jusqu'à l'extrémité orientale de la Méditerranée, la sérénissime république est maîtresse de tout le littoral, et l'Italie et la Grèce semblent le faubourg de Venise.

Dans les intervalles laissés libres entre Naples, Milan, Florence et Venise, de petits tyrans se sont établis, exerçant une souveraineté absolue sur leur territoire : ainsi les Colonna sont à Ostie et à Nettuno, les Montefeltri à Urbin, les Manfredi à Faenza, les Bentivogli à Bologne, les Malatesta à Rimini, les Vitelli a Città di Castello, les Baglioni à Pérouse, les Orsini à Vicovaro, et les princes d'Este à Ferrare.

Enfin, au centre de ce cercle immense, composé de grandes puissances, d'États secondaires et de petits tyrans, s'élève Rome, placée en haut de la spirale ; la plus élevée, mais la plus faible de tous, sans influence, sans territoire, sans armée et sans argent.

Il s'agit pour le nouveau pontife de lui rendre tout cela ; voyons donc quel homme c'était qu'Alexandre VI, pour entreprendre et accomplir un pareil projet.

Roderic Lenzuolo était né à Valence en Espagne en 1430 ou 1431, et descendait par sa mère d'une famille issue, à ce que prétendent plusieurs auteurs, de race royale, et qui, avant de jeter les yeux sur la tiare, avait eu des prétentions aux couronnes d'Aragon et de Valence ; dès son enfance il avait donné des marques d'une vivacité d'esprit merveilleuse, et en grandissant il avait montré un génie très apte aux sciences, et surtout à celles du droit et de la jurisprudence : il en résulte qu'il acquit ses premières distinctions comme avocat, profession dans laquelle son habileté à discuter les affaires les plus épineuses lui fit bientôt une grande réputation. Cependant il ne tarda point à se lasser de cette carrière, qu'il abandonna tout à coup pour celle des armes, qu'avait suivie son père ; mais, après quelques actions qui prouvaient son sang-froid et son courage, il se dégoûta de celle-ci, ainsi que de l'autre ; et comme, au moment où ce dégoût commençait à le prendre, son père mourut, laissant une fortune considérable, il résolut de ne plus rien faire, et de vivre en se laissant aller à son caprice et à sa fantaisie. Vers cette époque, il devint l'amant d'une veuve qui avait deux filles. La veuve mourut ; Roderic prit les filles sous sa tutelle, mit l'une d'elles dans un couvent, et comme l'autre était une des plus belles femmes qui se pussent voir, il la garda pour sa maîtresse. C'était la fameuse Rosa Vanozza, dont il eut cinq enfants : François, César, Lucrèce et Guilfry ; on ignore le nom du cinquième.

Roderic, retiré des affaires publiques, était tout entier à ses amours et à sa paternité, lorsqu'il apprit que son oncle, qui l'affectionnait comme s'il eût été son fils, avait été élu pape sous le nom de Calixte III. Mais le jeune homme était si amoureux à cette heure, que l'amour faisait taire en lui l'ambition, et qu'il fut presque effrayé de l'exaltation de son oncle, exaltation qui allait sans doute le forcer de rentrer dans les affaires publiques. En conséquence, au lieu d'accourir à Rome, comme tout autre eût fait à sa place, il se contenta d'écrire à sa sainteté une lettre dans laquelle il lui demandait la continuation de ses bontés, et lui souhaitait un long et heureux pontificat.

Cette retenue d'un de ses parents, au milieu des ambitions que le nouveau pontife trouvait à chaque pas sur son chemin, frappa singulièrement Calixte III : il savait la valeur du jeune Roderic, et au moment où les médiocrités l'assiégeaient de tous côtés, cette capacité qui se tenait modestement à l'écart grandit encore à ses yeux : aussi répondit-il à l'instant même à Roderic qu'au reçu de sa lettre il eût à quitter l'Espagne pour l'Italie et Valence pour Rome.

Cette lettre déplaçait Roderic du centre de bien-être qu'il s'était fait, et dans lequel il se fût peut-être endormi, comme un homme ordinaire, si la fortune n'était pas ainsi venue l'en tirer par la main. Roderic était heureux, Roderic était riche ; les mauvaises passions qui lui étaient naturelles s'étaient sinon éteintes, du moins assoupies ; il s'effraya lui-même à l'idée de changer la vie douce qu'il menait contre la vie ambitieuse et agitée qui lui était promise ; et au lieu d'obéir à son oncle, il retarda les préparatifs de son départ, espérant que Calixte l'oublierait. Il n'en fut pas ainsi : deux mois après la lettre pontificale, un prélat romain, porteur de la nomination de Roderic à un bénéfice valant vingt mille ducats par an, et d'un ordre positif au titulaire de venir prendre au plus tôt possession de sa charge, arriva à Valence.

Il n'y avait plus à reculer ; aussi Roderic obéit-il : mais, comme il ne voulait pas se séparer de la source où il avait puisé son bonheur depuis huit ans, Rosa Vanozza partit de son côté, et tandis qu'il se rendait à Rome elle se rendit à Venise, accompagnée de deux domestiques de confiance, et sous la garde d'un gentilhomme espagnol, nommé Manuel Melchiori.

La fortune tint vis-à-vis de Roderic les promesses qu'elle lui avait faites : le pape le reçut comme un fils, et le fit tour à tour archevêque de Valence, cardinal diacre et vice-chancelier. À toutes ces faveurs Calixte ajouta un revenu de quarante mille ducats ; de sorte qu'à l'âge de trente-cinq ans à peine Roderic se trouva riche et puissant à l'égal d'un prince.

Roderic avait eu quelque peine à accepter le cardinalat, qui l'enchaînait à Rome, et eût préféré être général de l'Église, position qui lui eût donné plus grande liberté de voir sa maîtresse et sa famille ; mais son oncle Calixte lui fit entrevoir la possibilité de lui succéder un jour, et, de ce moment, l'idée d'être le chef suprême des rois et des peuples s'empara tellement de Roderic, qu'il n'eut plus devant les yeux que le but que son oncle lui avait fait entrevoir.

Alors, à compter de ce jour, naquit chez le jeune cardinal cette puissance d'hypocrisie qui fit de lui la plus parfaite incarnation du démon qui ait peut-être jamais existé sur la terre ; et Roderic ne fut plus le même homme : les paroles d'humilité et de repentir à la bouche, le front baissé comme s'il eût porté le poids de ses fautes passées, dédaigneux des richesses qu'il avait acquises, et qui, étant, disait-il, le bien des pauvres, devaient retourner aux pauvres, il passait sa vie dans les églises, dans les monastères ou dans les hôpitaux, acquérant, dit son historien, aux yeux même de ses ennemis, la réputation d'un Salomon pour la sagesse, d'un Job pour la patience, et d'un Moïse pour la publication de la parole de Dieu : seule au monde, Rosa Vanozza pouvait estimer ce que valait la conversion du pieux cardinal.

Bien en prit à Roderic de s'être posé aussi saintement ; car son protecteur mourut après un règne de trois ans trois mois et dix-neuf jours, et il ne fut plus soutenu que par son propre mérite contre les ennemis nombreux que lui avait faits sa rapide fortune : aussi pendant tout le règne de Pie II demeura-t-il constamment éloigné des affaires, et ne le vit-on reparaître que sous Sixte IV, qui lui fit don de l'abbaye de Subiaco, et l'envoya en qualité de légat près des rois d'Aragon et de Portugal. À son retour, qui eut lieu sous le pontificat d'Innocent VIII, il se décida à faire enfin venir sa famille à Rome : elle y fut conduite par don Melchiori, qui, dès ce moment, passa pour le mari de Vanozza, et prit le nom du comte Ferdinand de Castille. Le cardinal Roderic reçut le noble Espagnol comme un compatriote et un ami : celui-ci, qui comptait mener une vie fort retirée, loua une maison dans la rue della Lungara, proche de l'église de Regina-Cœli et sur les bords du Tibre. C'est là qu'après avoir passé la journée en prières et en œuvres pieuses, le cardinal Roderic allait chaque soir déposer son masque. Alors, disait-on, quoique personne n'en pût donner la preuve, il se passait dans cette maison des choses infâmes : on parlait d'inceste entre le père et la fille et entre les deux frères et la sœur ; de sorte que, pour faire cesser ces bruits qui commençaient à se répandre, Roderic envoya César étudier à Pise, et maria Lucrèce à un jeune gentilhomme aragonais ; si bien qu'il ne resta plus à la maison que la Vanozza et ses deux fils : tel était l'état des choses quand Innocent VIII mourut, et que Roderic Borgia fut proclamé pape.

Nous avons vu par quels moyens la nomination s'était faite ; aussi les cinq cardinaux qui n'avaient point participé à cette simonie, et qui étaient les cardinaux de Naples, de Sienne, de Portugal, de Sainte-Marie-in-Porticu et de Saint-Pierre-aux-Liens, protestèrent-ils tout haut contre cette élection, qu'ils traitèrent de maquignonnage ; mais Roderic n'en avait pas moins, n'importe par quel moyen, réuni la majorité ; Roderic n'en était pas moins le deux-cent-seizième successeur de saint Pierre.

Cependant, tout arrivé qu'il était à son but, Alexandre VI n'osa point dès l'abord quitter le masque qu'avait porté si longtemps le cardinal Borgia, quoique en apprenant sa nomination il ne pût dissimuler la joie qu'elle lui causa, si bien qu'il s'écria en levant les mains au ciel, et avec l'accent de l'ambition satisfaite, lorsqu'on lui annonça que le scrutin venait de décider en sa faveur :

— Suis-je donc pape ? Suis-je donc le vicaire du Christ ? Suis-je donc la clef de voûte du monde chrétien ?

— Oui, saint père, lui répondit le cardinal Ascanio Sforza – le même qui avait vendu à Roderic les neuf voix dont il disposait au conclave pour quatre mulets chargés d'argent ; et nous espérons par votre élection donner la gloire à Dieu, le repos à l'Église et la joie à la chrétienté ; attendu que vous êtes choisi par le Tout-Puissant lui-même, comme le plus digne de tous vos frères.

Mais, si courte qu'avait été cette réponse, le nouveau pape avait déjà repris son empire sur lui-même, et d'une voix humble et les mains croisées sur la poitrine :

— Nous espérons, dit-il, que Dieu nous accordera son puissant secours, nonobstant notre faiblesse, et qu'il fera pour nous ce qu'il fit pour l'apôtre, lorsqu'il lui mit autrefois les clefs du ciel entre les mains, et qu'il lui confia le gouvernement de l'Église, gouvernement qui, sans l'aide divine, serait une trop lourde charge pour un mortel : mais Dieu lui promit que son esprit le dirigerait ; il en fera ainsi pour nous, je l'espère ; et, de votre côté, nous ne doutons pas que vous n'ayez tous cette sainte obéissance qui est due au chef de l'Église, en imitation de celle que le troupeau du Christ était obligé d'avoir pour le prince des apôtres.

Aussitôt ce discours terminé, Alexandre se revêtit des habits pontificaux, et fit jeter par les fenêtres du Vatican des bandes de papier sur lesquelles son nom était écrit en latin, et qui, enlevées par le vent, semblèrent porter au monde entier la nouvelle du grand événement qui allait changer la face de l'Italie.

Le même jour, des courriers furent expédiés dans toutes les cours de l'Europe.

César Borgia apprit la nouvelle de l'élection de son père, à l'université de Pise, où il étudiait : son ambition avait rêvé parfois une telle fortune, et cependant sa joie en fut presque insensée. C'était alors un jeune homme de vingt-deux à vingt-quatre ans, adroit à tous les exercices du corps et surtout aux armes ; montant sans selle les chevaux les plus fougueux, et tranchant la tête d'un taureau d'un seul coup d'épée : d'ailleurs, arrogant, jaloux, dissimulé, et, au dire de Tommasi, grand parmi les impies, comme son frère François était bon parmi les grands. Quant à son visage, les auteurs même contemporains en ont laissé une description tout à fait diverse ; car les uns l'ont peint comme un monstre de laideur, tandis que les autres vantent, au contraire, sa beauté : cette contradiction tient à ce que, dans certains moments de l'année et au printemps surtout, sa figure se couvrait de pustules qui en faisaient, tant qu'elles duraient, un objet d'horreur et de dégoût, tandis que, pendant tout le reste du temps, c'était le sombre cavalier aux cheveux noirs, au teint pâle et à la barbe fauve, que nous a montré Raphaël dans le beau portrait qu'il a fait de lui. Au reste, historiens, chroniqueurs et peintres, sont d'accord sur son regard fixe et puissant, au fond duquel brillait une flamme incessante, qui lui donnait quelque chose d'infernal et de surhumain. Tel était l'homme dont le sort venait de combler toutes les espérances, et qui avait pris pour devise : *Aut Cæsar, aut nihil*, « César, ou rien. »

César prit la poste avec quelques-uns de ses familiers, et à peine eut-il été reconnu aux portes de Rome, que les respects qu'on lui rendit témoignèrent aussitôt de son changement de fortune : au Vatican les respects redoublèrent, les grands s'inclinèrent devant lui, comme devant un plus grand qu'eux. Aussi, dans son impatience, sans visiter sa mère ni aucune autre personne de sa famille, il monta droit chez le pape pour lui baiser les pieds ; et comme celui-ci avait été prévenu de son arrivée, il l'attendait au milieu d'une assemblée brillante et nombreuse de cardinaux, et ayant ses trois autres frères debout derrière lui. Sa sainteté le reçut d'un visage favorable ; mais cependant, sans se laisser aller aux démonstrations de son amour paternel, se baissa vers lui, le baisa au front, et lui demanda comment il se portait et de quelle façon s'était passé son voyage. César répondit qu'il se portait à merveille et tout au service de sa sainteté ; que, quant au voyage, ses petites incommodités et sa courte fatigue avaient été compensées, et bien au-delà, par la joie qu'il éprouvait de pouvoir adorer sur le saint-siège pontifical celui qui en était si digne. À ces mots, laissant César à genoux comme il était, et se rasseyant lui-même, car pour l'embrasser il s'était soulevé de son siège, le pape donna à son visage un air grave et composé, et parla ainsi qu'il suit, assez haut pour être entendu de tous, et assez lentement pour que chacun des assistants pût peser et retenir la moindre de ses paroles :

— Nous sommes bien persuadé, César, que vous êtes singulièrement joyeux de nous voir à ce faîte suprême, si élevé au-dessus de nos mérites, et auquel il a plu à la bonté divine de nous faire monter. Cette joie nous était due d'abord en échange de l'amour que nous vous avons toujours porté et que nous vous portons encore, et ensuite pour votre propre intérêt, puisque vous pouvez vous promettre de recevoir désormais de notre main pontificale les bienfaits dont vos bonnes œuvres vous rendront digne ; mais si votre joie, et ceci nous le disons à vous comme nous l'avons dit à votre frère, s'est fondée sur d'autres bases, vous vous êtes grandement trompé, César, et vous vous trouverez tristement déçu. Nous avons aspiré peut-être, et nous le confessons humblement à la face de tous, avec une passion immodérée, à la souveraineté du pontificat, et nous avons suivi pour y parvenir tous les chemins qu'a pu nous ouvrir l'industrie humaine ; mais nous avons agi ainsi, en nous jurant à nous-même qu'une fois arrivé à notre but, nous ne suivrions plus d'autre voie que celle qui conduit au meilleur service de Dieu, à la plus grande exaltation du saint-siège, afin qu'une glorieuse mémoire des choses que nous ferons efface le souvenir honteux des choses que nous avons faites. Si bien que nous en viendrons à laisser, je l'espère, à nos successeurs une route où, s'ils ne trouvent pas les traces d'un saint, ils pourront suivre au moins les pas d'un pontife. Dieu, qui nous a secondé dans les moyens, réclame de nous le résultat, et nous sommes disposé à satisfaire pleinement à cette grande dette que nous avons contractée envers lui ; c'est pourquoi nous ne voulons pas éveiller par nos fraudes les rigueurs de sa justice. Un seul empêchement pourrait donc traverser nos bonnes intentions ; ce serait si nous éprouvions un intérêt trop vif pour votre fortune. Aussi nous sommes-nous cuirassé d'avance contre notre amour, et avons-nous prié Dieu qu'il nous soutienne, afin que nous ne bronchions pas à votre sujet ; car, dans le chemin du favoritisme, un pontife ne peut glisser sans tomber, et ne peut tomber sans porter un grand préjudice à l'honneur du saint-siège. Nous pleurerons jusqu'à la fin de notre vie les fautes auxquelles nous devons l'expérience de cette vérité ; et plaise à Dieu que l'heureuse mémoire de Calixte notre oncle ne porte pas aujourd'hui dans le purgatoire le poids de nos péchés plus encore que des siens! Hélas! il était riche de toutes les vertus, il était plein de bonnes intentions ; mais il aimait trop les siens, et, parmi les siens, nous particulièrement : de sorte que, se laissant mener aveuglément par cet amour, et par celui qu'il avait pour ses parents, dont il avait trop fait sa propre chair, il accumula sur quelques têtes seulement, les moins dignes peut-être, les bénéfices qui devaient récompenser les mérites d'un grand nombre. En effet, il déposa dans notre maison ces trésors qu'il ne fallait pas amasser aux dépens des pauvres, ou qu'il fallait convertir en un meilleur usage. Il démembra de l'État ecclésiastique, déjà si faible et si restreint, le duché de Spolète, ainsi que d'autres riches domaines, afin de nous en faire des fiefs ; il appuya sur notre faiblesse la vice-chancellerie, la vice-préfecture de Rome, le généralat de l'Église, et toutes les autres charges les plus considérables, qui, au lieu d'être accaparées ainsi par nous, devaient être conférées à ceux-là que leurs mérites en avaient rendus les plus dignes. Il y en eut alors qui, à notre recommandation, furent élevés à de suprêmes dignités, qui n'avaient d'autre mérite pour arriver là que la protection trop partiale que nous leur accordions ; tandis que d'autres furent écartés, qui n'avaient d'autre cause pour ne point parvenir que la jalousie que nous inspirait leur mérite. Pour dépouiller Ferdinand d'Aragon du royaume de Naples, il alluma une terrible guerre, dont l'issue heureuse n'avait d'autre résultat que d'augmenter notre fortune, et dont l'issue malheureuse ne pouvait amener que honte et dommage au saint-siège. Enfin, en se laissant gouverner par ceux qui sacrifiaient le bien public à leurs intérêts particuliers, il porta un notable préjudice, non seulement au trône pontifical, non seulement à sa renommée, mais encore, et ce qui est bien plus fatal, à sa conscience. Et cependant, ô sagesse des jugements de Dieu ! si fort et si constamment qu'il se fût employé pour établir notre fortune, à peine eut-il laissé vide la place suprême que nous occupons aujourd'hui, que nous nous trouvâmes renversé du faîte où nous étions monté, abandonné à la furie du peuple et aux haines vindicatives de ces barons romains, qui se regardaient comme offensés par notre bienveillante partialité pour leurs ennemis. De sorte que, non seulement comme je vous le dis, César, il nous fallut tomber précipitamment du haut de notre grandeur, et de ces biens et de ces dignités que notre oncle avait accumulés sous nos pieds, mais encore, pour ne pas perdre la vie, nous condamner, nous et nos amis, à un volontaire exil, grâce auquel seulement nous parvînmes à nous dérober à l'orage soulevé par notre trop grande fortune. Cela nous fut une preuve évidente que Dieu, sachant se jouer des desseins des hommes dès que ces desseins sont injustes, c'est une grande erreur aux pontifes que de s'appliquer davantage au bien d'une maison qui ne peut durer que quelques années qu'à la gloire de l'Église, qui est éternelle, et que c'est une grande folie à ces politiques qui, ayant le gouvernement d'un domaine qui n'est héréditaire ni pour eux ni pour leurs successeurs, appuient l'édifice de leur grandeur sur d'autres bases que sur les hautes vertus exercées au profit de tous, et croient assurer la durée de leur fortune par d'autres moyens que par ceux qui compriment ces tourbillons inattendus qui, s'élevant au milieu du calme, peuvent soulever une tempête, c'est-à-dire leur créer une masse d'ennemis, dont un seul agissant sérieusement leur causera plus de dommages que ne peuvent leur apporter de secours les démonstrations trompeuses de cent amis.

« Si vous et vos frères cheminez par la voie louable dont nous vous ouvrons l'entrée, vous ne formerez pas un désir qu'il ne soit à l'instant même accompli ; mais si vous prenez le chemin contraire, si vous avez espéré que notre affection se fera la complaisante de vos désordres, vous aurez bientôt la preuve que nous sommes pontife pour l'Église et non pour la maison, et que, comme vicaire du Christ, nous voulons faire ce que nous jugerons être le bien de la chrétienté, mais non ce que vous aurez jugé, vous, être votre bien à vous ; et ceci bien entendu, César, recevez notre bénédiction pontificale.

Et à ces mots Alexandre VI se leva, imposa les mains à son fils, toujours agenouillé, et se retira dans ses appartements sans l'inviter à le suivre.

Le jeune homme était resté stupéfait de ce discours, auquel il s'attendait si peu, et qui détruisait d'un seul coup ses plus chères espérances. Aussi, se relevant étourdi et chancelant comme un homme ivre, et sortant du Vatican à l'instant même, il courut chez sa mère, à laquelle il n'avait pas pensé d'abord, et vers laquelle il revenait dans son abandon. La Vanozza avait à la fois tous les vices et toutes les vertus d'une courtisane espagnole : dévote envers la madone jusqu'à la superstition, tendre envers ses enfants jusqu'à la faiblesse, complaisante envers Roderic jusqu'à la débauche ; mais confiante au fond de l'âme dans la force d'un pouvoir qu'elle exerçait depuis près de trente ans, et certaine, comme le serpent, d'étouffer dans ses replis quand elle ne pouvait pas fasciner par son regard. Vanozza connaissait la profonde hypocrisie de son vieil amant, et, par conséquent, elle n'eut pas de peine à rassurer César.

Lucrèce était près de la Vanozza quand César était arrivé ; les deux jeunes gens échangèrent sous les yeux

52

mêmes de leur mère un baiser incestueux ; et, avant de se retirer, César avait pris pour le soir même rendez-vous avec Lucrèce, qui, séparée de son mari, à qui Roderic payait une pension, vivait en toute liberté dans son palais de la Via-del-Pellegrino, situé en face du Champ-des-Fleurs.

Le soir, à l'heure convenue, César se rendit chez Lucrèce ; mais il y trouva son frère François. Les deux jeunes gens ne s'étaient jamais aimés. Cependant, comme leurs cœurs étaient bien différents, la haine, chez François, était la crainte instinctive que le daim éprouve pour le chasseur ; tandis que la haine, chez César, était ce besoin de vengeance et ce désir de sang qui vit incessamment dans le cœur du tigre. Les deux frères ne s'en embrassèrent pas moins, l'un par bienveillance, l'autre par hypocrisie ; mais, en s'apercevant, le sentiment de leur double rivalité dans les bonnes grâces de leur père et de leur sœur avait fait monter la rougeur au visage de François et la lividité à celui de César. Les deux jeunes gens s'assirent donc, décidés à ne pas sortir l'un sans l'autre, lorsqu'on frappa à la porte, et qu'on annonça un rival devant lequel l'un et l'autre devaient se retirer : c'était leur père.

Vanozza avait eu raison de rassurer César. En effet, Alexandre VI, tout en se déchaînant contre les abus de la famille, avait déjà compris le parti politique qu'il pouvait tirer de ses fils et de sa fille ; car il savait que pour toutes choses il pouvait compter, sinon sur François et sur Guiffry, mais sur Lucrèce et sur César. En effet, de ce côté, la sœur était le digne pendant du frère. Libertine par imagination, impie par tempérament, ambitieuse par calcul, Lucrèce avait un âpre besoin de plaisirs, de louanges, d'honneurs, d'or, de pierreries, d'étoffes soyeuses et de palais magnifiques.

Espagnole sous ses cheveux blonds, courtisane sous son air candide, elle avait la tête d'une madone de Raphaël et le cœur de Messaline ; aussi était-elle chère et comme fille et comme maîtresse à Roderic, qui voyait se réfléchir en elle, comme en un miroir magique, toutes ses passions et tous ses vices. Lucrèce et César étaient donc les bien-aimés de son cœur, et composaient la trinité diabolique qui demeura onze ans sur le trône pontifical, comme une sacrilège parodie de la Trinité céleste.

Au reste, rien ne démentit d'abord les principes émis par Alexandre dans le discours qu'il avait fait à César, et la première année de son pontificat dépassa les espérances qu'avaient conçues les Romains lors de son élection. Il pourvut à l'approvisionnement des greniers publics avec une si grande libéralité, que de mémoire d'homme on n'avait joui d'une si merveilleuse abondance, et afin que le bien-être descendît jusqu'aux dernières classes, de nombreuses aumônes, prélevées sur sa fortune particulière, permirent aux pauvres mêmes de participer à ce banquet général, dont, depuis si longtemps ils étaient exclus. Quant à la sûreté de la ville, elle avait été rétablie, dès les premiers jours de son avènement à la tiare, par une police ferme et vigilante, et par un tribunal composé de quatre docteurs de réputation irréprochable, chargés de poursuivre tous les crimes nocturnes si communs sous le précédent pontificat, que leur nombre même leur assurait l'impunité, et qui donnèrent dès leurs premiers jugements l'exemple d'une sévérité que ne purent adoucir ni le rang ni la fortune des coupables. Cela faisait un si grand contraste avec la corruption du règne précédent, pendant lequel le vice-camérier répondait publiquement à ceux qui lui reprochaient la vénalité de la justice : « Dieu ne veut pas la mort du pécheur ; mais qu'il vive et qu'il paye », que la capitale du monde chrétien se crut ramenée un instant aux beaux jours du pontificat. Aussi, au bout d'un an de règne, Alexandre VI avait déjà reconquis le crédit spirituel perdu par ses prédécesseurs. Restait, pour accomplir la première partie de son plan gigantesque, à établir son crédit politique. Il avait, pour arriver à ce but, deux moyens à employer : les alliances ou les conquêtes. Il dut commencer par tenter les alliances. Le gentilhomme aragonais qui avait épousé Lucrèce quand elle n'était que la fille du cardinal Roderic Borgia n'était pas un homme assez puissant ni par la naissance, ni par la fortune, ni par le génie, pour entrer avec quelque influence dans les combinaisons du pape Alexandre VI : la séparation fut donc convertie en divorce, et Lucrèce Borgia se trouva libre de se remarier.

Alexandre VI entama deux négociations à la fois ; il avait besoin d'un allié qui pût veiller pour lui sur la politique des États qui l'entouraient. Jean Sforza, petit-fils d'Alexandre Sforza, frère du grand François Ier, duc de Milan, était seigneur de Pesaro ; la situation topographique de cette place, située au bord de la mer, entre Florence et Venise, lui convenait donc merveilleusement ; aussi jeta-t-il d'abord les yeux sur lui, et comme les intérêts étaient les mêmes des deux côtés, Jean Sforza devint bientôt le second mari de Lucrèce.

En même temps, des ouvertures avaient été faites à Alphonse d'Aragon, héritier présomptif de la couronne de Naples, pour entamer un mariage entre dona Sancia, sa fille naturelle, et Guiffry, troisième fils du pape ; mais comme le vieux Ferdinand voulait tirer le meilleur parti possible de cette alliance, il traîna les négociations en longueur, objectant que les deux enfants n'étaient point encore nubiles, et que, par conséquent, quelque honneur que dût lui faire une pareille alliance, rien ne pressait à l'endroit de leurs fiançailles. Les choses en restèrent là, au grand mécontentement d'Alexandre VI, qui ne se trompa point à cet ajournement, et prit la défaite qui lui était donnée pour ce qu'elle était réellement, c'est-à-dire pour un refus. Alexandre et Ferdinand demeurèrent donc dans la même situation qu'auparavant, joueurs politiques d'égale force, et attendant que les événements se déclarassent pour l'un ou pour l'autre. La fortune fut pour Alexandre.

L'Italie, quoique tranquille, sentait instinctivement que ce calme n'était rien autre chose que la torpeur qui précède l'orage. Elle était trop riche et trop heureuse pour n'être point enviée par toutes les autres nations. En effet, la négligence et la jalousie de la république florentine n'avaient point encore fait un marais des plaines de Pise, les guerres des Colonna et des Orsini n'avaient point encore changé les riches campagnes de Rome en un désert inculte, le marquis de Marignan n'avait point encore rasé, dans la seule république de Sienne, cent vingt villages ; enfin, la maremme était déjà insalubre, mais point encore mortelle ; et Flavio Blondo, en décrivant, en 1450, Ostie, qui ne compte plus aujourd'hui que trente habitants, se contente de dire qu'elle était moins florissante que du temps des Romains, époque à laquelle elle en comptait cinquante mille.

Quant aux paysans italiens, ils étaient peut-être les plus heureux de la terre : au lieu de vivre disséminés dans les champs et isolés les uns des autres, ils habitaient dans des bourgades fermées de murs qui protégeaient leurs récoltes, leurs bétails et leurs instruments ; leurs maisons, du moins celles qui restent de cette époque, prouvent qu'ils étaient logés avec plus de bien-être, d'art et de goût, que ne le sont encore aujourd'hui les bourgeois de nos villes. Enfin cette réunion d'intérêts communs, cette agglomération d'individus dans des villages fortifiés, leur avait, petit à petit, laissé prendre une importance que n'avaient ni les manants de France ni les serfs d'Allemagne ; ils avaient des armes, un trésor commun, des magistrats élus, et lorsqu'ils combattaient, au moins, eux c'était pour défendre une patrie.

Le commerce d'ailleurs n'était pas moins florissant que l'agriculture ; l'Italie à cette époque était couverte de fabriques, où l'on travaillait la soie, la laine, le chanvre, les pelleteries, l'alun, le soufre, et le bitume : ceux de ces produits que le sol ne produisait pas étaient amenés dans ses ports, de la mer Noire, de l'Égypte, de l'Espagne et de la France, et repartaient souvent, pour les lieux d'où ils était venus, après que le travail et la main-d'œuvre en avaient doublé la valeur : le riche apportait ses marchandises, le pauvre son industrie. L'un était sûr de ne pas manquer de bras, et l'autre était sûr de ne pas manquer de travail.

L'art de son côté n'était point demeuré en arrière : Dante, Giotto, Brunelleschi, Donatello étaient morts, mais l'Arioste, Raphaël, Bramante et Michel-Ange venaient de naître, Rome, Florence et Naples avaient hérité des chefs-d'œuvre de l'antiquité, et les manuscrits d'Eschyle, de Sophocle et d'Euripide étaient venus, grâce à la conquête de Mahomet II, rejoindre les statues de Xanthippe, de Phidias et de Praxitèle.

Les principaux souverains de l'Italie avaient donc compris, en arrêtant les yeux sur ces grasses moissons, sur ces riches villages, sur ces florissantes fabriques et sur ces merveilleuses églises, et en les reportant ensuite sur les peuples barbares, pauvres et guerriers qui les entouraient, qu'ils allaient un jour ou l'autre devenir aux autres nations ce que l'Amérique était à l'Espagne,

c'est-à-dire, une vaste mine d'or à exploiter. En conséquence, dès 1480, Naples, Milan, Florence et Ferrare
avaient signé une ligue offensive et défensive, prête à
faire face aussi bien aux ennemis du dedans qu'à ceux
du dehors, aux péninsulaires qu'aux ultramontains.
Louis Sforza, qui était le plus intéressé au maintien de
cette ligue, parce qu'il était le plus rapproché de la
France, côté d'où paraissait menacer l'orage, vit dans
l'élection du nouveau pape un nouveau moyen, non
seulement de resserrer cette ligue, mais encore de la
faire apparaître aux yeux de l'Europe dans sa puissance
et dans son unité.

À chaque exaltation nouvelle, il est de coutume que
tous les États chrétiens envoient à Rome une ambassade
solennelle, pour renouveler, au nom de chacun d'eux,
leur serment d'obéissance au saint père. Louis Sforza
eut l'idée de réunir les ambassadeurs des quatre puissances de manière à ce qu'ils fissent leur entrée le
même jour dans Rome, et de charger un seul des
envoyés, celui du roi de Naples, par exemple, de porter
la parole au nom de tous.

Malheureusement, ce plan concordait mal avec les
projets magnifiques de Pierre de Médicis. L'orgueilleux jeune homme, qui avait été nommé ambassadeur
de la république florentine, avait vu dans la mission
que lui avaient confiée ses compatriotes un moyen de
faire briller son faste et d'étaler ses richesses. Depuis
le jour de sa nomination, son palais ne désemplissait
pas de tailleurs, de joailliers et de marchands d'étoffes :
il s'était fait faire des habits splendides, brodés de
pierres précieuses, qu'il avait tirées du trésor de sa
famille. Tous ses joyaux, les plus riches de l'Italie
peut-être, étaient semés sur les habits de ses pages, et
l'un d'eux, son favori, devait porter un collier de perles
évalué à lui seul cent mille ducats, c'est-à-dire près

d'un million de notre monnaie actuelle. De son côté, l'évêque d'Arezzo, Gentile, qui avait été professeur de Laurent de Médicis, était le second ambassadeur nommé, et devait porter la parole, et Gentile, qui avait préparé son discours, comptait autant sur son éloquence pour charmer les oreilles que Pierre de Médicis sur sa richesse pour éblouir les yeux. Or, l'éloquence de Genlile était perdue si c'était l'envoyé du roi de Naples qui portait la parole, et la magnificence de Pierre de Médicis était inaperçue s'il entrait à Rome confondu avec tous les autres ambassadeurs. Ces deux graves intérêts, compromis par la proposition du duc de Milan, changèrent toute la face de l'Italie.

Louis Sforza avait déjà la promesse de Ferdinand de se conformer, pour sa part, au plan qu'il avait imaginé, lorsque le vieux roi, sollicité par Médicis, retira tout à coup sa parole. Sforza s'informa d'où venait ce changement, et apprit que l'influence qui avait vaincu la sienne était celle de Pierre. Ne pouvant se rendre compte des motifs réels qui avaient dicté cette opposition, il y vit une ligue secrète contre lui, et attribua à la mort de Laurent de Médicis ce changement de politique. Au reste, cette cause, quelle qu'elle fût, lui était visiblement préjudiciable : Florence, vieille alliée de Milan, l'abandonnait pour Naples. Il résolut de jeter un contre-poids dans la balance ; et dévoilant à Alexandre la politique de Pierre et de Ferdinand, il lui proposa une alliance offensive et défensive, à laquelle ils adjoindraient la république de Venise ; le duc Hercule III de Ferrare serait en même temps sommé de se prononcer pour l'une ou l'autre des deux alliances. Alexandre VI, blessé de la conduite de Ferdinand à son égard, accepta la proposition de Louis Sforza, et l'acte de confédération par lequel les nouveaux alliés s'engageaient à mettre sur pied, pour le maintien de la paix publique, une armée de vingt mille chevaux et de dix mille fantassins, fut signé le 22 avril 1493.

Ferdinand vit avec crainte se former cette ligue ; mais il crut avoir le moyen d'en neutraliser les effets en dépouillant Louis Sforza de sa puissance, qui, sans être usurpée encore, se prolongeait déjà bien au-delà du terme qu'elle aurait dû avoir, puisque, quoique le jeune Galéas, son petit-fils, eût atteint l'âge de vingt-deux ans, Louis Sforza n'en continuait pas moins de tenir la régence. En conséquence, il invita positivement le duc de Milan à résigner le pouvoir souverain entre les mains de son neveu, sous peine d'être déclaré usurpateur.

Le coup était terrible : mais il avait le danger de porter Louis Sforza à quelques-unes de ces combinaisons politiques qui lui étaient familières, et devant lesquelles il ne reculait jamais, quelque dangereuses qu'elles fussent. Ce fut ce qui arriva effectivement ; Sforza, inquiété dans la possession de son duché, résolut de menacer Ferdinand dans celle de son royaume.

Rien n'élait plus facile : il connaissait les dispositions belliqueuses de Charles VIII, il savait les prétentions de la maison de France sur le royaume de Naples. Il envoya deux ambassadeurs pour inviter le jeune roi à réclamer les droits de la maison d'Anjou usurpés par celle d'Aragon ; et, pour mieux l'engager dans cette entreprise lointaine et hasardeuse il lui offrit un passage facile et amical par ses propres États.

Avec le caractère connu de Charles VIII, une pareille proposition ne pouvait manquer d'être acceptée : en effet, un horizon magnifique s'ouvrait devant lui comme par enchantement ; ce que lui offrait Louis Sforza, c'était la domination de la Méditerranée, c'était le protectorat de l'Italie tout entière ; c'était enfin, par

Naples et par Venise, un chemin ouvert, qui pouvait conduire à la conquête de la Turquie ou de la Terre sainte, selon qu'il lui plairait de venger les désastres de Nicopolis ou de Mansourah. La proposition fut donc accueillie, et par l'intermédiaire du comte Charles de Belgiojoso et du comte de Cajazzo pour Louis Sforza, et de l'évêque de Saint-Malo et du sénéchal de Beaucaire pour Charles VIII, une alliance secrète fut signée, par laquelle il fut convenu :

Que le roi de France tenterait la conquête du royaume de Naples ;

Que le duc de Milan ouvrirait au roi de France le passage par ses États, et l'accompagnerait avec cinq cents lances ;

Que le duc de Milan permettrait au roi de France d'armer à Gênes autant de vaisseaux qu'il voudrait ;

Qu'enfin le duc de Milan prêterait au roi de France deux cent mille ducats, payables au moment de son départ.

De son côté, Charles VIII s'engagea :

À défendre l'autorité personnelle de Louis Sforza sur le duché de Milan contre quiconque tenterait de l'en dépouiller ;

À laisser dans Asti, ville appartenant au duc d'Orléans par l'héritage de Valentine Visconti, sa grand-mère, deux cents lances françaises, toujours prêtes à secourir la maison Sforza ;

Enfin à abandonner à son allié la principauté de Tarente aussitôt après la conquête du royaume de Naples.

Ce traité à peine conclu, Charles VIII, qui s'en exagérait encore les avantages, songea à se faire aussitôt libre de tous les empêchements qui eussent pu retarder ou entraver son expédition. Cette précaution était nécessaire ; car ses relations avec les grandes puissances étaient loin d'être telles qu'il aurait pu les désirer.

En effet, Henri VII était débarqué à Calais avec une armée formidable, et menaçait la France d'une nouvelle invasion.

Ferdinand et Isabelle, rois des Espagnes, avaient sinon contribué à la chute de la maison d'Anjou, du moins avaient soutenu la branche d'Aragon de leur argent et de leurs soldats.

Enfin, la guerre avec le roi des Romains avait pris une nouvelle force du renvoi que Charles VIII avait fait de Marguerite de Bourgogne à Maximilien, son père, et du mariage qu'il avait contracté avec Anne de Bretagne.

Par le traité d'Étaples, en date du 3 novembre 1492, Henri VII se détacha de l'alliance du roi des Romains, et s'engagea à ne point poursuivre ses conquêtes.

Il en coûta à Charles VIII sept cent quarante-cinq mille écus d'or et le remboursement des frais de la guerre de Bretagne.

Par le traité de Barcelone, en date du 19 janvier 1493, Ferdinand le Catholique et Isabelle s'engagèrent à ne point porter secours à leur cousin Ferdinand de Naples, et à ne point mettre obstacle aux projets de la cour de France en Italie.

Il en coûta à Charles VIII Perpignan, le comté de Roussillon et la Cerdagne, que Jean d'Aragon avait donnés en gage à Louis XI pour la somme de trois cent mille ducats, et que Louis XI n'avait pas voulu lui rendre à l'époque fixée, contre la restitution de cette somme, tant le vieux renard royal sentait l'importance de ces portes ouvertes sur les Pyrénées, qu'en cas de guerre il pouvait fermer en dedans.

Enfin, par le traité de Senlis, en date du 23 mai

1493, Maximilien daigna pardonner à la France l'affront qu'il venait de recevoir de son roi.

Il en coûta à Charles VIII les comtés de Bourgogne, d'Artois, de Charolais et la seigneurie de Noyers, qu'il avait déjà reçus en dot de Marguerite, plus les villes d'Aire, d'Hesdin et de Béthune, qu'il s'engagea à rendre à Philippe d'Autriche le jour même de sa majorité.

Moyennant ces sacrifices, le jeune roi se trouva en paix avec tous ses voisins, et put entreprendre le projet qui lui avait été proposé par Louis Sforza, auquel il avait été suggéré, comme nous l'avons dit, par le refus d'accéder à son plan de députation, refus inspiré par le désir qu'avait Pierre de Médicis de montrer ses magnifiques pierreries, et Gentile de prononcer son discours.

Ainsi la vanité d'un professeur et l'orgueil d'un écolier allaient remuer le monde depuis le golfe de Tarente jusqu'aux monts Pyrénéens.

Alexandre VI, placé au centre de ce vaste tremblement de terre, dont l'Italie n'avait point encore ressenti les premières secousses, avait profité de la préoccupation instinctive des esprits pour donner un premier démenti au fameux discours que nous avons rapporté, en créant cardinal Jean Borgia, son neveu, qui, sous le pontificat précédent, avait été nommé archevêque de Montréal et gouverneur de Rome. Cette promotion accomplie sans murmure, attendu les antécédents de celui qui en était l'objet, fut une espèce d'essai que tenta Alexandre VI, et qui, par sa réussite, l'engagea bientôt à donner à César Borgia l'archevêché de Valence, bénéfice dont lui-même avait joui avant son élévation au pontificat. Mais ici la difficulté vint de la part de celui qui recevait le don. Le bouillant jeune homme, qui avait tous les instincts et tous les vices d'un capitaine de condottieri, avait grand-peine à s'imposer l'apparence même des vertus d'un homme d'Église ; mais comme il savait, de la bouche de son père même, que les hautes dignités séculières étaient réservées à son frère aîné, il se décida à accepter ce qu'on lui donnait, de peur de ne point obtenir autre chose : seulement sa haine pour François s'en augmenta ; car, dès lors, il était deux fois son rival, rival en amour et rival en ambition.

Tout à coup Alexandre VI vit, au moment où il s'y attendait le moins, revenir à lui le vieux roi Ferdinand. Le pape était trop habile politique pour accueillir ce retour avant d'en connaître les causes : bientôt il apprit ce qui se tramait à la cour de France contre le royaume de Naples, et tout lui fut expliqué.

Ce fut alors à son tour d'imposer des conditions.

Il demanda l'accomplissement du mariage de Guiffry, son troisième fils, avec dona Sancia, fille naturelle d'Alphonse.

Il demanda qu'elle apportât en dot à son époux la principauté de Squillace et le comté de Cariati, avec dix mille ducats de rente et la charge de protonotaire, qui était un des sept grands offices de la couronne, indépendants de l'autorité royale.

Il demanda pour son fils aîné, que Ferdinand le Catholique venait déjà de nommer duc de Gandie, la principauté de Tricarico, les comtés de Chiaramonte, Lauria et Carinola, avec douze mille ducats de rente et le premier des sept grands offices qui viendrait à vaquer.

Il demanda que Virginio Orsini, qui était son ambassadeur près de la cour de Naples, obtînt le troisième de ces grands offices, qui était celui de connétable, c'est-à-dire le plus éminent de tous.

Enfin il demanda que Julien della Rovere, un des cinq cardinaux qui avaient protesté contre son élection, et qui s'était fortifié à Ostie, où le chêne qui lui avait donné son nom, et qui forme ses armoiries, est encore sculpté sur tous les murs, fût chassé de la ville, et que la ville lui fût remise.

Tout ce que demandait Alexandre VI lui fut accordé.

En échange, Alexandre VI s'engagea seulement à ne point retirer à la maison d'Aragon l'investiture du royaume de Naples, qui lui avait été accordée par ses prédécesseurs. C'était payer un peu cher une simple promesse, mais de cette promesse, si elle était tenue, dépendait la légitimité du pouvoir de Ferdinand ; car le royaume de Naples était un fief du saint-siège ; au pape seul appartenait le droit de prononcer sur la justice des prétentions de chaque compétiteur ; la continuation de cette investiture était donc on ne peut plus importante à la maison d'Aragon au moment où la maison d'Anjou se levait à main armée pour la déposséder.

Ainsi, depuis un an à peine qu'il était monté sur le trône pontifical, Alexandre VI, comme on le voit, avait largement marché dans l'élargissement de sa puissance temporelle. Il possédait, il est vrai, personnellement le moins vaste des territoires italiens ; mais déjà, par l'alliance de sa fille Lucrèce avec le seigneur de Pesaro, il étendait une main jusqu'à Venise, tandis que, par le mariage du prince de Squillace avec dona Sancia, et les concessions territoriales faites au duc de Gandie, il touchait de l'autre à l'extrémité de la Calabre.

Ce traité si avantageux pour lui une fois signé, comme César se plaignait d'être toujours oublié dans la distribution des faveurs paternelles, il fit César cardinal de Santa-Maria-Novella.

Seulement comme il n'y avait point encore d'exemple dans l'Église qu'un bâtard eût revêtu la pourpre, le pape trouva quatre faux témoins, qui déclarèrent que

César était fils du comte Ferdinand de Castille : c'était, comme on le voit, un homme précieux que don Manuel Melchiori, et qui joua le rôle de père avec autant de gravité qu'il avait joué celui d'époux.

Quant à la noce des deux bâtards, elle se fit splendidement, et riche des doubles pompes de la royauté et de l'Église, puis, comme le pape avait obtenu que les deux nouveaux époux habiteraient auprès de lui, le nouveau cardinal César Borgia se chargea de régler la pompe de leur rentrée et de leur réception à Rome, à laquelle Lucrèce, qui jouissait près de son père d'une faveur inouïe à la cour des papes, voulait de son côté donner tout l'éclat qu'il était en son pouvoir d'y ajouter. L'un alla donc recevoir les jeunes gens avec une riche et magnifique escorte de seigneurs et de cardinaux, tandis que l'autre les attendait avec les plus belles et les plus nobles dames de Rome, dans une salle du Vatican. Là un trône était préparé pour le pape, et à ses pieds étaient des coussins pour Lucrèce et dona Sancia ; de sorte, dit Tommaso Tommasi, que par l'aspect de l'assemblée et par la conversation qui s'y tint pendant quelques heures, on eût cru plutôt assister à l'audience magnifique et voluptueuse de quelque roi de la vieille Assyrie qu'au sévère consistoire d'un pontife romain, qui doit dans toutes les actions qu'il exécute faire resplendir la sainteté du nom qu'il porte. Mais, ajoute le même historien, si la vigile de la Pentecôte se passa dans ces dignes fonctions, les cérémonies avec lesquelles le jour suivant on célébra la fête de la venue du Saint-Esprit ne furent pas moins décentes et moins selon l'esprit de l'Église ; car voici ce qu'en dit le maître des cérémonies dans son journal quotidien :

« Le pape vint dans la basilique des Saints-Apôtres, et près de lui s'assirent sur le pupitre de marbre où les chanoines de saint Pierre ont l'habitude de chanter l'Épitre et l'Évangile, Lucrèce, sa fille, et Sancia, sa bru, et autour d'elles, à la grande honte de l'Église et au grand scandale du peuple, beaucoup d'autres dames romaines beaucoup plus dignes d'habiter la cité de Messaline que la ville de saint Pierre. »

Ainsi, à Rome et à Naples, on s'endormait dans l'attente d'une ruine prochaine ; ainsi on perdait le temps et on dépensait l'or en vaine fumée d'orgueil ; et cela, tandis que les Français, bien éveillés, secouaient déjà les torches avec lesquelles ils devaient incendier l'Italie.

En effet, les intentions conquérantes de Charles VIII n'étaient plus un objet de doute pour personne. Le jeune roi avait envoyé aux différents États de l'Italie une ambassade composée de Perron de Baschi, de Briçonnet, de d'Aubigny et du président du parlement de Provence. Cette ambassade avait pour mission de demander aux princes italiens leur coopération pour faire recouvrer à la maison d'Anjou ses droits sur la couronne de Naples.

L'ambassade s'adressa d'abord aux Vénitiens, à qui elle demandait aide et conseil pour le roi son maître. Mais les Vénitiens, fidèles à leur système politique, qui les avait fait surnommer les juifs de la chrétienté, répondirent qu'ils ne pouvaient promettre leur aide au jeune roi, attendu qu'ils avaient à se tenir sans cesse en garde contre les Turcs ; que, quant au conseil, ce serait une présomption trop grande à eux, que de donner un avis à un prince entouré de généraux si expérimentés et de ministres si sages.

Perron de Baschi, n'ayant pu obtenir d'autre réponse, se tourna vers Florence. Pierre de Médicis l'attendait en grand conseil ; car il avait rassemblé pour cette solennité non seulement les soixante-dix, mais encore tous les gonfaloniers qui avaient siégé dans la seigneurie pendant les trente-quatre dernières années. L'ambassadeur français exposa sa demande : c'était que la république permît à l'armée française le passage par ses États, et s'engageât, contre argent comptant, à lui fournir les vivres et les fourrages nécessaires. La magnifique république répondit que, si Charles VIII marchait contre les Turcs au lieu de marcher contre Ferdinand, elle s'empresserait de lui accorder tout ce qu'il désirerait ; mais qu'étant attachée à la maison d'Aragon par un traité d'alliance, elle ne pouvait la trahir en accordant au roi de France ce qu'il demandait.

Les ambassadeurs se dirigèrent alors vers Sienne. La pauvre petite république, effrayée de l'honneur qu'on lui faisait de penser à elle, répondit que son désir était de conserver une exacte neutralité, et qu'elle était trop faible pour se déclarer d'avance pour ou contre de pareils rivaux, forcée qu'elle serait naturellement de se rattacher au parti du plus fort. Munis de cette réponse qui avait au moins le mérite de la franchise, les envoyés français s'acheminèrent vers Rome, et, introduits devant le pape, lui demandèrent pour leur roi l'investiture du royaume de Naples.

Alexandre VI répondit que, ses prédécesseurs ayant donné cette investiture aux princes de la maison d'Aragon, il ne pouvait la leur retirer, lui, sans un jugement qui prouvât que la maison d'Anjou y avait plus de droit que celle qu'on lui demandait de déposséder. Ensuite il rappela à Perron de Baschi que, Naples étant un fief du saint-siège, au pape seul appartenait le choix de son souverain ; que, par conséquent, attaquer celui qui régnait à cette heure, c'était attaquer l'Église elle-même.

Le résultat de l'ambassade ne promettait pas, comme on le voit, grande aide à Charles VIII ; aussi résolut-il de ne compter que sur son allié Louis Sforza, et de remettre toutes les autres questions à la fortune de ses armes.

Une nouvelle qui lui arriva vers ce même temps le fortifia encore dans cette résolution : il apprit la mort de Ferdinand. Le vieux roi, en revenant de la chasse, avait été atteint d'une toux catarrhale, qui l'avait mis en deux jours à toute extrémité. Enfin, le 25 janvier 1494, il était trépassé, à l'âge de soixante-dix ans, après un règne de trente-six, laissant le trône à Alphonse, son fils aîné, qui avait immédiatement été nommé son successeur.

Ferdinand n'avait point menti à son titre d'heureux. Il venait de quitter le monde au moment où la fortune allait changer pour sa famille.

Le nouveau roi, Alphonse, n'en était point à ses premières armes : il avait combattu déjà avec avantage les Florentins et les Vénitiens, et avait chassé les Turcs d'Otrante ; il passait, en outre, pour un homme aussi subtil que son père dans la politique tortueuse en si grand usage alors parmi les cours de l'Italie ; de sorte qu'il ne désespéra pas de joindre à ses alliés l'ennemi même avec lequel il était en guerre au moment où les premières prétentions de Charles VIII étaient parvenues jusqu'à lui, nous voulons parler de Bajazet II.

En conséquence, il envoya vers ce prince Camillo Pandone, un de ses ministres de confiance, pour faire comprendre à l'empereur des Turcs que l'expédition de l'Italie n'était pour le roi de France qu'un prétexte de s'approcher des conquêtes mahométanes, et qu'une fois sur l'Adriatique, Charles VIII n'aurait qu'un jour ou deux de traversée à faire pour atteindre la Macédoine, d'où par terre il pouvait marcher sur Constantinople. En conséquence, il demandait à Bajazet, pour soutenir leurs intérêts communs, six mille chevaux et autant de fantassins, dont il s'engageait à payer la solde tant qu'ils resteraient en Italie. Pandone devait être rejoint à Tarente par George Bucciarda, envoyé d'Alexandre VI, chargé de son côté au nom du pape d'appeler les Turcs à son aide contre les chrétiens. Cependant, en attendant la réponse de Bajazet, qui pouvait tarder plusieurs mois, Alphonse demanda une réunion entre Pierre de Médicis, le pape et lui, pour aviser aux choses d'urgence. Ce rendez-vous fut fixé à Vicovaro, près de Tivoli, et les trois parties intéressées se trouvèrent réunies au jour convenu.

Alphonse, qui en partant de Naples avait déjà réglé l'emploi de ses forces de mer et donné à Frédéric, son frère, le commandement d'une flotte de trente-cinq galères, de dix-huit grands vaisseaux et de douze petits bâtiments, avec lesquels il devait aller attendre et surveiller à Livourne la flotte que Charles VIII armait dans le port de Gênes, venait surtout pour arrêter avec ses alliés la marche des opérations des armées de terre. Il avait à sa disposition immédiate, et sans compter le contingent que devaient lui fournir ses alliés, cent escadrons de grosse cavalerie, à vingt hommes par escadron, et trois mille arbalétriers et chevau-légers. Il proposait, en conséquence, de s'avancer immédiatement en Lombardie, d'opérer une révolution en faveur de son neveu Galéas, de chasser Louis Sforza de Milan avant qu'il pût recevoir de secours de France ; de sorte que Charles VIII, au moment de passer les Alpes, trouverait un ennemi qu'il lui faudrait combattre, au lieu d'un allié qui lui avait promis passage, hommes et argent.

C'était à la fois une proposition de grand politique et de hardi capitaine, mais, comme chacun était rassemblé pour ses propres intérêts, et non pour le bien commun, ce conseil fut reçu froidement par Pierre de Médicis, qui ne se trouvait plus jouer dans la guerre que le même rôle qu'il avait été menacé de jouer dans l'ambassade, et repoussé par Alexandre VI, qui comptait employer les troupes d'Alphonse pour son propre compte. En effet, il rappela au roi de Naples qu'une des conditions de l'investiture qu'il lui avait promise était de chasser le cardinal Julien della Rovere de la ville d'Ostie, et de lui remettre cette ville, ainsi que la chose était convenue. En outre, les faveurs qu'avait values à Virginio Orsini son ambassade de Naples avaient soulevé contre ce favori d'Alexandre VI Prosper et Fabrice Colonna, à qui appartenaient presque tous les villages des environs de Rome. Or le pape ne pouvait vivre ainsi au milieu d'ennemis si puissants : la chose la plus importante était donc de le délivrer des uns et des autres, attendu qu'il était important que celui-là surtout fût tranquille qui était l'âme et la tête d'une ligue dont les autres n'étaient que le corps et les membres.

Quoique Alphonse eût parfaitement démêlé les motifs de la froideur de Pierre de Médicis, et qu'Alexandre VI ne lui eût pas même donné la peine de chercher les siens, il n'en fut pas moins obligé d'accéder à la volonté de ses alliés, en laissant l'un défendre les Apennins contre les Français, et en aidant l'autre, à se débarrasser de ses voisins romagnols. En conséquence, il pressa le siège d'Ostie, et donna à Virginio, qui commandait déjà à deux cents hommes d'armes du pape, une partie de ses chevau-légers : cette petite armée devait stationner autour de Rome et maintenir les Colonna dans l'obéissance. Quant au reste de ses troupes, il les divisa en deux parties : l'une, qu'il remit aux mains de Ferdinand son fils, et avec laquelle il devait parcourir la Romagne, afin de presser les petits princes de lever et de fournir le contingent qu'ils lui avaient promis, tandis que lui, avec le reste, défendrait les défilés des Abruzzes.

Le 23 avril, à trois heures du matin, Alexandre VI fut débarrassé du premier et du plus ardent de ses ennemis : Julien della Rovere, voyant l'impossibilité de tenir plus longtemps contre les troupes d'Alphonse, passa à bord d'un brigantin qui devait le conduire à Savone.

Quant à Virginio Orsini, il commença, à compter de ce jour, cette fameuse guerre de partisans qui fit de la campagne de Rome le plus poétique désert qui existe dans le monde entier.

Pendant ce temps, Charles VIII était à Lyon, non seulement incertain sur la route qu'il devait prendre pour pénétrer en Italie, mais commençant même à réfléchir sur les chances hasardeuses d'une pareille expédition. Excepté chez Louis Sforza, il n'avait trouvé de sympathie nulle part : de sorte qu'il lui paraissait probable qu'il allait avoir à combattre non seulement le royaume de Naples, mais encore l'Italie tout entière. Il avait dépensé pour ses préparatifs de guerre presque tout l'argent dont il pouvait disposer ; la dame de Beaujeu et le duc de Bourbon blâmaient hautement son entreprise, Briçonnet, qui l'avait conseillée, n'osait plus la soutenir ; enfin, plus irrésolu que jamais, Charles VIII avait déjà donné contre-ordre à plusieurs corps de troupes qui s'étaient mis en mouvement, lorsque le cardinal Julien della Rovere, chassé d'Italie par le pape, arriva à Lyon et se présenta devant le roi.

Le cardinal accourait, plein de haine et d'espoir, lorsqu'il trouva Charles VIII près d'abandonner le projet sur lequel l'ennemi d'Alexandre VI appuyait tout son espoir de vengeance. Il raconta à Charles VIII les divisions de ses ennemis ; il les lui montra, suivant chacun son intérêt particulier, Pierre de Médicis celui de son orgueil, et le pape celui de l'agrandissement de sa maison. Il lui exposa qu'il avait des flottes tout armées dans les ports de Villefranche, de Marseille, de Gênes, dont les armements seraient perdus : il lui rappela qu'il avait envoyé d'avance Pierre d'Urfé, son grand écuyer, pour faire préparer des logements splendides dans les palais des Spinola et des Doria. Enfin, il lui montra le ridicule et la honte qui retomberaient de tous côtés sur lui s'il renonçait à une entreprise proclamée si haut, et pour l'exécution de laquelle il avait été obligé de conclure trois paix aussi onéreuses que celles qu'il avait signées avec Henri VII, avec Maximilien, et avec Ferdinand le Catholique : Julien della Rovere avait visé juste en touchant dans l'orgueil du jeune roi ; aussi, Charles VIII n'hésita-t-il plus un seul instant. Il ordonna à son cousin, le duc d'Orléans, qui fut depuis Louis XII, de prendre le commandement de la flotte française et de se rendre avec elle à Gênes ; il dépêcha un courrier à Antoine de Bessay, baron de Tricastel, pour qu'il conduisît à Asti les deux mille hommes d'infanterie suisse qu'il avait levés dans les cantons ; enfin il partit lui-même de Vienne en Dauphiné le 2 août 1494, traversa les Alpes au mont Genève, sans qu'un seul corps de troupes essayât de lui en disputer le passage, et descendit dans le Piémont et le Montferrat, qui étaient en ce moment gouvernés par deux régentes, les princes Charles-Jean Aimé et Guillaume-Jean, souverains de ces principautés, ayant, l'un six ans, et l'autre huit.

Les deux régentes vinrent au-devant de Charles VIII, l'une à Turin, l'autre à Casal, toutes deux à la tête d'une cour brillante et nombreuse, toutes deux couvertes de joyaux et de pierreries. Charles VIII qui savait que, malgré ces démonstrations amicales, toutes deux avaient fait un traité avec son ennemi, Alphonse de Naples, les traita toutes deux avec la plus grande courtoisie, et comme elles lui protestaient de leur amitié, il les pria de lui en donner une preuve ; c'était de lui prêter les diamants dont elles étaient couvertes. Les deux régentes ne purent faire autrement que d'obéir à cette invitation qui équivalait à un ordre. Elles détachèrent colliers, bagues et boucles d'oreilles. Charles VIII leur en donna un reçu détaillé, et les mit en gage pour vingt-quatre mille ducats, puis, muni de cet argent, il se remit en route et se dirigea vers Asti, dont le duc d'Orléans avait conservé, comme nous l'avons dit, la souveraineté et où vinrent le rejoindre Louis Sforza, et son beau-père, le prince Hercule d'Este, duc de Ferrare. Ils amenaient avec eux non seulement les troupes et l'argent promis, mais encore une cour composée des plus belles femmes de l'Italie.

Les bals, les fêtes et les tournois commencèrent avec une magnificence qui surpassait tout ce qu'on avait vu jusqu'alors en Italie. Mais tout à coup ils furent interrompus par une maladie du roi. C'était la première manifestation en Italie de la contagion rapportée par Christophe Colomb du Nouveau Monde, et que les Italiens appelèrent le mal français, et les Français, le mal italien. Ce qu'il y a de probable, c'est qu'une partie de l'équipage de Christophe Colomb, qui était de Gênes ou des environs, avait déjà rapporté d'Amérique cette étrange et cruelle compensation de ses mines d'or.

Cependant, l'indisposition du roi n'arriva point au degré de gravité qu'on aurait pu craindre d'abord. Guéri au bout de quelques semaines, il s'achemina vers Pavie, où s'en allait mourant le jeune duc Galéas. Le roi de France et lui étaient cousins germains, fils de deux sœurs de la maison de Savoie : Charles VIII ne pouvait donc se dispenser de le voir ; il alla en conséquence le visiter au château qu'il habitait plutôt comme prisonnier que comme seigneur. Il le trouva à demi couché sur un lit de repos, pâle et exténué par l'abus des voluptés, disaient les uns, par un poison lent et mortel, disaient les autres. Mais quelque envie que le pauvre jeune homme eût de se plaindre à lui, il n'osa rien dire ; car son oncle Louis Sforza ne quitta pas un instant le roi de France. Cependant, au moment où Charles VIII se levait pour sortir, une porte s'ouvrit, et une jeune femme parut, qui vint se jeter aux pieds du roi : c'était la femme du malheureux Jean Galéas, qui accourait supplier son cousin de ne rien faire contre son père Alphonse, ni contre son frère Ferdinand : à cette vue, le front de Sforza se rida, soucieux et menaçant, car il ignorait encore quelle serait l'impression que produirait cette scène sur son allié ; mais il se rassura bientôt : Charles répondit qu'il était maintenant trop avancé pour reculer, qu'il y allait de la gloire de son nom ainsi que de l'intérêt de son royaume, et que c'étaient deux motifs trop importants pour être sacrifiés au sentiment de pitié qu'il éprouvait, si profond et si réel qu'il fût. La pauvre jeune femme, dont cette démarche était le dernier espoir, se releva alors et alla se jeter toute sanglotante dans les bras de son mari ; Charles VIII et Louis Sforza sortirent : Jean Galéas était condamné.

Le surlendemain, Charles VIII partit pour Florence, accompagné de son allié ; mais à peine furent-ils à Parme, qu'un messager les rejoignit, annonçant à Louis Sforza que son neveu venait de mourir : Louis s'excusa aussitôt auprès de Charles VIII de ce qu'il le laissait continuer sa route seul ; mais les intérêts qui le rappelaient à Milan était si graves, disait-il, qu'il ne pouvait, en pareille circonstance, en rester éloigné un jour de plus. En effet, il avait à recueillir la succession de celui qu'il avait assassiné.

Cependant Charles VIII continuait sa route, non sans quelque inquiétude. La vue du jeune prince mourant l'avait profondément ému, car il avait au fond du cœur la conviction que Louis Sforza était son meurtrier ; et un meurtrier pouvait être un traître. Il s'avançait donc au milieu d'un pays inconnu, ayant devant lui un ennemi déclaré, et derrière lui un ami douteux : on commençait à entrer dans les montagnes, et comme l'armée n'était point approvisionnée et vivait au jour le jour, la moindre station forcée amenait la famine. Or, on avait devant soi Fivizzano, qui n'était, il est vrai, qu'une bourgade entourée de murailles ; mais après Fivizzano, Sarzane et Pietra Santa, qui étaient des forteresses regardées comme imprenables ; de plus, on entrait dans un pays malsain surtout en octobre, qui ne produit que de l'huile, et qui tire son blé même des provinces voisines ; une armée tout entière pouvait donc y être détruite en quelques jours par la disette et le mauvais air, plus encore que par les moyens de résistance qu'offre à chaque pas le terrain. La situation était grave ; mais l'orgueil de Pierre de Médicis vint de nouveau en aide à la fortune de Charles VIII.

Pierre de Médicis avait, comme on se le rappelle, pris l'engagement de fermer l'entrée de la Toscane aux Français ; cependant, lorsqu'il vit son ennemi descendre des Alpes, moins présomptueux dans ses propres forces, il demanda du secours au pape ; mais à peine le bruit de l'invasion ultramontaine s'était-il répandu dans la Romagne, que les Colonna s'étaient déclarés soldats du roi de France, et, réunissant toutes leurs forces, s'étaient emparés d'Ostie, où ils attendaient la flotte française, pour lui offrir un passage vers Rome : le pape alors, au lieu d'envoyer des troupes à Florence, fut obligé de rappeler tous ses soldats autour de sa capitale ; seulement, il fit dire à Pierre de Médicis que si Bajazet lui envoyait les troupes qu'il lui avait fait demander, il mettrait cette armée à sa disposition. Pierre de Médicis n'avait encore pris aucune résolution ni formé aucun plan, lorsqu'il apprit à la fois deux nouvelles terribles. Un voisin jaloux, le marquis de Tordinovo, avait indiqué aux Français le côté faible de Fivizzano, de sorte que les Français s'en étaient emparés d'assaut et en avaient passé les soldats et les habitants au fil de l'épée ; d'un autre côté, Gilbert de Montpensier, qui éclairait le bord de la mer pour conserver à l'armée française ses communications avec sa flotte, avait rencontré un détachement que Paul Orsini envoyait à Sarzane, pour renforcer la garnison, et après un combat d'une heure l'avait taillé en pièces. Aucun des prisonniers n'avait été reçu à merci, tout ce qu'on avait pu atteindre avait été massacré.

C'était la première fois que les Italiens, habitués aux combats chevaleresques du quinzième siècle, se trouvaient en contact avec les terribles ultramontains, qui, moins avancés qu'eux en civilisation, ne considéraient pas encore la guerre comme un jeu savant, mais la tenaient bien pour une lutte mortelle. Aussi, la nouvelle de ces deux boucheries produisit-elle une grande sensation à Florence, la ville la plus riche, la plus commerçante et la plus artiste de l'Italie. Chacun se représenta les Français pareils à une armée de ces anciens barbares qui éteignaient le feu avec le sang, et les prophéties de Savonarole, qui avait prédit l'invasion ultramontaine et la destruction qui la devait suivre, étant revenues à l'esprit de tous, une fermentation si grande se manifesta que Pierre de Médicis, résolu d'obtenir la paix à tout prix, fit décréter à la république qu'elle enverrait une ambassade au vainqueur, et obtint, résolu qu'il était de se remettre lui-même entre les mains du roi français, de faire partie de cette ambassade. En conséquence, il quitta Florence, accompagné de quatre autres messagers et, arrivé à Pietra Santa, fit demander à Charles VIII un sauf-conduit pour lui seul. Le lendemain du jour où il avait fait cette demande, Briçonnet et de Piennes vinrent le chercher, et l'amenèrent devant Charles VIII.

Pierre de Médicis, malgré son nom et son influence, n'était aux yeux de la noblesse française, qui regardait comme un déshonneur de s'occuper d'art ou d'industrie, qu'un riche marchand, avec lequel il était inutile de garder de bien sévères convenances. Aussi, Charles VIII le reçut-il à cheval, en lui demandant d'un ton hautain, et comme un maître à son subordonné, d'où lui était venu cet orgueil, de vouloir lui disputer le passage de la Toscane. Pierre de Médicis répondit que, du consentement de Louis XI lui-même, son père Laurent avait conclu un traité d'alliance avec Ferdinand de Naples ; que c'était donc à des engagements pris qu'il avait été forcé d'obéir ; mais que, ne voulant point pousser plus loin son dévouement à la maison d'Aragon et son opposition à celle de France, il était prêt à faire tout ce que Charles VIII exigerait de lui. Le roi, qui ne s'attendait pas à tant d'humilité de la part de son ennemi, demanda que Sarzane lui fût livrée ; ce à quoi Pierre de Médicis consentit à l'instant même. Alors, le vainqueur, voulant voir jusqu'où l'ambassadeur de la magnifique république pousserait la déférence, répondit que cette concession était loin de lui suffire, mais qu'il lui fallait encore les clefs de Pietra Santa, de Pise, de Librafatta et de Livourne. Pierre de Médicis n'y vit pas plus de difficultés que dans celle de Sarzane, et y consentit encore, sous la seule parole que lui donna Charles VIII, de lui remettre ces villes lorsqu'il aurait achevé la conquête de Naples. Enfin, Charles VIII, voyant que le négociateur qu'on lui avait envoyé était si facile en affaires, exigea comme dernière condition, mais aussi comme condition *sine qua non* de sa protection royale, qu'il lui serait prêté par la magnifique république une somme de deux cent mille florins. Pierre, qui disposait du trésor avec la même facilité que des forteresses, répondit que ses concitoyens seraient heureux de rendre ce service à leur nouvel allié. Alors, Charles VIII le fit monter à cheval, et lui ordonna de marcher devant lui, afin de commencer l'exécution de ses promesses par la remise des quatre places fortes qu'il avait exigées. Pierre de Médicis obéit, et l'armée française, conduite par le petit-fils de Cosme le Grand et le fils de Laurent le Magnifique, continua sa marche triomphale à travers la Toscane.

En arrivant à Lucques, Pierre de Médicis apprit que les concessions qu'il avait faites au roi de France occasionnaient à Florence une fermentation terrible. Tout ce que la magnifique république avait cru qu'exigerait Charles VIII était un simple passage sur son territoire, le mécontentement de la nouvelle était donc général, quand il fut encore augmenté par le retour des ambassadeurs, que Pierre de Médicis n'avait pas même consultés pour agir ainsi qu'il l'avait fait. Quant à celui-ci, jugeant son retour nécessaire, il demanda à Charles VIII l'autorisation de le précéder dans la capitale. Comme il avait rempli ses engagements, moins l'emprunt, et que l'emprunt ne pouvait se négocier qu'à Florence, le roi n'y vit aucun inconvénient, et le même soir qu'il avait quitté l'armée, Pierre rentra incognito dans son palais de la Via Larga.

Le lendemain, il voulut se présenter à la seigneurie, mais en arrivant sur la place du Vieux-Palais, il vit venir à lui le goufalonier Jacob de Nerli, qui lui signifia qu'il était inutile qu'il tentât d'aller plus loin, et qui lui montra Lucas Corsini debout à la porte, l'épée à la main et ayant derrière lui des gardes chargés, s'il voulait insister, de lui disputer le passage. Pierre de Médicis, étonné d'une pareille opposition, qu'il éprouvait pour la première fois, n'essaya pas même de la combattre. Il se retira chez lui, et écrivit à Paul Orsini, son beau-frère, de venir le trouver avec ses gendarmes. Malheureusement pour lui, la lettre fut interceptée. La seigneurie y vit une tentative de rébellion. Elle appela à son aide les citoyens ; ceux-ci s'armèrent à la hâte, sortirent en foule, et s'amassèrent sur la place du Palais. Pendant ce temps, le cardinal Jean de Médicis était monté à cheval, et, croyant qu'il allait être soutenu par Orsini, il parcourait les rues de Florence, accompagné de ses serviteurs et jetant son cri de guerre : « Palle, Palle ! » Mais les temps étaient changés, ce cri ne trouvait plus d'écho, et lorsque le cardinal arriva à la rue des Calzaioli, de tels murmures y répondirent qu'il comprit qu'au lieu de tenter de soulever Florence, ce qu'il avait de mieux à faire était d'en sortir avant que la fermentation fût arrivée plus loin. Il se retira promptement dans son palais, croyant y retrouver Pierre et Julien, ses frères. Mais ceux-ci, sous la protection d'Orsini et de ses gendarmes, venaient de fuir par la porte de San Gallo. Le péril était imminent, Jean de Médicis voulut suivre leur exemple ; mais partout où il passait des clameurs de plus en plus menaçantes l'accueillaient. Enfin, voyant que le danger s'augmentait toujours, il descendit de cheval, et entra dans une maison qui était ouverte. Cette maison communiquait par bonheur avec un couvent de Franciscains ; un des frères prêta sa robe au fugitif, et le cardinal, protégé par cet humble incognito, parvint enfin à sortir de Florence, et rejoignit ses deux frères dans les Apennins.

Le même jour, les Médicis furent déclarés traîtres et rebelles, et des ambassadeurs furent envoyés au roi de France. Ils le trouvèrent à Pise, où il rendait la liberté à la ville qui depuis quatre-vingt-sept ans était tombée sous la domination des Florentins. Charles VIII ne fit aucune réponse aux messagers, seulement il annonça qu'il allait marcher sur Florence.

Une pareille réponse, comme on le comprend bien, épouvanta la magnifique république. Florence n'avait ni le temps de préparer sa défense, ni la force de se défendre telle qu'elle était. Cependant chaque maison puissante rassembla autour d'elle ses serviteurs et ses vassaux, et, les ayant armés, attendit avec l'intention de ne pas commencer les hostilités, mais aussi avec la détermination de se défendre, si les Français attaquaient. Il fut convenu que si quelque chose nécessitait une prise d'armes, les cloches sonnant à toutes volées aux différentes églises de la ville seraient le signal pour tous. Cette résolution était plus terrible à Florence peut-être que dans toute autre ville. Les palais qui restent de cette époque sont encore aujourd'hui de véritables forteresses, et les éternels combats des Guelfes et des Gibelins avaient familiarisé les Toscans avec la guerre des rues.

Le roi se présenta, le 17 novembre au soir, à la porte de San Friano ; il y trouva la noblesse florentine revêtue de ses habits les plus magnifiques, accompagnée du clergé qui chantait des hymnes, et accompagnée du peuple qui, joyeux de tout changement, espérait obtenir quelque retour de liberté par la chute des Médicis. Charles VIII s'arrêta un instant sous une espèce de baldaquin doré, qu'on avait préparé pour lui, répondit

81

quelques mots évasifs aux paroles de bienvenue que lui adressait la seigneurie ; puis, ayant demandé sa lance, il l'appuya sur sa cuisse et donna l'ordre d'entrer dans la ville, qu'il traversa tout entière avec son armée, qui le suivait les armes hautes, et alla descendre au palais des Médicis, qui avait été préparé pour lui.

Le lendemain, les négociations s'entamèrent ; mais chacun était loin de compte. Les Florentins avaient reçu Charles VIII comme un hôte, et celui-ci était entré en vainqueur. Aussi, lorsque les députés de la seigneurie parlèrent de ratifier le traité de Pierre de Médicis, le roi leur répondit que ce traité n'existait plus, puisqu'ils avaient chassé celui qui l'avait fait ; que Florence était sa conquête, comme il l'avait prouvé en y entrant la veille la lance à la main ; qu'il s'en réservait la souveraineté, et déciderait d'elle selon son bon plaisir ; qu'en conséquence il leur ferait savoir s'il y rétablissait les Médicis ou s'il déléguerait son autorité à la seigneurie ; qu'au reste, ils n'avaient qu'à revenir le lendemain, et qu'il leur donnerait par écrit son ultimatum.

Cette réponse jeta Florence dans la consternation ; mais les Florentins ne s'en affermirent que mieux dans leur résolution de se défendre. De son côté, Charles VIII avait été étonné de l'étrange population de la ville, car non seulement toutes les rues par lesquelles il avait passé étaient encombrées par la foule, mais encore toutes les maisons, depuis leurs terrasses jusqu'aux soupiraux des caves, semblaient regorger d'habitants. En effet, Florence pouvait, grâce à son surcroît de population, renfermer à peu près cent cinquante mille âmes.

Le lendemain, à l'heure convenue, les députés se rendirent près du roi. Introduits de nouveau en sa présence, les discussions recommencèrent. Enfin, comme on ne pouvait s'entendre, le secrétaire royal, qui était debout au pied du trône sur lequel Charles VIII était assis et couvert, déploya un papier, et commença à lire, article par article, les conditions du roi de France. Mais, à peine au tiers de la lecture, la discussion ayant recommencé plus ardente encore qu'auparavant, et Charles VIII ayant dit qu'il en serait ainsi, ou qu'il ferait sonner ses trompettes, Pierre Capponi, secrétaire de la république, et que l'on appelait le Scipion de Florence, arracha des mains du secrétaire royal la capitulation honteuse qu'il proposait, et la mettant en pièces :

« Eh bien ! sire, lui dit-il, faites sonner vos trompettes ; nous ferons sonner nos cloches ! »

Puis, ayant jeté les morceaux à la figure du lecteur stupéfait, il s'élança hors de la chambre, pour donner l'ordre terrible qui allait faire de Florence un champ de bataille.

Cependant, contre toutes les apparences, cette réponse hardie sauva la ville. Les Français crurent que, pour parler si haut, à eux surtout qui n'avaient encore rencontré aucun obstacle, il fallait que les Florentins eussent des ressources ignorées, mais certaines ; les quelques hommes sages qui avaient conservé de l'influence sur le roi lui conseillèrent donc de rabattre de ses prétentions : en effet, Charles VIII présenta de nouvelles conditions plus raisonnables, qui furent acceptées, signées par les deux parties, et publiées le 26 novembre pendant la messe, dans la cathédrale de Sainte-Marie-des-Fleurs.

Voici quelles étaient ces conditions :

La seigneurie devait payer à Charles VIII, à titre de subside, la somme de cent vingt mille florins, en trois termes.

La seigneurie lèverait le séquestre mis sur les biens des Médicis, et rapporterait le décret qui met leur tête à prix.

La seigneurie s'engageait à pardonner aux Pisans leurs offenses, moyennant quoi ils rentreraient sous l'obéissance des Florentins.

Enfin la seigneurie reconnaîtrait les droits du duc de Milan sur Sarzane et Pietra Santa, et ces droits, une fois reconnus, seraient appréciés et jugés par arbitres.

En échange de quoi, le roi de France s'engageait à restituer les forteresses qui lui avaient été consignées, soit lorsqu'il se serait rendu maître de la ville de Naples, soit lorsqu'il aurait terminé cette guerre par une paix ou par une trêve de deux ans, soit enfin, lorsque, par une raison quelconque, il aurait quitté l'Italie.

Deux jours après cette proclamation faite, Charles VIII, à la grande joie de la seigneurie, quitta Florence, et s'avança vers Rome par la route de Poggibonsi et de Sienne.

Le pape commençait à partager la terreur générale : il avait appris les massacres de Fivizzano, de la Lunigiane et d'Immola ; il savait que Pierre de Médicis avait livré à Charles VIII les forteresses de la Toscane, que Florence s'était rendue et que Catherine Sforza avait traité avec le vainqueur ; il voyait les débris des troupes napolitaines repasser découragées à travers Rome, pour aller se rallier dans les Abruzzes, de sorte qu'il se trouvait découvert en face d'un ennemi qui s'avançait vers lui, tenant toute la Romagne d'une mer à l'autre, et marchant sur une seule ligne depuis Piombino jusqu'à Ancône.

Ce fut en ce moment qu'arriva à Alexandre VI la réponse de Bajazet : elle n'avait tant tardé, que parce que l'envoyé pontifical et l'ambassadeur napolitain avaient été arrêtés par Jean della Rovere, frère du cardinal Julien, au moment où ils mettaient pied à terre à Sinigaglia. Ils étaient chargés d'une réponse verbale, qui était que le sultan se trouvait à cette heure préoccupé d'une triple guerre, l'une avec le soudan d'Égypte, l'autre avec le roi de Hongrie, et la troisième avec les Grecs de la Macédoine et de l'Épire, il ne pouvait, malgré son grand désir, aider sa sainteté de ses armes ; mais ils étaient accompagnés d'un favori du sultan, lequel était porteur d'une lettre particulière pour Alexandre VI, et dans laquelle Bajazet lui offrait, à certaines conditions, de l'aider de son argent. Quoique les messagers eussent été arrêtés, comme nous l'avons dit, l'envoyé turc n'en trouva pas moins un moyen de faire parvenir sa dépêche au pape ; nous la rapportons dans toute sa naïveté :

« Le sultan Bajazet, fils du soudan Mahomet II, par la grâce de Dieu empereur d'Asie et d'Europe, au père et au maître de tous les chrétiens, Alexandre VI, pontife de Rome et pape par la providence céleste : après le salut que nous lui devons et lui donnons de toute notre âme, faisons savoir à votre grandeur, par l'envoyé de sa puissance Georges Bucciarda, que nous avons appris sa convalescence, de laquelle nous avons reçu une grande joie et une grande consolation ; puis entre autres choses, ledit Bucciarda nous ayant rappelé que le roi de France, qui marchait contre votre grandeur, manifestait le désir d'avoir entre les mains notre frère Djem, qui est en votre puissance, chose qui non seulement serait contre notre volonté, mais dont encore il s'ensuivrait un grand dommage pour votre grandeur et pour toute la chrétienté ; en y réfléchissant avec votre envoyé Georges, nous avons trouvé une chose excellente pour le repos, pour l'utilité, pour l'honneur de votre puissance, et en même temps pour notre personnelle satisfaction ; il serait bon que notre dit frère Djem, qui, en sa qualité d'homme, est sujet à la mort, et qui est entre les mains de votre grandeur, trépassât le plus tôt possible, attendu que ce trépas, qui, dans sa position, serait un bonheur, deviendrait très utile à votre puissance, très commode à votre repos, en même temps que très agréable à moi, qui suis votre ami ; que si cette proposition, comme je l'espère, était accueillie par votre grandeur en son désir de nous être agréable, mieux vaudrait, pour le bien de votre grandeur et pour notre propre satisfaction, que ce fût plus tôt que plus tard, et par le mode le plus sûr qu'il vous plairait d'employer, que ledit Djem passât des angoisses de ce monde en un monde meilleur et plus tranquille, dans lequel il trouvera enfin le repos : que si votre grandeur adopte ce projet et qu'elle nous envoie le corps de notre frère, nous nous engageons, nous susdit sultan Bajazet, à rendre à votre grandeur, en quelque lieu et en quelques mains qu'il lui plaira, la somme de trois cent mille ducats, avec laquelle somme elle pourrait acheter quelque beau domaine à ses enfants, et pour lui faciliter cet achat, nous consentirions, en attendant l'événement, à remettre ces trois cent mille ducats dans une main tierce, afin que votre grandeur fût bien certaine de les recevoir à jour fixe et contre la remise du corps de notre frère. En outre, je promets à votre puissance, pour sa plus grande satisfaction, que, tant qu'elle sera sur le trône pontifical, il ne sera, ni par les miens, ni par mes serviteurs, ni par mes compatriotes, fait aucun dommage aux chrétiens, de quelque qualité ou condition qu'ils soient, ni sur mer, ni sur terre, et pour plus grande satisfaction et sûreté de votre grandeur, et afin qu'il ne lui reste aucun doute sur l'accomplissement des choses que je lui promets, j'ai juré et affirmé, en présence de votre envoyé Bucciarda, par le vrai Dieu que nous adorons et sur nos évangiles, qu'elles seraient observées de point en point depuis le premier jusqu'au dernier : et maintenant, pour plus nouvelle et plus complète sécurité de votre grandeur, et afin que votre âme ne conserve aucun doute et soit de nouveau intimement et profondément convaincue, moi, susdit sultan Bajazet, je jure par le vrai Dieu qui a créé le ciel et la terre, ainsi que toutes les choses qui sont en eux, je jure, dis-je, par le seul Dieu que nous croyons et que nous adorons, d'observer religieusement tout ce qui a été dit ci-dessus, et de ne rien faire ni entreprendre à l'avenir contre votre grandeur.

Écrit à Constanlinople, dans notre palais, le 12 septembre 1494 de la naissance du Christ. »

Cette lettre causa une grande joie au saint-père ; un secours de quatre ou cinq mille Turcs devenait insuffisant dans les circonstances où l'on se trouvait, et ne pouvait que compromettre davantage le chef de la chrétienté, tandis qu'une somme de trois cent mille ducats, c'est-à-dire de près d'un million, était bonne à recevoir dans quelque circonstance que ce fût. Il est vrai que, tant que Djem vivait, Alexandre touchait une rente de cent quatre-vingt mille livres, ce qui représentait en viager un capital de près de deux millions ; mais lorsqu'on a besoin d'argent, il faut savoir faire un sacrifice sur l'escompte. Néanmoins Alexandre ne prit aucune résolution, décidé qu'il était à agir selon les circonstances.

Mais une décision plus urgente à prendre était celle qui devait régler la façon dont il se conduirait vis-à-vis du roi de France ; il n'avait pas cru aux succès des Français en Italie et, comme nous l'avons vu, avait placé toutes les bases de la grandeur future de sa famille sur son alliance avec la maison d'Aragon. Mais voilà que la maison d'Aragon était chancelante, et qu'un volcan, plus terrible que son Vésuve, menaçait de dévorer Naples. Il fallait donc changer de politique et se rattacher au vainqueur, chose qui n'était pas facile, Charles VIII gardant au pape une profonde rancune de ce qu'il lui avait refusé l'investiture qu'il avait accordée aux Aragonais.

En conséquence, il envoya au roi de France le cardinal François Piccolomini. Ce choix parut maladroit au premier abord, attendu que cet ambassadeur était le neveu du pape Pie II, qui avait combattu avec acharnement la maison d'Anjou ; mais Alexandre VI avait, en agissant ainsi, une arrière-pensée que ne pouvaient pénétrer ceux qui l'entouraient. En effet, il avait deviné que Charles VIII ne recevrait pas facilement son envoyé, et que, dans les pourparlers qu'amènerait cette répugnance, Piccolomini se trouverait nécessairement en rapport avec les hommes qui dirigeaient les actions du jeune roi. Or, à côté de sa mission ostensible pour Charles VIII, Piccolomini avait des instructions occultes pour ses conseillers les plus influents. Ces conseillers étaient Briçonnet et Philippe de Luxembourg : or Piccolomini était autorisé à leur promettre à tous deux le chapeau de cardinal ; il en résulta que, comme l'avait prévu Alexandre VI, son envoyé ne put être admis en présence de Charles VIII et fut obligé de conférer avec ceux qui l'entouraient. C'était ce que demandait le pape. Piccolomini revint à Rome avec le refus du roi, mais avec la parole de Briçonnet et de Philippe de Luxembourg de s'employer de tout leur pouvoir, près de Charles VIII, en faveur du saint-père, et de le préparer à recevoir une nouvelle ambassade.

Cependant les Français avançaient toujours, ne s'arrêtant jamais plus de quarante-huit heures dans aucune ville ; de sorte qu'il devenait de plus en plus urgent de décider quelque chose avec Charles VIII. Le roi était entré à Sienne et à Viterbe sans coup férir ; Yves d'Alègre et Louis de Ligny avaient reçu Ostie des mains des Colonna ; Civita-Vecchia et Corneto avaient ouvert leurs portes ; les Orsini avaient fait leur soumission ; enfin Jean Sforza, gendre du pape, s'était retiré de l'alliance aragonaise. Alexandre jugea donc que le moment était venu d'abandonner son allié, et envoya vers Charles les évêques de Concordia, de Terni, et monseigneur Gratian, son confesseur. Ils étaient chargés de renouveler à Briçonnet et à Philippe de Luxembourg la promesse du cardinalat, et avaient pleins pouvoirs de négocier au nom de leur maître, soit que Charles VIII voulût bien comprendre Alphonse II dans le traité, soit qu'il ne voulût rien signer qu'avec le pape seul. Ils trouvèrent Charles VIII flottant entre les insinuations de Julien della Rovere, qui, témoin de la simonie du pape, insistait auprès du roi pour qu'il assemblât un concile et fît déposer le chef de l'Église, et la protection cachée que lui accordaient l'évêque du Mans et l'évêque de Saint-Malo ; de sorte que le roi, décidé à prendre lui-même avis des circonstances, et sans rien arrêter d'avance, continua sa route, renvoyant au pape ses ambassadeurs et leur adjoignant le maréchal de Gie, le sénéchal de Beaucaire et Jean de Gannay, premier président du parlement de Paris ; ils étaient chargés de dire au pontife :

1. Que le roi voulait avant toute chose être admis, sans résistance dans Rome ; que, moyennant cette admission volontaire, franche et loyale, il respecterait l'autorité du saint-père et les privilèges de l'Église ;

2. Que le roi désirait que Djem lui fût remis, afin de s'en faire une arme contre le sultan lorsqu'il transporterait la guerre soit en Macédoine, soit en Turquie, soit en Terre sainte ;

3. Que quant aux autres conditions, elles étaient de si peu d'importance, qu'à la première conférence elles seraient levées.

Les ambassadeurs ajoutèrent que l'armée française n'était plus qu'à deux journées de Rome, et que le surlendemain au soir Charles VIII viendrait probablement demander lui-même la réponse de sa sainteté.

Il n'y avait pas à compter sur les négociations avec un prince qui agissait d'une façon si expéditive. Alexandre VI fit donc prévenir Ferdinand qu'il eût à quitter Rome le plus tôt possible, dans l'intérêt de sa propre sûreté. Mais Ferdinand ne voulut entendre à rien, et déclara qu'il ne sortirait par une porte que lorsque Charles VIII entrerait par l'autre. Au reste, son séjour ne fut pas long. Le surlendemain, vers les onze heures du matin, une sentinelle qu'on avait placée en vedette au haut du château Saint-Ange, où s'était retiré le pape, cria qu'elle voyait apparaître à l'horizon l'avant-garde ennemie ; aussitôt Alexandre et le duc de Calabre montèrent sur la terrasse qui domine la forteresse, et s'assurèrent par leurs propres yeux que le soldat avait dit la vérité. Alors seulement le duc de Calabre monta à cheval, et, comme il l'avait dit, sortit par la porte de San-Sebastiano, au moment même où l'avant-garde française faisait halte à cinq cents pas de la porte du Peuple. C'était le 31 décembre 1494.

À trois heures de l'après-midi, toute l'armée étant arrivée, l'avant-garde se remit en marche tambours battant et enseignes déployées. « Elle était, dit Paul Jove, témoin oculaire, livre II, page 41 de son *Histoire*, elle était composée de Suisses et d'Allemands aux habits courts, collants et de couleurs variées » ; ils étaient armés d'épées courtes et acérées comme celles des anciens Romains, et portaient des lances de bois de frêne de dix pieds de long, dont le fer était étroit et aigu : un quart seulement avaient, au lieu de lances, des hallebardes dont le fer était taillé en forme de hache et surmonté d'une pointe à quatre angles, et dont ils se servaient en frappant également du tranchant et de la pointe : le premier rang de chaque bataillon portait des casques et des cuirasses qui défendaient la tête et couvraient la poitrine, de sorte que, lorsque les soldats étaient en bataille, ils présentaient à leurs ennemis un triple rang de pointes de fer qui s'abaissaient ou se relevaient comme les lances d'un porc-épic. À chaque millier de soldats était attachée une compagnie de cent fusiliers ; quant aux chefs, ils portaient, pour se distinguer de leurs soldats, de hauts plumets sur leurs casques.

Après l'infanterie suisse, venaient les arbalétriers gascons : ils étaient cinq mille, portant un costume très simple, qui contrastait avec le riche vêtement des Suisses, dont le plus petit les eût dépassés de toute la tête : au reste, excellents soldats, pleins de légèreté et de courage, et réputés surtout par la promptitude avec laquelle ils tendaient et tiraient leurs arbalètes de fer.

Derrière eux venait la cavalerie, c'est-à-dire la fleur de la noblesse française, avec ses casques et ses colliers dorés, ses surcots de velours et de soie, ses épées, dont chacune avait un nom, ses écus, dont chacun représentait un domaine, ses couleurs, dont chacune signifiait une passion. Outre ces armes défensives, chaque cavalier portait à la main, comme les gendarmes italiens, une lance avec une pointe striée et solide, et à l'arçon de la selle une masse d'armes taillée en côtes ou garnie de pointes. Leurs chevaux étaient grands et vigoureux ; mais, selon l'usage français, on leur avait coupé la queue et les oreilles. Ces chevaux, au contraire de ceux des gendarmes italiens, ne portaient point de caparaçons de cuir bouilli ; ce qui les faisait plus exposés aux coups. Chaque chevalier était suivi de trois chevaux, le premier monté par un page armé comme lui, et les deux autres par des écuyers, que l'on appelait auxiliaires latéraux, de ce que dans la mêlée ils combattaient à droite et à gauche de leur chef. Cette troupe était non seulement la plus magnifique, mais encore la plus considérable de l'armée ; car, comme il y avait deux mille cinq cents chevaliers, les trois serviteurs qui suivaient chacun d'eux formaient avec eux un total de dix mille hommes.

Cinq mille chevau-légers venaient ensuite, portant de grands arcs de bois, et, comme les archers anglais, lançant au loin de longues flèches. Ils étaient d'un grand secours dans les batailles ; car, se portant rapidement où l'on avait besoin de secours, ils pouvaient voler en un instant d'une aile à l'autre, et de l'arrière-garde à l'avant-garde, puis, leurs trousses épuisées, repartir au grand galop, sans que l'infanterie ni la grosse cavalerie les pussent suivre. Leurs armes défensives étaient le casque et une demi-cuirasse : quelques-uns portaient en outre une lance courte pour clouer en terre les ennemis renversés ; tous avaient de longs manteaux ornés d'aiguillettes et des plaques d'argent, au milieu desquelles brillaient les armoiries de leurs chefs.

Enfin venait l'escorte du jeune roi : quatre cents archers, parmi lesquels cent Écossais formaient la haie, tandis que deux cents chevaliers, choisis parmi les plus illustres, marchaient à pied à côté du prince, portant sur leurs épaules de pesantes masses d'armes. Au milieu de cette magnifique escorte s'avançait Charles VIII, couvert, ainsi que son cheval, d'une splendide armure : à sa droite et à sa gauche, marchaient le cardinal Ascagne Sforza, frère du duc de Milan, et le cardinal Julien della Rovere dont nous avons déjà si souvent parlé, et qui fut depuis Jules II. Les cardinaux Colonna et Savelli les suivaient immédiatement, et derrière eux Prosper et Fabrice Colonna, ainsi que tous les princes et généraux italiens qui s'étaient réunis à la fortune du vainqueur, et qui marchaient entremêlés avec les grands seigneurs de France.

Depuis longtemps la foule amassée pour voir tous ces soldats ultramontains, si nouveaux et si étranges pour elle, écoutait avec inquiétude un bruit sourd qui allait se rapprochant, et qui semblait le roulement du tonnerre : bientôt la terre sembla trembler, les vitres des croisées frémirent, et derrière l'escorte du roi on vit s'avancer accroupis et bondissant sur leurs affûts trente-six canons de bronze, traînés chacun par six forts chevaux. La longueur de ces canons était de huit pieds ; et comme leur ouverture était assez large pour qu'un homme y pût passer la tête, on estima que chacune de ces machines terribles, presque inconnues encore aux Italiens, devait peser à peu près six mille livres. Après les canons venaient des couleuvrines longues de seize pieds, et des fauconneaux dont les plus petits lançaient des boulets de la grosseur d'une grenade. Cette artillerie formidable terminait la marche et formait l'arrière-garde de l'armée française. Il y avait six heures que la tête avait déjà pénétré dans la ville lorsqu'elle y entra à son tour ; et, comme il faisait nuit, et que sur six artilleurs il y avait un homme qui portait une torche, cette illumination donnait encore aux objets qu'elle éclairait un caractère plus sombre que n'eût fait la lumière du soleil. Le jeune roi alla se loger au palais de Venise, ayant toute cette artillerie braquée sur la place et dans les rues environnantes. Quant au reste de l'armée, elle se répandit par la ville.

Le même soir, on apporta au roi de France, plus encore pour lui faire honneur que pour le tranquilliser sur sa sûreté, les clefs de Rome et celles de la porte du jardin du Belvédère. Même chose, au reste, avait été faite pour le duc de Calabre.

Le pape s'était, comme nous l'avons dit, retiré au château Saint-Ange avec six cardinaux seulement ; de sorte que, dès le lendemain de son arrivée, le jeune roi se trouva avoir autour de lui une cour bien autrement brillante que celle du chef de l'Église. Alors fut remise de nouveau en question la convocation d'un concile, qui, convainquant Alexandre de simonie, procéderait à sa déposition. Mais les principaux conseillers du roi, gagnés, comme nous l'avons dit, firent observer que c'était un mauvais moment pour soulever un nouveau schisme dans l'Église, que celui où l'on se préparait à marcher contre les infidèles. Comme c'était l'opinion intérieure du roi, on n'eut pas grand-peine à le convaincre, et il fut décidé que l'on traiterait avec sa sainteté.

Cependant les négociations, à peine commencées, faillirent être rompues ; car la première chose que demanda Charles VIII, fut la remise du château Saint-Ange ; tandis que, voyant dans ce château sa seule sûreté, c'était, de son côté, la dernière chose que le pape voulait accorder. Deux fois, dans son impatience juvénile, Charles VIII voulut enlever de force ce qu'on ne voulait pas lui céder de bonne volonté, et fit braquer ses canons sur la demeure du saint-père ; mais celui-ci resta insensible à ces démonstrations ; et cette fois ce fut, tout obstiné qu'il était, le roi de France qui céda.

On laissa donc de côté cet article, et l'on convint des conditions suivantes.

Il devait y avoir entre sa majesté le roi de France et le saint-père, à compter de cette heure, sincère amitié et ferme alliance.

En attendant la conquête définitive du royaume de Naples, le roi de France occuperait, pour l'avantage et la commodité de ses armes, les forteresses de Civita-Vecchia, de Terracine et de Spolète.

Enfin, le cardinal Valentino (c'est ainsi que l'on nommait César Borgia, de son archevêché de Valence) suivrait le roi Charles VIII en qualité de légat apostolique, ou plutôt d'otage.

Ces conditions arrêtées, on régla le cérémonial de l'entrevue. Le roi Charles VIII quitta le palais de Venise, et vint habiter au Vatican. À une heure convenue, il entra par une porte du jardin attenant au palais, tandis que le pape, qui n'avait pas quitté le château Saint-Ange, grâce au corridor qui communique d'un palais à l'autre, descendait par une autre porte dans le même jardin. Il résulta de cet arrangement qu'au bout d'un instant le roi aperçut le pape, et s'agenouilla une première fois ; mais le pape fit semblant de ne pas le voir, de sorte que le roi fit quelques pas encore, et s'agenouilla une seconde fois ; comme en ce moment sa sainteté était masquée par un massif, ce lui fut encore une nouvelle excuse : de sorte que le roi, accomplissant le cérémonial entier, se releva encore, et, faisant de nouveau quelques pas, alla s'agenouiller une troisième fois en face du saint-père, qui l'aperçut enfin, et, marchant à lui comme pour empêcher le roi de se mettre à genoux, ôta sa barrette, et, le pressant entre ses bras, le releva, l'embrassa tendrement au front, et ne voulut pas se recouvrir que le roi lui-même n'eût mis sa toque sur sa tête, ce à quoi le pape l'aida de ses propres mains. Alors, étant restés un instant debout et ayant échangé quelques paroles de courtoisie et d'amitié, le roi supplia instamment sa sainteté de vouloir bien agréger au sacré collège Guillaume Briçonnet, évêque de Saint-Malo. Comme c'était chose convenue d'avance entre ce prélat et sa sainteté, quoique le roi l'ignorât, Alexandre voulut avoir le mérite d'accorder promptement ce qui lui était demandé, et ordonna à l'instant même à l'un de ses serviteurs d'aller chercher chez son fils, le cardinal

Valentin, une cape et un chapeau. Prenant alors le roi de France par la main, le pape le conduisit dans la salle du Perroquet, où devait se faire la cérémonie de réception du nouveau cardinal. Quant à l'acte solennel du serment d'obéissance que devait prêter Charles VIII à sa sainteté comme au chef suprême de l'Église chrétienne, il fut remis au surlendemain.

Ce jour solennel arrivé, tout ce que Rome avait de puissant dans la noblesse, dans le clergé et dans les armes, se rassembla autour de sa sainteté ; Charles VIII, de son côté, s'avança vers le Vatican avec une suite splendide de princes, de prélats et de capitaines. Au seuil du palais, il trouva quatre cardinaux qui étaient venus au-devant de lui : deux se placèrent à ses côtés, les deux autres derrière lui, et, tout son cortège suivant immédiatement, ils traversèrent une longue file d'appartements pleins de gardes et de serviteurs, et arrivèrent enfin dans la salle de réception, où le roi était assis sur son trône, ayant derrière lui son fils César Borgia. Arrivé à la porte, le roi de France commença d'accomplir le cérémonial habituel ; et, étant passé des génuflexions aux baisements des pieds, de la main et du front, il se tint debout, tandis que le premier président du parlement de Paris, faisant à son tour quelques pas, dit à voix haute :

« Très saint-père,

Voici mon roi tout disposé à prêter à votre sainteté le serment d'obéissance qu'il lui doit ; mais il est d'usage en France que celui qui offre à son seigneur son vasselage en reçoive en échange les grâces qu'il lui demande. En conséquence, sa majesté, tout en s'engageant de son côté à user vis-à-vis de votre sainteté d'une munificence plus grande encore que votre sainteté n'aura usé vis-à-vis d'elle, vient la supplier instamment de lui accorder trois faveurs. Ces trois faveurs sont d'abord la confirmation des privilèges déjà accordés au roi lui-même, à la reine son épouse et au dauphin son fils ; ensuite l'investiture, pour lui et ses successeurs, du royaume de Naples ; enfin la remise entre ses mains de la personne du sultan Djem, frère de l'empereur des Turcs. »

À ce discours, le pape demeura un instant stupéfait ; car il ne s'attendait pas à ces trois demandes, que, de son côté, Charles VIII n'avait faites si publiquement que pour lui ôter tout moyen de les lui refuser. Mais, reprenant aussitôt sa présence d'esprit, il répondit au roi qu'il confirmerait volontiers les privilèges accordés à la maison de France par ses prédécesseurs ; que par conséquent, il pouvait considérer cette première demande comme accordée ; que, quant à l'investiture du royaume, c'était une affaire à délibérer dans le conseil des cardinaux, mais qu'il ferait auprès d'eux tout son possible pour qu'ils accédassent à ses désirs ; enfin, que, pour ce qui regardait le frère du sultan, il remettait à un temps plus opportun de discuter la chose avec le sacré collège, affirmant que, comme cette remise ne pouvait être qu'utile au bien de la chrétienté, puisqu'elle était demandée dans le but de rendre le succès d'une croisade plus certain, ce ne serait pas sa faute si sur ce point encore le roi n'était point satisfait.

Après cette réponse, Charles VIII s'inclina en signe qu'il était content ; et, étant demeuré debout et découvert en face du pape, le premier président reprit la parole en ces termes :

« Très saint-père,

C'est une antique coutume des rois chrétiens, et particulièrement des rois très chrétiens de France, de signifier, par le moyen de leurs ambassadeurs, le respect qu'ils professent pour le saint-siège et les souverains pontifes que la Providence divine y élève ; mais le roi très chrétien, ayant eu le désir de visiter le tombeau des saints apôtres, a voulu, non par ambassadeur, non par délégué, mais par lui-même, payer cette dette religieuse, qu'il regarde comme sacrée : c'est pourquoi, très saint-père, sa majesté le roi de France vous reconnaît pour le véritable vicaire du Christ, pour le légitime successeur des apôtres saint Pierre et saint Paul, et vous promet et jure cette foi filiale et respectueuse que les rois ses prédécesseurs sont accoutumés de vous promettre et de vous jurer, se dévouant lui et toutes ses forces au service de votre sainteté et aux intérêts du saint-siège. »

Le pape se leva tout joyeux ; car ce serment, fait avec tant de publicité, lui ôtait toute crainte d'un concile ; aussi, disposé à accorder, de ce moment, au roi de France tout ce qu'il lui demanderait, il le prit par la main gauche, lui faisant une courte mais amicale réponse, et l'appelant le fils aîné de l'Église. La cérémonie terminée, ils sortirent de la salle, le pape tenant toujours le roi par la main, et ils marchèrent ainsi jusqu'à la chambre où l'on dépose les vêtements sacrés ; là le pape feignit de vouloir reconduire le roi jusqu'à ses appartements ; mais le roi ne le voulant pas souffrir, tous deux se saluèrent de nouveau et se séparèrent pour se retirer chacun chez soi.

Le roi resta encore huit jours au Vatican, puis s'en retourna au palais de Saint-Marc. Pendant ces huit jours toutes les choses qu'avait demandées Charles VIII furent débattues et réglées à sa satisfaction. L'évêque du Mans fut fait cardinal ; l'investiture du royaume de Naples fut promise au vainqueur ; enfin, il fut convenu qu'au moment de partir, le pape, contre une somme de cent vingt mille livres, remettrait au roi de France le frère de l'empereur de Constantinople. Seulement, voulant pousser jusqu'au bout l'hospitalité qu'il lui avait donnée, le pape invita Djem à dîner pour le jour même où il devait quitter Rome avec son nouveau protecteur.

Le moment du départ arrivé, Charles VIII monta à cheval tout armé, et se rendit avec une suite brillante et nombreuse au palais du Vatican : arrivé en face de la porte, il descendit de cheval, et, laissant son escorte sur la place Saint-Pierre, il monta avec quelques seigneurs seulement. Il trouva sa sainteté dans la chambre où l'attendait le pape ayant à sa droite le cardinal Valentin, à sa gauche Djem, qui venait, comme nous l'avons dit, de dîner à sa table, et autour de lui, treize cardinaux : aussitôt le roi, ayant fléchi le genou, demanda au saint-père sa bénédiction, et s'inclina pour lui baiser les pieds ; mais Alexandre VI ne le voulut point souffrir, le prit dans ses bras, et avec une bouche de père et un cœur d'ennemi, le baisa tendrement au front. Alors le pape présenta au roi de France le fils de Mahomet II, qui était un beau jeune homme, ayant quelque chose de noble et de royal dans l'aspect, et dont le magnifique costume oriental contrastait par son ampleur et sa forme avec l'habit étroit et sévère des chrétiens. Djem s'avança vers Charles VIII, sans humilité, mais sans hauteur, et comme un fils d'empereur qui traite avec un roi, lui baisa la main, puis l'épaule ; mais, se retournant vers le saint-père, il lui dit en langue italienne, qu'il parlait très bien, qu'il le priait de le recommander au grand roi qui voulait bien le prendre sous sa protection, assurant le pontife qu'il n'aurait jamais à se repentir de lui avoir rendu sa liberté, et disant à Charles VIII qu'il espérait qu'il aurait à se louer de lui, si, après avoir pris Naples, il passait en Grèce comme il en avait l'intention. Ces mots furent dits avec une telle dignité, et en même temps une douceur si grande, que le roi de France tendit loyalement et franchement la main au jeune sultan, comme à un compagnon d'armes. Puis, cette remise faite, Charles VIII prit une dernière fois congé du pape, et descendit sur la place. Là il attendit le cardinal Valentin, qui, ainsi que nous l'avons dit, devait l'accompagner comme otage, et qui était resté en arrière pour échanger quelques paroles avec son père. Au bout d'un instant, César Borgia parut, monté sur une mule splendidement harnachée, et faisant conduire derrière lui six chevaux magnifiques dont le saint-père faisait don au roi de France. Charles VIII monta aussitôt sur l'un d'eux pour faire honneur au pape du cadeau qu'il venait de lui faire, et, quittant Rome avec le reste de ses troupes, il s'achemina vers Marino, où il arriva le même soir.

Là il apprit qu'Alphonse, mentant à sa réputation d'habile politique, et de grand général, venait de s'embarquer avec tous ses trésors sur une flottille de quatre galères, laissant le soin de la guerre et le gouvernement de son royaume à son fils Ferdinand. Ainsi tout secondait la marche triomphante de Charles VIII ; les portes des villes s'ouvraient seules à son approche ; ses ennemis fuyaient sans l'attendre, et avant d'avoir livré une seule bataille il avait déjà acquis le surnom de conquérant.

Le lendemain, au point du jour, l'armée se mit en route, et, après avoir marché toute la journée, s'arrêta le soir à Velletri. Là le roi, qui avait chevauché depuis le matin, accompagné du cardinal Valentin et de Djem, déposa le premier à son logement et, emmenant le second avec lui, se rendit au sien. Alors César Borgia, qui avait parmi les bagages de l'armée vingt fourgons pesamment chargés, fit ouvrir un de ces fourgons et en tira un buffet magnifique, avec la vaisselle d'argent nécessaire à sa table, et, comme il avait déjà fait la veille, ordonna de préparer son souper. Pendant ce temps, la nuit étant venue, il s'enferma dans une chambre retirée, et, dépouillant son costume de cardinal, il revêtit un habit de palefrenier. Grâce à son déguisement, il sortit de la maison qui lui avait été assignée pour son logement sans être reconnu, traversa les rues, franchit les portes et gagna la campagne. À une demilieue de la ville à peu près, un domestique l'attendait avec deux chevaux de course. César, qui était un excellent cavalier, sauta en selle, et lui et son compagnon, au grand galop de leurs montures, reprirent le chemin de Rome, où ils arrivèrent au point du jour. César descendit chez M. Flores, auditeur de la rote, où il se fit amener un cheval frais et apporter des habits convenables ; puis, immédiatement, il se rendit chez sa mère, qui jeta un cri de joie en l'apercevant ; car, muet et mystérieux pour tout le monde, et même pour elle, le cardinal n'avait rien dit de son prochain retour à Rome.

Ce cri de joie qu'avait poussé la Vanozza en revoyant son fils était bien moins encore un cri d'amour que de vengeance. Un soir, pendant que tout était en fête au Vatican, tandis que Charles VIII et Alexandre VI se juraient une amitié que ni l'un ni l'autre n'avaient dans le cœur, et échangeaient des serments qui d'avance étaient déjà trahis, un messager était déjà arrivé de la part de Vanozza, apportant à César une lettre par laquelle elle le priait de passer sans retard à sa maison de la rue della Lungara. César avait interrogé le messager ; mais celui-ci lui avait répondu qu'il n'avait rien à lui dire, et qu'il apprendrait tout ce qu'il désirait savoir de la bouche même de sa mère. Aussi à peine libre, César, vêtu d'un habit de laïque et enveloppé d'un large manteau, avait-il quitté le Vatican et s'était-il acheminé vers l'église de

Regina-Cœli, dans le voisinage de laquelle nous avons dit, on doit se le rappeler, qu'était située la maison qu'habitait la maîtresse du pape.

En approchant de chez sa mère, César commença de remarquer des signes de dévastation étranges. La rue était jonchée de débris de meubles, et de lambeaux d'étoffes précieuses. En arrivant au bas du petit perron qui conduisait à la porte d'entrée, il vit que les fenêtres étaient brisées et que des restes de rideaux flottaient déchirés devant elle ; de sorte que, ne comprenant rien à ce désordre, il s'était élancé dans l'intérieur, avait parcouru plusieurs appartements déserts et délabrés. Puis enfin, voyant de la lumière dans une chambre, il y était entré et avait trouvé sa mère assise sur les débris d'un coffre d'ébène tout incrusté d'ivoire et d'argent. En apercevant César, elle se leva, pâle, les cheveux épars ; et lui montrant de la main la désolation qui l'entourait :

— Vois, César, lui dit-elle ; voici l'ouvrage de tes nouveaux amis.

— Qu'y a-t-il donc, ma mère ? demanda le cardinal ; et d'où vient ce désordre qui vous entoure ?

— Il y a, répondit la Vanozza en grinçant les dents de rage, que le serpent que vous avez réchauffé vient de me mordre, craignant sans doute de se briser les dents sur vous.

— Qui a fait cela ? s'écria César : dites-le-moi, ma mère, et, par le ciel, je vous le jure, je le lui rendrai, et bien au-delà.

— Qui a fait cela ? reprit Vanozza : le roi Charles VIII, par les mains de ses fidèles alliés les Suisses. On a su que Melchiori était en voyage, et que, par conséquent, je demeurais seule ici avec quelques misérables domestiques ; et alors ils sont venus, brisant les portes comme s'ils avaient pris Rome d'assaut, et, tandis que le cardinal Valentin faisait fête à leur maître, ils pillaient la maison de sa mère, l'abreuvant d'insolences et d'outrages tels qu'on n'eût pas dû en attendre de plus grands des Turcs et des Sarrasins.

— C'est bien, c'est bien, ma mère, dit César ; soyez tranquille, le sang lavera la honte. Quant à ce que nous avions perdu, songez-y, ce n'est rien à côté de ce que nous pouvions perdre ; et mon père et moi, soyez tranquille, nous vous rendrons plus qu'on ne vous a ôté.

— Ce ne sont pas des promesses que je demande, s'écria la Vanozza, c'est une vengeance.

— Ma mère, dit le cardinal, vous serez vengée, ou je perdrai le nom de votre fils.

Et ayant rassuré sa mère par ces paroles, il l'emmena au palais de Lucrèce, qui se trouvait libre par son mariage avec le seigneur de Pesaro, et rentra au Vatican, donnant des ordres pour que la maison de sa mère fût remeublée plus magnifiquement qu'avant son désastre. Ces ordres avaient été ponctuellement suivis, et c'était au milieu de ce luxe nouveau, mais avec la même haine dans le cœur, que César retrouvait sa mère. De là venait le cri de joie qu'elle avait poussé en le revoyant.

Le fils et la mère échangèrent seulement quelques paroles ; puis César, remontant à cheval, rentra au Vatican, d'où il était sorti deux jours auparavant, comme otage. Alexandre, qui était prévenu d'avance de cette fuite, et qui non seulement l'avait approuvée, mais qui encore, en sa qualité de souverain pontife, avait relevé d'avance son fils du parjure qu'il allait commettre, le reçut, avec joie, mais ne lui en conseilla pas moins de se cacher, Charles VIII, selon toutes probabilités, ne devant point tarder à faire réclamer son otage.

En effet, le lendemain, au lever du roi, on s'était aperçu de l'absence du cardinal Valentin : et comme Charles VIII s'inquiétait de ne pas le voir paraître, il envoya savoir quelle cause l'empêchait de se rendre auprès de lui. Arrivé au logement qu'avait quitté la veille César, l'envoyé apprit qu'il en était sorti vers les neuf heures du soir, et n'y était point rentré depuis. Il retourna porter cette nouvelle au roi, qui se douta aussitôt qu'il s'était enfui, et qui, dans le premier mouvement de sa colère, fit connaître ce parjure à toute l'armée. Les soldats alors se rappelèrent ces vingt fourgons si pesamment chargés, et de l'un desquels le cardinal, à la vue de tous, avait fait tirer une si magnifique vaisselle d'or et d'argent et, ne doutant pas que les autres ne renfermassent des objets aussi précieux, ils se ruèrent dessus et les mirent en pièces ; mais ils n'y trouvèrent que des pavés ou du sable ; ce qui prouve au roi que cette fuite était préparée de longue main, et redoubla encore sa colère contre le pape. Aussi, sans perdre de temps, envoya-t-il à Rome monseigneur Philippe de Bresse, qui fut depuis duc de Savoie, avec ordre d'exprimer au saint-père tout son mécontentement d'une pareille conduite à son égard. Mais le pape répondit qu'il ignorait complètement l'évasion de son fils, et en exprimait ses regrets bien sincères à sa majesté, ne sachant point où il pouvait être, et affirmant en tout cas qu'il n'était point à Rome. En effet, cette fois le pape disait vrai, César s'était retiré avec le cardinal Orsini dans une de ses terres, où il se tenait momentanément caché. Cette réponse fut portée à Charles VIII par deux messagers que le pape lui envoya, et qui étaient les évêques de Nepi et de Sutri. Le peuple, de son côté, députa un ambassadeur au roi. Cet ambassadeur était monseigneur Porcari, doyen de la rote, lequel était chargé de lui exprimer tout le déplaisir que les Romains avaient ressenti en apprenant le manque de parole du cardinal. Quelque peu disposé que fût Charles VIII à se payer de paroles vides, il lui fallait faire face à des affaires plus importantes : aussi continua-t-il, sans s'arrêter, sa route vers Naples, où il entra le dimanche 22 février de l'année 1495.

Quatre jours après le malheureux Djem, qui était tombé malade à Capoue, mourut au château Neuf. En se séparant de lui et dans le banquet d'adieu, Alexandre VI avait fait sur lui l'essai de ce poison dont il comptait par la suite faire un si fréquent usage sur les cardinaux, et dont il devait, par un juste retour, éprouver enfin l'effet lui-même. Ainsi, le pape s'était arrangé pour toucher des deux mains ; et, dans sa double spéculation sur ce malheureux jeune homme, il avait à la fois vendu sa vie cent vingt mille livres à Charles VIII, et sa mort trois cent mille ducats à Bajazet.

Seulement il y eut retard dans le second payement ; car l'empereur des Turcs, comme on s'en souvient, ne devait remettre l'or fratricide qu'en échange du cadavre, et le cadavre, par ordre de Charles VIII, avait été enterré à Gaète.

Lorsque César Borgia apprit ces nouvelles, il estima, avec raison, que le roi de France, occupé à s'installer dans sa nouvelle capitale, avait à penser à trop de choses pour s'inquiéter de lui : en conséquence, il reparut à Rome, et, pressé de tenir à sa mère la parole qu'il lui avait donnée, il y signala son retour par sa vengeance.

Le cardinal Valentin avait à sa solde un Espagnol dont il avait fait le chef de ses *bravi* ; c'était un homme de trente-cinq à quarante ans, dont la vie entière n'avait été qu'une longue rébellion contre toutes les lois de la société, ne reculant devant aucune action, pourvu qu'elle lui fût payée le prix qu'elle valait. Don Michele Correglia, qui se fit une sanglante célébrité sous le nom de Michelotto, était bien l'homme qu'il fallait à César ; aussi, de même que Michelotto avait pour César un dévouement sans bornes, César avait en Michelotto une confiance sans limites. Ce fut lui que le cardinal chargea d'une partie de sa vengeance ; quant à l'autre, il se la réserva à lui-même.

Don Michele reçut l'ordre de parcourir les campagnes de Rome, et d'égorger tous les Français qu'il y rencontrerait. Il se mit aussitôt à l'œuvre, et quelques jours s'étaient à peine écoulés, qu'il avait déjà obtenu les résultats les plus satisfaisants : plus de cent personnes avaient été pillées et assassinées, et parmi ces dernières était le fils du cardinal de Saint-Malo, qui s'en retournait en France, et sur lequel Michelotto trouva une somme de trois mille écus.

De son côté, César s'était réservé les Suisses ; car c'étaient les Suisses particulièrement qui avaient dévasté la maison de la Vanozza ; le pape avait à son service à peu près cent cinquante soldats de cette nation, qui avaient fait venir leurs familles à Rome, et s'étaient enrichis tant de leur paie qu'en exerçant quelque autre industrie. Le cardinal leur fit donner à tous leur congé, avec ordre de quitter Rome dans les vingt-quatre heures, et les États romains dans trois jours. Les pauvres diables, pour obéir à l'ordre reçu, s'étaient tous réunis, avec leurs femmes, leurs enfants et leur bagage, sur la place Saint-Pierre, quand tout à coup, le cardinal Valentin les fit envelopper de tous côtés par deux mille Espagnols, qui commencèrent à tirer sur eux avec des arquebuses et à les charger à coups de sabre, tandis que César et sa mère regardaient le carnage d'une fenêtre. Ils en tuèrent ainsi cinquante ou soixante à peu près ; mais les autres, s'étant réunis, firent tête aux assassins, et, sans se laisser entamer, battirent en retraite jusqu'à une maison où ils se fortifièrent et se défendirent si vaillamment, qu'ils donnèrent le temps au pape, qui ignorait quel était l'auteur de cette boucherie, d'envoyer le capitaine de sa garde, qui, avec l'aide d'un fort détachement qu'il avait amené, parvint à les faire sortir de la ville au nombre de quarante à peu près : le reste avait été massacré sur la place, ou avait été tué dans la maison.

Mais ce n'était point là une vengeance véritable ; car elle n'atteignait point Charles VIII, le véritable et seul auteur de toutes les tribulations qu'avaient depuis un an éprouvées le pape et sa famille : aussi César abandonna-t-il bientôt ces machinations vulgaires pour s'occuper de plus hauts intérêts, et s'adonna-t-il de toute la force de son génie à renouer la ligue des princes italiens, rompue par la défection de Sforza, par l'exil de Pierre et par la défaite d'Alphonse.

Cette entreprise s'accomplit, avec plus de facilité que le pape ne s'y était attendu. Les Vénitiens n'avaient pas vu sans inquiétude Charles VIII passer si près d'eux, et ils tremblaient que, maître une fois de Naples, il n'eût l'idée de conquérir le reste de l'Italie. De son côté, Ludovic Sforza commençait à craindre, en voyant la rapidité avec laquelle le roi de France avait détrôné la maison d'Aragon, qu'il ne fît bientôt plus de différence entre ses alliés et ses ennemis. Maximilien, à son tour, ne cherchait qu'une occasion de rompre la paix momentanée qu'il avait accordée à force de concessions. Enfin Ferdinand et Isabelle étaient alliés à la maison détrônée. De sorte que tous, ayant, quoique avec des intérêts différents, une crainte commune, furent bientôt d'accord sur la nécessité de chasser Charles VIII, non seulement de Naples, mais encore de l'Italie, et s'engagèrent par tous les moyens qui seraient en leur pouvoir, soit par négociations, soit par surprise, soit par force, à contribuer à cette expulsion. Les Florentins seuls refusèrent de prendre part à cette levée de boucliers, et restèrent fidèles à la parole donnée.

D'après les articles arrêtés entre les confédérés, l'alliance devait durer vingt-cinq ans, et avait pour but ostensible de défendre la majesté du pontife romain et les intérêts de la chrétienté ; de sorte que l'on aurait pu prendre ces préparatifs pour ceux d'une croisade contre les Turcs, si l'ambassadeur de Bajazet n'avait pas constamment assisté à toutes les délibérations, quoique par pudeur les princes chrétiens n'osassent point admettre en nom dans la ligue l'empereur de Constantinople. Au reste, les confédérés devaient mettre sur pied une armée de trente-quatre mille chevaux et de vingt mille fantassins, et chacun s'était taxé pour un contingent ; de sorte que le pape était tenu de fournir quatre mille chevaux, Maximilien six mille, le roi d'Espagne, le duc de Milan et la république de Venise, chacun huit mille. Chaque confédéré devait en outre lever et équiper dans les six semaines de la signature du traité quatre mille fantassins. Les flottes seraient fournies par les États maritimes ; mais les frais qu'elles auraient occasionnés seraient également répartis sur tous.

Cette ligue fut publiée le 12 avril 1495, jour du dimanche des Rameaux, dans tous les États d'Italie, et particulièrement à Rome, au milieu de fêtes et de réjouissances infinies. Presque aussitôt la publication de ces articles ostensibles, les confédérés commencèrent de mettre à exécution les articles secrets. Ces articles obligeaient Ferdinand et Isabelle à envoyer à Ischia, où le fils d'Alphonse s'était retiré, une flotte de soixante galères, portant six cents cavaliers et cinq mille fantassins, pour l'aider à remonter sur le trône. Ces troupes devaient être mises sous le commandement de Gonzalve de Cordoue, à qui la prise de Grenade venait de donner la réputation du premier général de l'Europe. De leur côté, les Vénitiens devaient attaquer, avec une flotte de quarante galères, sous les ordres d'Antonio Grimani, tous les établissements que les Français auraient sur les côtes de la Calabre et de Naples. Quant au duc de Milan, il s'engageait à arrêter tous les secours qui viendraient de France et à chasser le duc d'Orléans d'Asti.

Restait Maximilien, qui s'était engagé à envahir les frontières de France, et Bajazet, qui devait aider de son argent, de sa flotte et de ses soldats tantôt les Vénitiens, tantôt les Espagnols, selon qu'il serait appelé par Barbarigo ou par Ferdinand le Catholique.

Cette ligue était d'autant plus inquiétante pour Charles VIII, que l'enthousiasme avec lequel il avait été reçu s'était promptement calmé. C'est qu'il lui était arrivé ce qui arrive d'ordinaire aux conquérants qui ont plus de fortune que de génie ; au lieu de se faire parmi les grands vassaux napolitains et calabrais un parti dont les racines tinssent au sol même, en confirmant leurs privilèges, et en augmentant leur puissance, il les avait blessés en accordant tous les titres, tous les emplois, tous les fiefs, à ceux qui l'avaient suivi de France ; de sorte que toutes les charges du royaume étaient occupées par des étrangers. Il en résulta qu'au moment même où la ligue était proclamée, Tropea et Amentea, que Charles VIII avait données au seigneur de Précy, se révoltèrent et arborèrent la bannière d'Aragon ; que la flotte espagnole n'eut qu'à se présenter devant Reggio en Calabre pour que cette ville, plus mécontente encore de la domination nouvelle que de l'ancienne, lui ouvrît à l'instant même ses portes, et que don Frédéric, frère d'Alphonse et oncle de Ferdinand, qui n'avait au reste jamais quitté Brindes, n'eût qu'à se présenter devant Tarente pour y être reçu comme un libérateur.

Charles VIII apprit toutes ces nouvelles à Naples, lorsque, déjà las de sa nouvelle conquête, qui nécessitait un travail d'organisation dont il était incapable, il tournait les yeux vers la France, où l'attendaient les fêtes de la victoire et le triomphe du retour. Aussi céda-t-il aux premiers avis qui lui conseillèrent de reprendre le chemin de son royaume, menacé, comme nous l'avons dit, au nord par les Allemands, et au midi par les Espagnols. En conséquence, il nomma Gilbert de Montpensier, de la maison de Bourbon, son vice-roi ; d'Aubigny, de la maison Stuart d'Écosse, lieutenant en Calabre ; Étienne de Vèse, commandant de Gaète, et don Julien, Gabriel de Montfaucon, Guillaume de Villeneuve, Georges de Silly, le bailli de Vitry, et Graziano Guerra, gouverneur de Santo-Angelo, de Manfredonia, de Trani, de Catanzaro, de l'Aquila et de Sulmona ; puis, laissant au représentant de ses droits la moitié des Suisses, une partie des Gascons, huit cents lances françaises et environ cinq cents hommes d'armes italiens, ces derniers sous le commandement du préfet de Rome, de Prosper et de Fabrice Colonna et d'Antonio Savelli, il sortit de Naples le 20 mai, à deux heures de l'après-midi, pour traverser toute la péninsule italienne avec le reste de son armée, qui se composait de huit cents lances françaises, et deux cents gentilshommes de sa garde, et de cent hommes d'armes italiens, de trois mille fantassins suisses, de mille Français et de mille Gascons. Il comptait en outre être rejoint en Toscane par Camille Vitelli et ses frères, qui devaient lui amener deux cent cinquante hommes d'armes.

Huit jours avant son départ de Naples, Charles VIII avait envoyé à Rome monseigneur de Saint-Paul, frère du cardinal de Luxembourg ; et au moment où il allait se mettre en route, il expédia de nouveau l'archevêque de Lyon : tous deux avaient mission d'assurer Alexandre que le roi de France était dans le désir le plus sincère et dans la plus ferme volonté de demeurer son ami. En effet, Charles VIIIl ne désirait rien tant que de détacher le pape de la ligue, afin de s'en faire un soutien spirituel et temporel : mais un jeune roi ardent, ambitieux et brave, n'était pas le voisin qui convenait à Alexandre ; il ne voulut donc entendre à rien, et comme les troupes qu'il avait demandées au doge et à Ludovic Sforza ne lui avaient point été envoyées en nombre suffisant pour défendre Rome, il se contenta de faire approvisionner le château Saint-Ange, y mit une formidable garnison, laissa le cardinal de Saint-Anastase pour recevoir Charles VIII, et se retira avec César à Orviète.

Charles VIII ne demeura que trois jours à Rome, désespéré qu'il était que, malgré ses prières, Alexandre VI eût refusé de l'y attendre. Aussi, pendant ces trois jours, au lieu d'écouter les avis de Julien della Rovere, qui lui conseillait de nouveau d'assembler un Concile et de déposer le pape, il fit remettre aux officiers romagnols, espérant ramener le pape vers lui par ce bon procédé, les citadelles de Terracine et de Civita-Vecchia, ne gardant que celle d'Ostie, qu'il avait promis à Julien de lui rendre. Enfin, ces trois jours écoulés, il sortit de Rome, et se dirigea, sur trois colonnes, vers la Toscane, traversa les États de l'Église, et, le 13, arriva à Sienne, où il fut rejoint par Philippe de Commines, qu'il avait envoyé comme ambassadeur extraordinaire près la république de Venise, et qui lui annonça que ses ennemis avaient quarante mille hommes sous les armes, et s'apprêtaient à le combattre. Cette nouvelle ne produisit d'autre effet que d'exciter outre mesure la gaieté du roi et des gentilshommes de son armée ; car ils avaient pris un tel dédain de leurs ennemis dans leur facile conquête, qu'ils ne croyaient pas qu'une armée, si nombreuse qu'elle fût, osât leur disputer le passage.

Force fut cependant à Charles VIII de se rendre à l'évidence, lorsqu'il apprit à San-Teranzo que l'avant-garde, commandée par le maréchal de Gié, et composée de six cents lances et de quinze cents Suisses, s'était, en arrivant à Fornovo, trouvée en face des confédérés, qui avaient assis leur camp à Guiarole. Le maréchal avait fait halte à l'instant même, et avait de son côté disposé ses logis, profitant de la hauteur où il se trouvait pour se faire une défense de la nature même du terrain. Puis, ces premières mesures prises, il avait envoyé, d'une part, un trompette au camp ennemi, pour demander à François de Gonzague, marquis de Mantoue, généralissime des troupes confédérées, passage pour l'armée de son roi, et des vivres à un prix raisonnable, et de l'autre il avait expédié un courrier à Charles VIII, en l'invitant à hâter sa marche, ainsi que celle de l'artillerie et de l'arrière-garde. Les confédérés avaient fait une réponse évasive ; car ils balançaient s'ils compromettraient en un seul combat toutes les forces de l'Italie, ou si, risquant le tout pour le tout, ils tenteraient d'anéantir le roi de France et son armée, ensevelissant ainsi le conquérant dans sa conquête. Quant à Charles VIII, on le trouva occupé à inspecter le passage des derniers canons par-dessus la montagne de Pontremoli : ce qui n'était point chose facile, attendu que, comme il n'y avait point de sentier tracé, on avait été obligé de les monter et de les descendre à force de bras : ce qui occupait jusqu'à deux cents hommes pour une seule pièce. Enfin, toute l'artillerie étant arrivée sans accident de l'autre côté des

Apennins, Charles VIII partit en toute hâte pour Fornoue, où il arriva avec toute sa suite le lendemain dans la matinée.

Du sommet de la montagne où le maréchal de Gié était campé, le roi de France découvrait à la fois et son camp et celui de l'ennemi ; chacun d'eux était posé sur la rive droite du Taro, et à chaque extrémité de cercle d'une chaîne de collines placée en amphithéâtre ; de sorte que l'intervalle situé entre les deux camps, vaste bassin où s'étendait dans ses crues hivernales le torrent qui lui servait de limites, n'était qu'une plaine couverte de gravier, où il était aussi difficile à la cavalerie qu'à l'infanterie de manœuvrer : en outre, un petit bois, qui suivait le versant occidental des collines, s'étendait de l'armée ennemie à l'armée française, et était occupé par les Stradiotes, qui, grâce à lui, avaient déjà engagé quelques escarmouches avec nos troupes pendant les deux jours où elles avaient fait halte pour attendre le roi.

La situation n'était pas rassurante. Du sommet de la montagne qui dominait Fornoue, la vue, comme nous l'avons dit, embrassait les deux camps, et pouvait facilement calculer la différence numérique de chacun d'eux. En effet, l'armée française, affaiblie par les diverses garnisons qu'elle avait été forcée de laisser dans les villes et les forteresses que nous avions conservées en Italie, s'élevait à peine à huit mille combattants, tandis que l'armée milano-vénitienne dépassait un total de trente-cinq mille hommes. Charles VIII résolut donc de tenter de nouveau les voies de la conciliation, et envoya Commines, qui, ainsi que nous l'avons dit, l'avait rejoint en Toscane, aux provéditeurs vénitiens qu'il avait connus dans son ambassade, et sur lesquels, grâce à l'estime qu'on faisait généralement de son mérite, il avait pris une grande influence. Il était chargé de dire, au nom du roi de France, aux chefs de l'armée ennemie, que son maître ne désirait rien autre chose que continuer sa route sans faire ni recevoir aucun dommage ; qu'en conséquence il demandait un passage libre à travers ces belles plaines de la Lombardie, qui, des hauteurs d'où il était placé, se déroulaient à perte de vue jusqu'au pied des Alpes.

Commines trouva l'armée confédérée en grandes dissensions : l'avis des Milanais et des Vénitiens était de laisser passer le roi sans l'attaquer, trop heureux, disaient-ils, qu'il abandonnât ainsi l'Italie sans y avoir causé d'autre dommage ; mais les ambassadeurs d'Espagne et d'Allemagne pensaient autrement que leurs alliés. Comme leurs maîtres n'avaient point de troupes dans l'armée, et que les dépenses qu'ils devaient faire étaient faites, ils ne pouvaient que profiter à une bataille ; puisque, gagnée, ils recueillaient les fruits de la victoire, et, perdue, ils n'éprouvaient aucunement les dommages de la défaite. Cette dissidence dans les opinions fit qu'on remit au lendemain la réponse à faire à Commines, et que l'on arrêta que le lendemain il aurait une nouvelle conférence avec un plénipotentiaire que l'on nommerait pendant la nuit : cette conférence devait se tenir entre les deux armées.

Le roi passa la nuit dans une grande inquiétude : toute la journée le temps avait menacé de tourner à la pluie, et nous avons dit avec quelle rapidité croissait le Taro ; la rivière, guéable encore aujourd'hui, pouvait donc, dès le lendemain présenter un obstacle insurmontable ; et ce délai n'avait été demandé peut-être que pour empirer encore la position de l'armée française. En effet la nuit fut à peine venue, qu'un orage terrible se déclara, et tant que dura l'obscurité, il emplit l'Apennin de rumeurs, et sillonna le ciel d'éclairs. Au point du jour, cependant, il parut se calmer un peu ;

mais déjà le Taro, qui la veille n'était encore qu'un ruisseau, était devenu un torrent et montait rapidement le long de ses rives. Aussi, dès six heures du matin, le roi, déjà armé et à cheval, appela Commines et lui ordonna d'aller au rendez-vous que lui avaient assigné les provéditeurs vénitiens ; mais à peine achevait-il de lui donner cet ordre, que l'on entendit de grands cris à l'extrême droite de l'armée française. Les Stradiotes, grâce au bois qui s'étendait entre les deux camps, avaient surpris un poste ; et, après l'avoir égorgé, ils emportaient, selon leurs habitudes, les têtes des morts à l'arçon de leurs selles. Un détachement de cavalerie s'était mis à leur poursuite ; mais, pareils à des bêtes fauves, ils étaient rentrés dans les bois qui leur servaient de retraite, et y avaient disparu.

Cet engagement inattendu, préparé, selon toutes les probabilités, par les ambassadeurs espagnols et allemands, produisit sur toute la ligne l'effet d'une étincelle sur une traînée de poudre. Commines, de son côté, et les provéditeurs vénitiens du leur, tentèrent vainement de suspendre le combat de part et d'autre : des troupes légères, pressées d'escarmoucher, et n'écoutant, comme c'était assez l'habitude à cette époque, que l'impulsion dangereuse du courage personnel, en étaient venues aux mains, descendant vers la plaine comme dans un cirque, et cherchant à faire de belles armes. Un instant le jeune roi, entraîné par l'exemple, fut sur le point d'oublier aussi sa responsabilité de général pour agir en soldat ; mais le maréchal de Gié, messire Claude de La Châtre, et MM. de Guise et de La Trimouille, arrêtèrent ce premier élan et déterminèrent Charles VIII à prendre le parti le plus sage, qui était de traverser le Taro sans chercher le combat, mais aussi sans l'éviter, si les ennemis, passant de l'autre côté de la rivière, tentaient de nous fermer le passage.

En conséquence, le roi, d'après les avis de ses plus sages et de ses plus vaillants capitaines, disposa ainsi ses batailles :

La première comprenait l'extrême avant-garde et un corps destiné à la soutenir ; elle comptait l'avant-garde, trois cent cinquante hommes d'armes, les meilleurs et les plus braves de l'armée, commandés par le maréchal de Gié et par Jacques Trivulce, et, dans le corps qui suivait, trois mille Suisses, sous la conduite d'Engelbert de Clèves et de Lornay, grand écuyer de la reine ; puis venaient trois cents archers de la garde, que le roi avait fait mettre à pied pour qu'ils pussent soutenir la cavalerie en combattant dans les intervalles.

La seconde bataille, dirigée par le roi en personne, et qui formait le corps d'armée, se composait de l'artillerie, commandé par Jean de Lagrange, des cent gentilshommes de la garde, dont Gilles Carronel portait la bannière, des pensionnaires de la maison du roi, sous les ordres d'Aymar de Prie, des Écossais, de deux cents arbalétriers à cheval, et du reste des archers français conduit par M. de Crussol.

Enfin, la troisième bataille, ou l'arrière-garde, précédée des bagages, portés par six mille bêtes de somme, comptait trois cents hommes d'armes seulement, commandés par MM. de Guise et de La Trimouille : c'était la partie la plus faible de l'armée.

Cette ordonnance arrêtée, Charles VIII ordonna à l'avant-garde de traverser la rivière, ce qu'elle fit à l'instant même, en face de la petite ville de Fornoue, les cavaliers ayant de l'eau jusqu'au mollet, et les fantassins se tenant à la queue des chevaux ; puis, lorsqu'il vit les derniers soldats de cette première partie de l'armée sur l'autre rive, il se mit en route à son tour pour suivre le même chemin et passer au même gué, ordonnant à MM. de Guise et de La Trimouille de régler la marche de l'arrière-garde sur celle du corps d'armée, comme il avait réglé la marche du corps d'armée sur celle de l'avant-garde.

Ses ordres furent ponctuellement suivis, et, vers les dix heures du matin, toute l'armée française se trouva sur la rive gauche du Taro : à l'instant même, et comme, par les dispositions de l'armée ennemie, le combat devenait imminent, les bagages, sous la conduite du capitaine Odet de Riberac, se séparèrent de l'arrière-garde et se portèrent sur l'extrême gauche.

En effet, François de Gonzague, général en chef des troupes confédérées, avait réglé ses dispositions sur celles du roi de France : par son ordre, le comte de Cajazzo, avec quatre cents gens d'armes et deux mille fantassins, avait passé le Taro à la hauteur du camp vénitien, et devait faire tête à l'avant-garde française, tandis que lui, remontant la rive droite jusqu'à Fornoue, franchirait la rivière par le même gué qu'avait suivi Charles VIII, afin d'attaquer son arrière-garde. Enfin il avait placé les Stradiotes entre ces deux passages, avec ordre, aussitôt qu'ils verraient l'armée française attaquée en tête et en queue, de traverser la rivière à leur tour et de tomber sur ses flancs. Outre ces mesures d'attaque, François de Gonzague avait encore pris ses précautions pour la retraite en laissant trois corps de réserve sur l'autre rive, l'un qui gardait le camp sous les ordres des provéditeurs vénitiens, et les deux autres commandés, le premier par Antoine de Montefeltro, et le second par Annibal Bentivoglio, et qui étaient échelonnés de manière à se soutenir.

Charles VIII avait remarqué toutes ces dispositions, et y avait reconnu cette savante stratégie italienne qui faisait des généraux de cette nation les premiers tacticiens du monde ; mais, comme il n'y avait pas moyen d'éviter le danger, il s'était décidé à passer à travers, et avait ordonné de continuer la route ; mais bientôt l'armée française se trouva prise entre le comte de Cajazzo, qui barrait le passage avec ses quatre cents gens d'armes et ses deux mille fantassins, et François de Gonzague, qui, ainsi que nous l'avons dit, s'était mis à la poursuite de l'arrière-garde avec six cents hommes d'armes, la fleur de son armée, un escadron de Stradiotes, et plus de cinq mille fantassins : cette seule bataille était plus forte que toute l'armée française.

Cependant, lorsque MM. de Guise et de La Trimouille se sentirent serrés ainsi, ils ordonnèrent à leurs deux cents hommes d'armes de faire volte-face, tandis qu'à l'extrémité opposée, c'est-à-dire à la tête de l'armée, le maréchal de Gié et Trivulce faisaient faire halte et commandaient de mettre les lances en arrêt. Pendant ce temps, selon la coutume, le roi, placé, comme nous l'avons dit, au centre, armait chevaliers les gentilshommes qui, par leur valeur personnelle ou par l'amitié qu'il leur portait, avaient des droits à cette faveur.

Tout à coup un choc terrible retentit derrière lui : c'était l'arrière-garde française qui en venait aux mains avec le marquis de Mantoue. À cette rencontre, où chacun avait choisi son homme comme dans un tournoi, grand nombre de lances se brisèrent, et surtout entre les mains des chevaliers italiens ; car leurs lances, à eux, étaient creuses pour être moins lourdes, et, par conséquent, se trouvaient être moins solides. Aussitôt ceux qui étaient désarmés mirent l'épée à la main, et comme ils étaient beaucoup plus nombreux que les nôtres, le roi les vit tout à coup déborder notre aile droite, de sorte qu'ils semblaient prêts à nous envelopper ; en même temps de grands cris retentirent en face du centre : c'étaient les Stradiotes qui traversaient la rivière, afin d'exécuter leur attaque.

Le roi divisa aussitôt son corps d'armée en deux détachements, et, donnant l'un au bâtard de Bourbon, afin qu'il fît face aux Stradiotes, il s'élança avec l'autre au secours de l'avant-garde, se jetant au milieu de la mêlée, frappant en roi, mais combattant comme le dernier de ses capitaines. Secondée par ce renfort, l'arrière-garde tint bon, quoique les ennemis fussent cinq contre un, et le combat, sur ce point, continua avec un acharnement merveilleux.

Selon l'ordre qu'il avait reçu, le bâtard de Bourbon s'était élancé au-devant des Stradiotes ; mais, ayant été emporté par son cheval, il était entré si profondément dans leurs rangs qu'il y avait disparu : cette perte de leur chef, jointe au costume étrange de ces nouveaux antagonistes et à la façon particulière dont ils combattaient, produisit quelque impression sur ceux qui devaient leur faire tête ; de sorte que le désordre se mit un moment parmi le centre, et que les cavaliers s'éparpillèrent au lieu de se tenir serrés et de combattre en corps. Cette fausse manœuvre leur eût été désavantageuse, si la plupart des Stradiotes, voyant les bagages isolés et sans défense, n'avaient, dans l'espoir du butin, couru à eux, au lieu de poursuivre leur avantage. Cependant le gros de la troupe demeura à combattre, pressant vivement les chevaliers français dont ils tranchaient les lances avec leurs terribles cimeterres. Heureusement le roi, qui venait de repousser l'attaque du marquis de Mantoue, vit ce qui se passait derrière lui, et, revenant à grande course de cheval au secours de son centre, il tomba sur les Stradiotes avec les gentilshommes de sa maison, non plus armé de sa lance, car il venait de la briser, mais de sa longue épée, que l'on voyait flamboyer autour de lui comme un éclair, si bien que, soit qu'il fût emporté par son cheval, comme le bâtard de Bourbon, soit qu'il se laissât entraîner à son courage, il se trouva tout à coup au plus pressé des Stradiotes, accompagné seulement de huit des gentilshommes qu'il venait de faire, d'un de ses écuyers nommé Antoine des Ambus et de son porte-bannière, criant : « France, France ! » pour rallier à lui tous ces gentilshommes épars, qui, voyant enfin que le danger était moins grand qu'ils ne l'avaient cru, commençaient à prendre leur revanche, et à rendre avec usure aux Stradiotes les coups qu'ils en avaient reçus.

Les choses allaient encore mieux à l'avant-garde que le marquis de Cajazzo devait attaquer, car, quoique à la tête d'une bataille fort supérieure en nombre à celle des Français, et quoiqu'il eût paru animé d'abord des plus formidables intentions, il s'arrêta court en chargeant, à la distance de dix ou douze pas de notre front de bataille, et fit volte-face sans rompre une seule lance. Les Français voulurent les poursuivre ; mais le maréchal de Gié, craignant que cette fuite ne fût un piège pour éloigner l'avant-garde du centre, ordonna à chacun de se tenir en place : cependant les Suisses allemands, qui ne comprenaient pas cet ordre, ou qui ne le prirent pas pour eux, s'élancèrent à leurs trousses, et, quoique à pied, ils les joignirent et leur tuèrent une centaine d'hommes ; ce qui suffit pour mettre un tel désordre parmi eux que les uns s'éparpillèrent dans la plaine et que les autres se jetèrent à l'eau pour traverser la rivière et rejoindre leur camp ; ce que voyant le maréchal de Gié, il détacha une centaine d'hommes d'armes pour aller secourir le roi, qui, continuant de combattre avec un courage inouï, courait les plus grands dangers, séparé qu'il était constamment de ses gentilshommes, qui ne pouvaient le suivre ; car partout où il y avait du danger il s'y précipitait, criant :

« France ! » et s'inquiétant peu si on le suivait. Aussi n'était-ce plus avec son épée qu'il combattait, il y avait longtemps qu'il l'avait brisée comme sa lance, mais avec une lourde hache d'armes dont tous les coups étaient mortels, soit qu'il frappât du tranchant, soit qu'il frappât de la pointe. Aussi les Stradiotes, déjà fortement pressés par la maison du roi et par les pensionnaires, passèrent-ils bientôt de l'attaque à la défense et de la défense à la fuite. Ce fut en ce moment que le roi courut le plus grand danger ; car, s'étant laissé emporter à la poursuite des fuyards, il se trouva bientôt seul enveloppé de ces hommes qui, s'ils n'eussent point été frappés d'une telle terreur, n'auraient eu qu'à se réunir pour l'étouffer lui et son cheval ; mais, comme dit Commines : « Est bien gardé celui que Dieu garde », et Dieu gardait le roi de France.

En ce moment, néanmoins, l'arrière-garde était rudement pressée ; et, quoique MM. de Guise et de La Trimouille tinssent aussi ferme qu'il était possible de tenir, il est probable qu'il leur eût fallu céder au nombre, si un double secours ne leur était arrivé : l'un leur était apporté par l'infatigable Charles VIII, qui, n'ayant plus rien à faire parmi les fuyards, venait de nouveau se rejeter au milieu des combattants, et l'autre par les valets de l'armée, qui, délivrés de l'attaque des Stradiotes et voyant fuir leurs ennemis, accouraient armés des haches avec lesquelles ils taillaient le bois pour bâtir leurs logis, et qui se jetèrent au milieu des combattants, coupant les jarrets des chevaux, et brisant à grands coups les visières des cavaliers démontés.

Les Italiens ne purent tenir à ce double choc : la *furia francese* détruisait tous les calculs stratégiques possibles, et depuis près d'un siècle ils avaient désappris ces luttes sanglantes et acharnées pour les espèces de tournois qu'ils appelaient leurs guerres ; de sorte que malgré les efforts de François de Gonzague, à l'arrière-garde aussi ils tournèrent le dos et prirent la fuite, repassant en grande hâte, et surtout à grand-peine, le torrent gonflé encore par la pluie qui avait tombé durant toute la bataille.

Quelques-uns étaient d'avis de poursuivre les vaincus ; car il y avait un tel désordre dans leur armée, que, du champ de bataille dont les Français étaient restés si glorieusement les maîtres, on les voyait fuir dans toutes les directions, encombrant les routes de Parme et de Bercetto ; mais le maréchal de Gié et MM. de Guise et de La Trimouille, qui avaient assez fait pour ne pas être soupçonnés de reculer devant un danger imaginaire, arrêtèrent cet élan, en faisant observer qu'hommes et chevaux étaient si fatigués, que c'était s'exposer à perdre l'avantage obtenu que d'essayer de le pousser plus loin. Ce dernier avis fut donc adopté malgré l'opinion de Trivulce, de Camille Vitelli et de Francesco Secco, qui voulaient que l'on poursuivît la victoire.

Le roi se retira dans un petit village sur la rive gauche du Taro, et se mit à l'abri dans une pauvre maison où il se désarma : c'était peut-être de tous les capitaines et de tous les soldats celui qui avait le mieux combattu.

Pendant la nuit le torrent grossit tellement, que l'armée italienne, fût-elle remise de sa frayeur, n'aurait pu poursuivre l'armée française. Le roi, qui, après une victoire, ne voulait pas avoir l'air de fuir, demeura toute la journée en bataille, et le soir il alla coucher à Medesena, petit village situé à un mille plus bas seulement que le hameau où il s'était reposé après le combat. Mais, pendant la nuit, réfléchissant qu'il avait assez fait pour l'honneur de ses armes, en battant une armée quatre fois plus forte que la sienne, en lui tuant trois mille hommes et en l'attendant un jour et demi, pour lui donner le temps de reprendre sa revanche, il fit, deux heures avant le jour, ranimer les feux, afin que les ennemis le crussent toujours en son camp ; et, chacun étant monté à cheval sans bruit, toute l'armée française maintenant à peu près hors de danger, continua sa course vers Borgo-San-Donnino.

Pendant ce temps le pape était rentré à Rome, où les nouvelles les plus en harmonie avec sa politique ne tardèrent point à arriver. En effet, il apprit que Ferdinand était passé de Sicile en Calabre avec six mille volontaires et un nombre considérable de cavaliers et de fantassins espagnols que lui amenait, de la part de Ferdinand et d'Isabelle, le fameux Gonzalve de Cordoue, qui arrivait en Italie avec une réputation de grand capitaine, à laquelle la défaite de Seminara devait porter quelque atteinte. Presque en même temps la flotte française avait été battue par la flotte aragonaise ; enfin la bataille du Taro, toute perdue qu'elle était par les confédérés, était encore une victoire pour le pape, puisque son résultat était d'ouvrir un retour vers la France à celui qu'il regardait comme son ennemi le plus mortel. Aussi, comprenant qu'il n'avait plus rien à craindre de lui, il envoya à Charles VIII, qui s'était arrêté un instant à Turin pour secourir Novare, un bref par lequel, en vertu de son autorité pontificale, il lui ordonnait, ainsi qu'à son armée, de sortir d'Italie et de rappeler les troupes qu'il avait encore au royaume de Naples dans le délai de dix jours, sous peine d'être excommunié et sommé de comparaître devant lui, et en personne.

Charles VIII répondit :

1° Qu'il ne comprenait pas comment le pape, chef de la ligue, lui ordonnait de sortir d'Italie, tandis que les confédérés non seulement lui avaient refusé le passage, mais encore avaient tenté, quoique inutilement, ainsi qu'avait pu l'apprendre sa sainteté, de lui fermer tout retour vers la France ;

2° Que, pour ce qui était de rappeler ses troupes de Naples, il n'était pas assez irréligieux pour le faire, attendu qu'elles n'étaient entrées dans ce royaume que du consentement et avec la bénédiction de sa sainteté ;

3° Que, quant à sa comparution, en personne, dans la capitale du monde chrétien, il s'étonnait extrêmement que le pape l'exigeât à cette heure, puisque, six semaines auparavant, ayant vivement désiré, à son retour de Naples, s'aboucher avec sa sainteté pour lui donner des marques de son respect et de son obéissance, sa sainteté, au lieu de lui accorder la faveur qu'il demandait, avait à son approche quitté Rome si précipitamment, que, quelque diligence qu'il eût faite, il n'avait pu parvenir à la rejoindre. Quant à ce dernier article, cependant, il promettait à sa sainteté, si de son côté elle voulait s'engager cette fois à l'attendre, de lui donner la satisfaction qu'elle désirait, en retournant à Rome aussitôt que les affaires qui le rappelaient à son royaume seraient terminées à sa satisfaction.

Quelque railleuse fierté qu'il y eût dans cette réponse, Charles VIII n'en fut pas moins bientôt contraint par les circonstances à obéir en partie au bref étrange qu'il avait reçu. En effet, malgré l'arrivée d'un renfort de Suisses qui venaient à son secours, il fut forcé, tant sa présence était urgente en France, de faire avec Ludovic Sforza une paix par laquelle il lui cédait Novare ; tandis que Gilbert de Montpensier et d'Aubigny, de leur côté, après avoir défendu la Calabre, la Basilicate et Naples pied à pied, furent enfin réduits, après un siège de trente-deux jours, à signer, le 20 juillet 1496 la capitulation d'Atella, qui stipulait la remise à Ferdinand II, roi de Naples, de toutes les places et forteresses de son royaume ; royaume, forte-resses et places dont il ne jouit que trois mois, étant mort d'épuisement, le 7 septembre suivant, au château de la Somma, au pied du Vésuve, sans que les soins que lui prodigua sa jeune femme eussent pu réparer le mal que sa beauté avait fait.

Son oncle Frédéric lui succéda ; et ainsi, depuis trois ans qu'il était pape, Alexandre avait vu, à mesure qu'il s'affermissait, lui, sur le siège pontifical, cinq rois passer sur le trône de Naples : c'étaient Ferdinand Ier, Alphonse III, Charles VIII, Ferdinand II et Frédéric.

Tous ces tremblements de trône et cette succession rapide de souverains étaient ce qui pouvait arriver de plus avantageux à la fortune d'Alexandre VI, puisque chaque nouveau monarque n'était véritablement roi qu'à la condition qu'il serait revêtu de l'investiture pontificale. Il en résulta qu'en pouvoir et en crédit, Alexandre était le seul qui eût gagné à tous ces changements, puisqu'il avait successivement été non seulement reconnu, malgré ses simonies, comme le chef suprême de l'Église, par le duc de Milan, les républiques de Florence et de Venise, qui avaient traité avec lui, mais encore successivement adoré par les cinq rois qui s'étaient succédé sur le trône de Naples. Il pensa donc que le moment était venu de fonder la puissance de sa maison en s'appuyant d'un côté sur le duc de Gandie, qui devait remplir toutes les hautes dignités temporelles, tandis que César Borgia serait appelé à toutes les grandes fonctions ecclésiastiques. Le pape assura ces nouveaux projets en nommant qua-tre cardinaux espagnols, qui, portant à vingt-deux le nombre de ses compatriotes dans le sacré collège, lui assuraient une constante et certaine majorité.

La première nécessité de la politique pontificale était de déblayer les environs de Rome de tous ces petits seigneurs qu'on appelait les vicaires de l'église, et qu'Alexandre appelait, lui, les menottes de la papauté. On a vu qu'il avait déjà commencé cette œuvre en suscitant les Orsini contre les Colonna, lorsque l'entreprise de Charles VIII l'avait forcé de réunir toutes les ressources de son esprit et toutes les forces de ses États, comme pour en faire une garde autour de sa propre sûreté.

Mais voilà que dans leur imprudence les Orsini, les anciens amis du pape, étaient passés à la solde des Français, et étaient entrés avec eux dans le royaume de Naples, de sorte que Virginio, l'un des principaux chefs de cette puissante maison, avait été pris pendant la guerre, et était captif de Ferdinand II. C'était une occasion que ne pouvait laisser échapper Alexandre ; aussi, après avoir sommé le roi de Naples de ne point relâcher celui que dès le 1er juin 1496 il avait déclaré rebelle, le 26 octobre suivant, c'est-à-dire dans les premiers jours du règne de Frédéric, qu'il savait lui être tout acquis par le besoin qu'il avait de recevoir l'investiture, il prononça en consistoire secret une sentence de confiscation contre Virginio Orsini et toute sa famille ; puis, comme ce n'était pas le tout que de déclarer les biens confisqués, mais qu'il fallait encore en déposséder les propriétaires, il fit des ouvertures aux Colonna, disant que, comme preuve du retour de son amitié pour eux, il les chargeait d'exécuter, sous les ordres de son fils François, duc de Gandie, la sentence rendue contre leurs vieux ennemis, affaiblissant toujours ainsi ses voisins l'un par l'autre, jusqu'à ce qu'il pût sans danger attaquer et faire disparaître vainqueurs et vaincus.

Les Colonna acceptèrent la proposition, et le duc de Gandie fut nommé général de l'Église, charge dont son père, revêtu des habits pontificaux, lui remit lui-même les insignes dans l'église de Saint-Pierre de Rome.

Les choses marchèrent d'abord comme l'avait espéré Alexandre VI, et avant la fin de l'année l'armée pontificale était maîtresse d'un grand nombre de châteaux et de forteresses appartenant aux Orsini ; de sorte que ceux-ci se regardaient déjà comme perdus, lorsque Charles VIII, à qui ils s'étaient adressés sans grande espérance que, préoccupé comme il l'était de ses propres affaires, il pût leur être d'un grand secours, à défaut d'armes et de troupes, leur envoya Charles Orsini, fils de Virginio, qui était prisonnier, et Vitellozo Vitelli, frère de Camille Vitelli, l'un des trois vaillants condottieri italiens qui s'étaient mis à sa solde et avaient combattu pour lui au passage du Taro. Ces deux capitaines, dont le courage et l'habileté étaient connus, apportaient avec eux une somme d'argent considérable qu'ils tenaient de la libéralité de Charles VIII ; de sorte qu'à peine furent-ils à Città di Castello, centre de leur petite souveraineté, et eurent-ils exprimé l'intention de lever un corps de gendarmerie, que les hommes se présentèrent de tous côtés pour s'engager sous leur bannière : ils eurent donc bientôt rassemblé une petite armée, et comme ils avaient été à même, pendant leur séjour chez les Français, d'étudier la partie de leur organisation militaire par laquelle ils étaient supérieurs aux Italiens, ils appliquèrent ces améliorations à leurs troupes : elles consistaient surtout dans certains changements faits aux trains d'artillerie, qui les rendaient plus faciles à manœuvrer, et dans la substitution aux armes ordinaires de piques semblables à celles des Suisses pour la forme, mais de deux pieds plus longues : ces changements faits, Vitellozo Vitelli exerça pendant trois ou quatre mois ses hommes à la manœuvre de leurs nouvelles armes ; puis, lorsqu'il les eut jugés en état de s'en servir avec avantage, ayant obtenu quelque secours des villes de Pérouse, de Todi et de Nami, qui craignaient que leur tour ne vînt après celui des Orsini, comme celui des Orsini était venu après celui des Colonna, il marcha vers Bracciano, dont le duc d'Urbin, qui avait été, en vertu du traité d'alliance que nous avons cité, prêté par les Vénitiens au pape, était occupé à faire le siège.

Le général vénitien, ayant appris l'approche de Vitellozo Vitelli, voulut lui épargner la moitié de la route, et marcha au-devant de lui ; les deux armées se rencontrèrent sur le chemin de Soriano et le combat s'engagea à l'instant même. L'armée pontificale avait un corps de huit cents Allemands, sur lequel les ducs d'Urbin et de Gandie comptaient surtout, et avec raison, car c'étaient en effet les meilleures troupes du monde ; mais Vitellozo Vitelli fit attaquer ces soldats d'élite par son infanterie, qui, armée de ses formidables piques, les transperçait sans que ceux-ci, dont les armes étaient de quatre pieds plus courtes, pussent leur rendre les coups qu'ils en recevaient ; en même temps, son artillerie légère voltigeait sur les flancs de l'armée, suivant ses mouvements les plus rapides, et faisant taire par sa justesse et sa vélocité l'artillerie ennemie ; de sorte qu'après une résistance plus longue encore qu'on n'eût dû l'attendre d'une armée attaquée par des moyens si supérieurs, les troupes pontificales prirent la fuite, entraînant avec elles vers Roncilione le duc de Gandie, blessé d'un coup de pique au visage, Fabrice Colonna et le légat : quant au duc d'Urbin, qui combattait à l'arrière-garde pour soutenir la retraite, il fut pris avec toute l'artillerie et les bagages de l'armée, vaincue.

Mais ce succès, si grand qu'il fût, n'enfla point l'orgueil de Vitellozo Vitelli au point de l'aveugler sur sa position : il comprit que les Orsini et lui étaient trop faibles pour soutenir une pareille guerre ; que le petit trésor auquel il devait son armée s'épuiserait bien vite, et que son armée disparaîtrait avec lui. Il s'empressa donc de se faire pardonner sa victoire en faisant des propositions qu'il n'eût peut-être pas voulu accepter s'il eût été vaincu : aussi ces conditions furent-elles reçues à l'instant même par le pape, qui dans l'intervalle avait reçu la nouvelle que Trivulce venait de repasser les Alpes et de rentrer en Italie avec trois mille Suisses, et qui craignait que le général italien ne conduisît l'avant-garde du roi de France. En conséquence, il fut arrêté que les Orsini payeraient soixante-dix mille florins pour les frais de la guerre, et que tous les prisonniers seraient échangés de part et d'autre sans rançon, à l'exception du duc d'Urbin. Pour sûreté du payement de ces soixante-dix mille florins, les Orsini remirent, à titre de gage, entre les mains des cardinaux Sforza et San-Severino, les forteresses de l'Anguillara et de Cervetti ; puis, comme au jour fixé pour le payement ils n'avaient point l'argent nécessaire, ils estimèrent le duc d'Urbin, leur prisonnier, à quarante mille ducats, ce qui faisait à peu près la somme, et le passèrent en compte à Alexandre VI, qui cette fois, rigide observateur des engagements pris, se fit payer par son propre général, pris à son service, la rançon que celui-ci devait à ses ennemis.

De son côté, le pape fit remettre à Charles Orsini et à Vitellozo Vitelli le cadavre de Virginio, à défaut de sa personne. Par une fatalité étrange, le prisonnier était mort, huit jours avant la signature du traité, de la même maladie, du moins si l'on pouvait juger par analogie, dont était mort le frère de Bajazet.

Comme cette paix venait d'être signée, Prosper, Colonna et Gonzalve de Cordoue que le pape avait demandés à Frédéric, arrivèrent à Rome avec un corps d'armée de troupes napolitaines et espagnoles. Alexandre, qui ne pouvait plus les utiliser contre les Orsini, ne voulant pas avoir à se reprocher de les avoir fait venir inutilement, les occupa à reprendre Ostie. Gonzalve fut récompensé de ce fait d'armes en recevant des mains du pape la rose d'or, c'est-à-dire la plus haute distinction que pût accorder sa sainteté. Il avait partagé cet honneur avec l'empereur Maximilien, avec le roi de France, avec le doge de Venise et le marquis de Mantoue.

Sur ces entrefaites arriva la solennité de l'Assomption, à laquelle Gonzalve fut invité à prendre part. En conséquence, il partit de son palais, vint en grande pompe au-devant de la cavalerie pontificale, et prit place à la gauche du duc de Gandie, qui attirait tous les regards par sa beauté personnelle, rehaussée de tout le luxe qu'il avait jugé à propos de déployer dans cette fête. En effet, il avait une suite de pages et de valets de si magnifiques livrées, que rien de ce qu'on avait vu jusque alors à Rome, la ville des pompes religieuses, n'était comparable à leurs richesses. Tous ces pages et ces valets étaient montés sur des chevaux magnifiques, couverts de caparaçons de velours avec des franges d'argent au milieu desquelles pendaient, de distance en distance, des sonnettes du même métal. Quant à lui, il était revêtu d'une robe de brocart d'or, portant au cou un fil des plus belles et des plus grosses perles d'Orient qui eussent jamais peut-être appartenu à un prince chrétien, et autour de sa toque une chaîne d'or garnie de diamants dont le plus petit valait plus de vingt mille ducats. Cette magnificence ressortait d'autant mieux qu'elle faisait contraste avec la simplicité du costume de César Borgia, dont la robe de pourpre n'admettait aucun ornement. Il en résulta que César, doublement jaloux de son frère, prit une haine nouvelle contre lui des éloges qu'il entendit faire tout le long de la route sur sa bonne mine et sur sa magnificence. Aussi, dès ce moment, le cardinal Valentin eut-il décidé dans son esprit du sort de cet homme qu'il trouvait sans cesse sur le chemin de son orgueil, de son amour et de son ambition. – Quant au duc de Gandie, dit l'historien Tommaso, il eut certes grande raison, l'infortuné jeune homme, de laisser, à propos de cette fête, ce souvenir public de sa gentillesse et de sa splendeur, puisque cette pompe fut la dernière qui précéda celle de ses funérailles.

De son côté, Lucrèce était venue à Rome sous prétexte de prendre part à cette solennité, mais réellement, comme nous le verrons bientôt, dans le but d'être un nouvel instrument d'ambition entre les mains de son père.

Comme le pape ne se contentait point pour son fils d'un vain triomphe d'ostentation et d'orgueil, et que sa guerre avec les Orsini n'avait point produit les résultats qu'il en attendait, il se décida, pour augmenter la fortune de son premier-né, à faire ce qu'il avait, dans son discours, reproché au pape Calixte d'avoir fait pour lui-même, c'est-à-dire à démembrer de l'État ecclésiastique les cités de Bénévent, de Terracine et de Pontecorvo, afin d'en former un duché qui lui serait donné en apanage. Cette proposition fut faite en conséquence en plein consistoire, et comme le collège des cardinaux était tout entier, ainsi que nous l'avons dit, à Alexandre VI, elle ne souffrit aucune difficulté. Cette nouvelle faveur accordée à son frère aîné exaspéra César, qui cependant, recueillant sa part des grâces paternelles, venait d'être nommé légat *a latere* auprès de Frédéric, et qui devait, au nom du pape, lui poser de ses mains la couronne sur la tête.

Cependant Lucrèce, après avoir passé quelques jours en fête avec son père et ses frères, était entrée en réclusion dans le couvent de Saint-Sixte, sans que personne connût la véritable cause de cette retraite, et sans que les instances de César, qui avait pour elle un amour aussi étrange que dénaturé, pussent obtenir d'elle qu'elle attendît au moins, pour se séparer ainsi du monde, le lendemain de son départ pour Naples. Cette obstination de sa sœur le blessa au reste profondément ; car depuis le jour où le duc de Gandie s'était montré à la procession sous son magnifique costume, il avait cru remarquer que son incestueuse maîtresse se refroidissait pour lui, et sa haine envers son rival s'en était tellement augmentée, qu'il résolut de s'en défaire à quelque prix que ce fût. En conséquence, il fit dire au chef de ses sbires de le venir trouver le même soir.

Michelotto était habilité à ces messages mystérieux, qui presque toujours avaient pour but un amour à seconder ou une vengeance à accomplir. Or, comme dans l'un ou l'autre cas il était d'ordinaire largement récompensé, il n'eut garde de manquer au rendez-vous, et à l'heure convenue il fut introduit près de son patron.

César Borgia l'attendait adossé au support d'une grande cheminée, vêtu non plus de sa robe et de son chapeau de cardinal, mais d'un pourpoint de velours noir dont les crevés s'ouvraient sur une veste de satin de la même couleur. Une de ses mains jouait machinalement avec ses gants, tandis que l'autre reposait sur le manche d'un poignard empoisonné qui ne le quittait jamais. C'était le costume qu'il prenait pour ses expéditions nocturnes : aussi Michelotto ne fut pas surpris de l'en voir revêtu ; seulement ses yeux dardaient une flamme encore plus sombre que de coutume, et ses joues, ordinairement pâles, étaient livides. Michelotto ne fit que jeter un regard sur son maître, et vit qu'il allait se passer entre César et lui quelque chose de terrible.

César lui fit signe de fermer la porte, commandement auquel Michelotto obéit ; puis, après un instant de silence, pendant lequel les yeux de Borgia semblèrent vouloir lire jusqu'au fond de l'âme de l'insouciant *bravo* qui se tenait debout et découvert devant lui :

— Michelotto, lui dit-il avec une voix dans laquelle perçait, pour toute marque d'émotion, un léger accent de raillerie, comment trouves-tu que me va ce costume ?

Si habitué que fût le sbire aux circonlocutions qu'employait ordinairement son maître avant d'en venir à son véritable but, il était tellement éloigné de s'attendre à cette question, qu'il demeura d'abord sans répondre, et que ce ne fut qu'au bout d'un instant qu'il put dire :

— Admirablement, monseigneur ; et, grâce à lui, votre excellence a l'air d'un capitaine, comme elle en a le cœur.

— Je suis bien aise que ce soit ton avis, dit César. Et maintenant sais-tu qui est cause qu'au lieu de cet habit que je ne puis porter que la nuit, je suis forcé de me déguiser le jour sous la robe et le chapeau d'un cardinal et de passer mon temps à chevaucher d'église en église et de consistoire en consistoire, tandis que je devrais conduire sur un champ de bataille quelque magnifique armée, dans laquelle tu aurais rang de capitaine, au lieu d'être, comme tu l'es, le chef de quelques misérables sbires ?

— Oui, monseigneur, répondit Michelotto, qui à ses premières paroles avait deviné César ; celui qui est cause de tout cela, c'est monseigneur François, duc de Gandie et de Bénévent, votre frère aîné.

— Sais-tu, reprit César sans donner à la réponse du *bravo* d'autre approbation qu'un signe de tête accompagné d'un sourire amer, sais-tu qui a les richesses et n'a pas le génie, qui a le casque et n'a point la tête, qui a l'épée et qui n'a pas la main ?

— C'est encore le duc de Gandie, dit Michelotto.

— Sais-tu, continua César, quel est celui que je trouve sans cesse sur le chemin de mon ambition, de ma fortune et de mon amour ?

— C'est toujours le duc de Gandie, dit Michelotto.

— Et qu'en penses-tu ? demanda César.

— Je pense qu'il faut qu'il meure, répondit froidement le sbire.

— Et c'est aussi mon avis, Michelotto, dit César en faisant un pas vers lui et en lui saisissant la main, et mon seul regret est de n'y avoir pas pensé plus tôt ; car si l'an dernier, quand le roi de France est passé par l'Italie, j'avais eu l'épée au côté, au lieu d'avoir la crosse à la main, je me trouverais, à cette heure, souverain de quelque bon domaine. Le pape veut agrandir sa maison, la chose est visible, seulement il se trompe sur les moyens : c'est moi qu'il devait faire duc, et c'est mon frère qu'il devait nommer cardinal. S'il m'avait fait duc, il y a une chose certaine, c'est qu'à l'autorité de sa puissance j'aurais joint l'intrépidité d'un cœur qui aurait su la faire valoir. Celui qui veut se faire une route vers des domaines et un royaume doit fouler aux pieds les obstacles qui se trouvent sur son chemin, et courir franchement, sans s'inquiéter du cri de sa chair, sur les épines les plus aiguës ; celui-là doit frapper les yeux fermés, de l'épée ou du poignard, pour ouvrir une route à sa fortune ; celui-là ne doit pas craindre de tremper ses mains dans son propre sang ; celui-là enfin doit suivre les exemples qui lui ont été donnés par tous les fondateurs d'empires depuis

Romulus jusqu'à Bajazet, qui n'ont été rois tous deux qu'à la condition du fratricide. Eh bien, tu l'as dit, Michelotto, cette condition est la mienne, et je suis résolu à ne pas reculer devant elle. Maintenant tu sais pourquoi je t'ai envoyé chercher ; ai-je eu tort de compter sur toi ?

Comme on devait s'y attendre, Michelotto, qui voyait sa fortune dans ce crime, répondit à César qu'il était tout à ses ordres, et qu'il lui désignât seulement le temps, le lieu et le mode de l'exécution. César lui répondit que le temps devait être naturellement très rapproché, puisqu'il était, lui César, sur le point de partir pour Naples ; que, quant au lieu et au mode d'exécution, ils dépendraient de l'occasion, que chacun d'eux devait guetter de son côté, et saisir aussitôt qu'elle se montrerait favorable.

Le lendemain du jour où cette résolution avait été arrêtée, César apprit que la date de son départ était fixée au jeudi 15 juin : il reçut en même temps de sa mère une invitation pour venir souper chez elle le 14. Ce repas était donné en son honneur, et pour prendre congé de lui. Michelotto eut ordre de se tenir prêt à onze heures de la nuit.

La table était dressée en plein air et dans une vigne magnifique, que la Vanozza possédait près de Saint-Pierre-aux-Liens : les convives étaient César Borgia, le héros de la fête ; le duc de Gandie, le prince de Squillace ; dona Sancia, sa femme ; le cardinal de Montréal, François Borgia, fils de Calixte III ; don Roderic Borgia, capitaine du palais apostolique ; don Godefroy, frère du cardinal Jean Borgia, alors légat à Pérouse, et enfin don Alphonse Borgia, neveu du pape : toute la famille s'y trouvait donc, excepté Lucrèce, qui, étant toujours en retraite, n'avait point voulu venir.

Le repas fut splendide : César s'y montra aussi gai que de coutume ; quant au duc de Gandie, il semblait plus joyeux qu'il n'avait jamais été.

Au milieu du souper, un homme masqué lui apporta une lettre ; le duc la décacheta en rougissant de joie, et, après l'avoir lue, répondit ce seul mot : « J'irai » ; puis il la cacha vivement dans la poche de son pourpoint ; mais quelque hâte qu'il mit à la dérober à tous les yeux, César avait eu le temps d'y jeter un regard, et il avait cru reconnaître l'écriture de sa sœur Lucrèce. Pendant ce temps le messager s'était retiré avec cette réponse, sans que personne autre que César fît attention à lui ; car c'était, à cette époque, une coutume de faire porter des messages d'amour par des hommes dont le visage était couvert d'un masque, ou par des femmes qui se cachaient sous un voile.

À dix heures, on se leva de table, et comme l'air était doux et pur, on se promena encore quelque temps sous les magnifiques pins qui ombrageaient la maison de la Vanozza, mais sans que César perdît un seul instant son frère de vue. À onze heures le duc de Gandie prit congé de sa mère. César en fit autant, prétextant le désir qu'il avait de passer le même soir au Vatican pour prendre congé du pape, devoir qu'il n'aurait pas le temps de remplir le lendemain, son départ devant avoir lieu au point du jour. Le prétexte était d'autant plus plausible, que le pape veillait toutes les nuits jusqu'à deux ou trois heures du matin.

Les deux frères sortirent ensemble, montèrent sur les chevaux qui les attendaient à la porte, et cheminèrent à côté l'un de l'autre jusqu'au palais Borgia, qui était alors habité par le cardinal Ascanio Sforza, qui l'avait reçu en don du pape Alexandre, la veille du jour où celui-ci avait été élu. Là le duc de Gandie se sépara de son frère, lui disant avec un sourire qu'il ne comptait

136

pas rentrer chez lui, ayant auparavant quelques heures à passer avec une belle dame de laquelle il était attendu. César répondit au duc de Gandie qu'il était fort le maître d'en user comme il lui conviendrait, et lui souhaita une bonne nuit. Le duc de Gandie prit à droite et César à gauche : seulement César remarqua que la rue qu'avait prise le duc de Gandie conduisait vers le monastère de Saint-Sixte, où, comme nous l'avons dit, Lucrèce était en retraite ; puis, cette remarque faite, qui confirmait ses soupçons, il se dirigea vers le Vatican où, ayant trouvé le pape, il prit congé de lui et reçut sa bénédiction.

À compter de ce moment, tout est mystérieux comme l'ombre dans laquelle s'accomplit le terrible événement que nous allons raconter.

Cependant voilà ce qu'on croit :

En quittant César, le duc de Gandie renvoya ses gens et resta seul avec un valet de confiance, dans la compagnie duquel il s'achemina vers la place de la Giudecca. Arrivé là, il trouva l'homme masqué qui était venu lui parler pendant le souper ; et défendant alors à son valet de le suivre plus loin, il lui ordonna de l'attendre sur la place où ils étaient, lui disant que dans deux heures au plus tard il serait de retour, et le reprendrait en passant. En effet, à l'heure dite, le duc de Gandie reparut, congédia à son tour l'homme masqué, et se remit en route vers son palais ; mais à peine avait-il tourné le coin du Ghetto des juifs, que quatre hommes à pied, conduits par un cinquième qui était à cheval, se jetèrent sur lui. Croyant avoir affaire à des voleurs, ou être victime d'une méprise, le duc de Gandie se nomma ; mais, au lieu que ce nom arrêtât les poignards des meurtriers, ils redoublèrent leurs coups, et le duc de Gandie tomba bientôt mort, près de son valet mourant.

Alors l'homme à cheval, qui, immobile et impassible, avait regardé s'accomplir l'assassinat, força sa monture de s'approcher à reculons du cadavre ; puis les quatre meurtriers chargèrent le corps en croupe, et, marchant à côté du cheval pour le maintenir, s'enfoncèrent dans la ruelle qui conduit à l'église de Santa-Maria-in-Monticelli. Quant au malheureux valet que l'on avait cru mort, on le laissa sur le pavé. Cependant, comme au bout d'un instant il avait repris quelque force, ses gémissements furent entendus des habitants d'une pauvre petite maison, qui vinrent le ramasser, et l'emportèrent sur un lit, où il expira presque aussitôt, sans avoir pu donner aucun renseignement sur les assassins ni sur l'assassinat.

On attendit le duc toute la nuit et toute la matinée suivante ; puis l'attente devint de la crainte, et la crainte se changea en alarmes : on alla trouver le pape, et on lui annonça que, depuis sa sortie de chez sa mère, le duc de Gandie n'avait point reparu à son palais. Cependant Alexandre essaya de se faire illusion encore tout ce reste de la journée, espérant que son fils, ayant été surpris par le jour dans quelque amoureuse aventure, attendait pour s'en aller le retour de l'obscurité à l'aide de laquelle il était venu. Mais la nuit s'écoula comme la journée sans nouvelle aucune ; de sorte que, le lendemain, le pape, tourmenté par les plus tristes pressentiments, et par cette voix fatale du peuple qui crie les grands malheurs, se laissa aller au plus profond désespoir, ne pouvant, au milieu de ses soupirs et de ses sanglots, rien dire autre chose à ceux qui se présentaient devant lui que ces mots mille fois répétés : « Qu'on le cherche, qu'on le cherche, et qu'on sache comment le malheureux est mort. »

Alors chacun se mit en quête ; car, ainsi que nous l'avons dit, le duc de Gandie était aimé de tous ; mais, quelques recherches que l'on fît par la ville, on ne découvrit rien, sinon le corps de l'homme assassiné, que l'on reconnut pour le valet du duc. Du maître, il n'y en avait aucune trace : on pensa donc avec raison qu'il avait probablement été jeté dans le Tibre, et l'on commença de suivre ses bords à commencer de la rue de la Ripetta, en interrogeant tous les bateliers ou les pêcheurs qui avaient pu voir, soit de leurs maisons, soit de leurs barques, ce qui s'était passé sur les rives du fleuve pendant les deux nuits précédentes. D'abord toutes les demandes furent inutiles ; mais, en arrivant à la hauteur de la rue del Fantanone, on trouva enfin un homme qui dit avoir vu se passer, pendant la nuit du 14 au 15, quelque chose qui pourrait bien avoir rapport à ce dont on s'inquiétait : c'était un Esclavon nommé Georges, qui, remontant le fleuve, conduisait un chargement de bois à Ripetta.

Voici ses propres paroles :

« Messieurs, dit-il, ayant déposé mercredi soir ma charge de bois sur le rivage, j'étais demeuré dans ma barque, me reposant à la fraîcheur de la nuit et veillant à ce que d'autres ne chargeassent point ce que je venais de décharger, lorsque, vers les deux heures du matin, je vis déboucher par la ruelle à gauche de l'église Saint-Jérôme deux hommes à pied qui s'avancèrent jusqu'au milieu de la rue, et qui, par l'attention qu'ils portaient de tous côtés, prouvaient bien qu'ils n'étaient venus là que pour voir si personne ne passait par cette rue. En effet, lorsqu'ils se furent assurés qu'elle était déserte, ils retournèrent dans la même ruelle, d'où bientôt deux autres sortirent à leur tour, usant des mêmes précautions pour s'assurer qu'il n'y avait rien de nouveau, et qui, trouvant toutes choses comme ils les désiraient, firent signe à leurs camarades de venir les rejoindre : alors s'avança un homme monté sur un cheval gris pommelé, qui portait sur sa croupe le corps d'un homme mort, dont la tête et les bras pendaient d'un côté et les pieds de l'autre, et que soutenaient par les mains et les jambes les deux hommes qui étaient venus les premiers à la découverte. Les trois hommes s'approchèrent aussitôt du fleuve, tandis que les deux autres gardaient la rue, et, s'avançant vers cette partie du rivage où l'égout de la ville se décharge dans le Tibre, le cavalier fit tourner à son cheval sa croupe vers le fleuve ; et les deux hommes, qui se tenaient à ses côtés, prenant le cadavre, l'un par les pieds, l'autre par les mains, le balancèrent trois fois, et, à la troisième fois, le lancèrent de toutes leurs forces dans la rivière ; alors, au bruit que le corps fit en tombant dans l'eau, le cavalier ayant demandé : « Est-ce fait ? » et, les autres ayant répondu : « Oui, seigneur », il fit aussitôt volte-face ; et, voyant le manteau du mort qui flottait sur l'eau, il s'informa quelle était cette chose noire qui s'en allait nageant : « Seigneur, c'est son manteau », dit un des hommes ; et alors un autre ramassa des pierres, et courant jusqu'à l'endroit où il paraissait encore, il les jeta sur lui de manière à le faire enfoncer : en effet, dès qu'il eut disparu, ils se retirèrent, et après avoir cheminé un instant par la grande rue, ils entrèrent dans la ruelle qui conduit à Saint-Jacques.

« C'est tout ce que j'ai vu, messieurs, et par conséquent tout ce que je puis répondre aux questions que vous m'avez faites. »

À ces mots, qui ôtaient tout espoir à ceux qui auraient pu en garder encore, un des serviteurs du pape demanda à l'Esclavon comment, ayant été témoin d'une pareille chose, il ne l'avait point été dénoncer au gouverneur. Mais celui-ci lui répondit que, depuis qu'il exerçait son métier sur le fleuve, il avait vu cent fois jeter des hommes morts de la même façon dans le

Tibre, sans jamais avoir entendu dire que personne s'en fût inquiété ; il s'était donc persuadé qu'il arriverait de ce cadavre comme des autres, et n'avait pas cru devoir en parler, ne pensant pas que l'on y mettrait plus d'importance que par le passé.

Conduits par ces renseignements, les serviteurs de sa sainteté convoquèrent aussitôt les bateliers et les pêcheurs qui avaient coutume de naviguer sur le fleuve ; et comme ils promirent une bonne récompense à celui qui retrouverait le cadavre du duc, il y en eut bientôt plus de cent à la besogne ; si bien qu'avant le soir de ce même jour, qui était le vendredi, deux hommes furent tirés hors de l'eau, l'un desquels fut aussitôt reconnu pour être le malheureux duc.

À la première inspection du cadavre, il n'y eut plus de doute sur la cause de sa mort. Il était percé de neuf blessures, dont la principale était à la gorge, dont elle coupait l'artère ; quant à ses vêtements, on n'y avait pas touché. Il avait son pourpoint et son manteau, ses gants dans sa ceinture, et son or dans sa bourse ; donc le duc avait été assassiné par vengeance, et non par cupidité.

La barque où était le cadavre remonta le Tibre jusqu'au château Saint-Ange, où elle le déposa : aussitôt on alla chercher au palais du duc le magnifique habit qu'il avait porté le jour de la procession, et on l'en revêtit, puis on plaça près de lui les insignes du généralat de l'Église. Il resta ainsi exposé toute la journée, sans que son père désespéré eût le courage de venir le voir. Enfin, lorsque la nuit fut venue, ses plus fidèles et ses plus dignes serviteurs le transportèrent à l'église de la Madone du Peuple, avec toutes les pompes dont la cour et l'Église à la fois pouvaient entourer les funérailles d'un fils du pape.

Pendant ce temps, César Borgia posait de ses mains

sanglantes la couronne royale sur la tête de Frédéric d'Aragon.

Ce coup avait pénétré au plus profond du cœur d'Alexandre VI.

Comme il ne savait d'abord sur qui faire tomber ses soupçons, il donna les ordres les plus sévères pour que des poursuites fussent faites contre les meurtriers ; mais peu à peu la vérité sanglante se dressa devant lui. Il vit que le coup qui frappait sa maison sortait de sa propre maison, et son désespoir alors devint de la frénésie ; il courut comme un insensé à travers les chambres du Vatican, et entrant en plein consistoire, les habits déchirés, les cheveux couverts de cendres, il avoua avec des sanglots tous les désordres de sa vie passée, reconnaissant que le malheur qui frappait son sang par son sang était un juste châtiment de Dieu ; puis, s'étant retiré dans une des chambres les plus secrètes et les plus obscures de son palais, il s'y enferma, disant qu'il voulait se laisser mourir de faim. Et effectivement, pendant plus de soixante heures, il ne prit ni nourriture le jour ni repos la nuit, ne répondant à ceux qui frappaient à la porte pour le supplier de vivre que par des gémissements de femme ou des rugissements de lion ; si bien que Julie Farnèse, la nouvelle maîtresse qu'il venait de prendre, et qu'on appelait la Giulia Bella, ne pouvant arriver à le fléchir, fut forcée d'aller chercher Lucrèce, cette fille doublement aimée, pour vaincre son obstination mortelle. Lucrèce sortit de la retraite où elle pleurait le duc de Gandie, pour venir consoler son père. Effectivement, à sa voix, la porte s'ouvrit, et seulement alors le cardinal de Ségovie, qui depuis près d'un jour était agenouillé au seuil, suppliant sa sainteté de reprendre courage, put entrer avec des serviteurs qui portaient du vin et quelque nourriture.

Le pape resta seul avec Lucrèce pendant trois jours et trois nuits, puis il reparut en public, calme, sinon consolé ; car Guicciardini assure que sa fille lui avait fait comprendre qu'il serait dangereux à lui de montrer trop à découvert devant l'assassin, qui allait revenir, cet amour immodéré qu'il portait à la victime.

Cependant César Borgia restait à Naples, tant pour donner à la douleur paternelle le temps de se calmer que pour mener à bien une négociation nouvelle dont il venait d'être chargé, et qui n'était rien autre chose que des propositions de mariage entre Lucrèce et don Alphonse d'Aragon, duc de Biselli et prince de Salerne, fils naturel d'Alphonse II, et frère de dona Sancia. Il était vrai que Lucrèce était mariée avec le seigneur de Pesaro ; mais elle était fille d'un père qui avait reçu du ciel le droit de lier et de délier. On ne devait donc pas s'inquiéter de si peu de chose ; quand les fiancés seraient prêts, viendrait le divorce. Alexandre était trop bon politique, pour laisser sa fille mariée à un gendre qui lui devenait inutile.

Vers la fin du mois d'août, on apprit que le légat, ayant terminé selon tous ses souhaits son ambassade auprès du nouveau roi, allait revenir à Rome. En effet, il y rentra le 5 septembre, c'est-à-dire trois mois à peine après la mort du duc de Gandie, et le lendemain 6 il alla de l'église Santa-Maria-Novella, à la porte de laquelle l'attendaient à cheval, selon la coutume, les cardinaux et les ambassadeurs d'Espagne et de Venise, au Vatican, où siégeait sa sainteté ; là il entra dans le consistoire, où il fut reçu par le pape, qui, selon le cérémonial, lui donna sa bénédiction et l'embrassa ; puis, accompagné de nouveau, et de la même manière, par les cardinaux et les ambassadeurs il fut reconduit à ses appartements, d'où il passa, aussitôt qu'il fut laissé seul, dans ceux du pape : car au consistoire ils ne s'étaient point parlé, et le fils et le père avaient mille choses à se dire, mais non pas, comme on pourrait le penser, du duc de Gandie ; car son nom ne fut pas même prononcé, et ni pendant ce jour, ni depuis, il ne fut pas plus question du malheureux jeune homme que s'il n'avait jamais existé.

Il est vrai de dire que César apportait de bonnes nouvelles. Le roi Frédéric consentait à l'union proposée ; en conséquence, le mariage de Sforza et de Lucrèce fut annulé pour cause d'impuissance. Puis il autorisait l'exhumation du cadavre de Djem, qui, comme on se le rappelle, valait trois cent mille ducats.

Alors comme l'avait désiré César, ce fut lui qui, à la place du duc de Gandie, se trouva tout-puissant après le pape ; et les Romains s'aperçurent bientôt de cette vice-royauté au pas immense et nouveau que Rome fit vers la dissolution. Ce n'étaient plus que fêtes, bals et mascarades ; c'étaient des chasses magnifiques, où César, qui commençait à rejeter sa robe de cardinal, dont la couleur peut-être le fatiguait, paraissait avec un habit à la française, suivi, comme un roi, de cardinaux, d'ambassadeurs et de gardes : de sorte que la ville pontificale tout entière, abandonnée comme une courtisane à ses orgies et à ses débauches, n'avait jamais été, dit le cardinal de Viterbe, même au temps des Néron et des Héliogabale, plus ardente de sédition, plus chaude de luxure, plus sanglante de carnage. Jamais plus de maux n'avaient fondu sur elle ; jamais plus de délateurs ne l'avaient déshonorée, jamais plus de sbires ne l'avaient rougie. Le nombre des voleurs était si grand, et leur audace était telle, que l'on ne pouvait franchir les portes de la ville ; bientôt même on ne fut plus en sûreté au dedans. Ni maison ni tour ne pouvaient vous défendre. Il n'y avait plus ni droit ni justice. L'or, la force et le plaisir étaient rois.

Cependant l'or fondait à ces fêtes comme à la fournaise ; et, par une juste punition du ciel, Alexandre et César commencèrent à convoiter la fortune de ceux-là mêmes qui, par leur simonie, les avaient portés là où ils étaient. Le premier essai qu'ils firent de ce *nouveau moyen de battre monnaie* fut sur le cardinal de Cosenza. Voici à quelle occasion :

Une dispense avait été accordée, il y avait quelque temps, à une religieuse professe, dernière héritière de la couronne de Portugal, dispense en vertu de laquelle cette religieuse avait épousé un fils naturel du dernier roi. Ce mariage était on ne peut plus préjudiciable aux intérêts de Ferdinand et d'Isabelle d'Espagne ; aussi envoyèrent-ils des ambassadeurs à Alexandre VI pour se plaindre d'un pareil procédé, au moment où une alliance allait se conclure entre la maison d'Aragon et le saint-siège. Alexandre comprit ces plaintes, et résolut d'y faire droit. En conséquence, il nia avoir eu connaissance de ce bref, pour la signature duquel il avait reçu soixante mille ducats, et accusa l'archevêque de Cosenza, secrétaire des brefs apostoliques, d'avoir délivré une fausse dispense. Sous le poids de cette accusation, l'archevêque fut conduit au château Saint-Ange, et son procès commença.

Mais, comme ce n'était pas chose facile que de prouver une pareille accusation, surtout si l'archevêque s'obstinait à soutenir que la dispense était bien réellement du pape, on résolut d'employer vis-à-vis de lui une ruse qui ne pouvait manquer de réussir.

Un soir l'archevêque de Cosenza vit entrer le cardinal Valentin dans sa prison : il venait, avec cet air ouvert et affable qu'il savait si bien prendre lorsqu'il pouvait lui être utile, exposer au prisonnier l'embarras dans lequel se trouvait le pape, et dont l'archevêque lui seul, que sa sainteté considérait comme son meilleur ami, pouvait le tirer.

L'archevêque répondit qu'il était tout aux ordres de sa sainteté.

Alors César Borgia s'assit de l'autre côté de la table sur laquelle il avait trouvé le captif accoudé lorsqu'il était entré, et lui exposa la position du saint-siège : elle était embarrassante. Au moment de contracter une alliance aussi importante avec la maison d'Aragon, que l'était celle de Lucrèce et d'Alphonse, on ne pouvait avouer à Ferdinand et à Isabelle que pour quelques misérables ducats sa sainteté eût signé une dispense qui réunissait entre le mari et la femme tous les droits légitimes à une couronne sur laquelle Ferdinand et Isabelle n'avaient, eux, que des droits de conquête. Cet aveu rompait nécessairement toutes les négociations, et la maison pontificale trouvait sa chute en heurtant le piédestal même qui devait servir à augmenter sa grandeur. L'archevêque de Cosenza devait donc comprendre ce que le pape attendait de son dévouement et de son amitié : c'était d'avouer purement et simplement qu'il avait cru pouvoir prendre sur lui d'accorder cette dispense. Or, comme le jugement à porter sur une pareille faute était remis à Alexandre VI, il était facile à l'accusé de concevoir d'avance que le jugement serait tout paternel. D'ailleurs, la récompense était aux mêmes mains que le jugement, et si le jugement était celui d'un père, la récompense en échange serait celle d'un roi. Cette récompense ne serait rien moins que d'assister comme légat, et avec le titre de cardinal, au mariage de Lucrèce et d'Alphonse, faveur qui lui serait bien due, puisque ce serait grâce à son dévouement que le mariage aurait eu lieu.

L'archevêque de Cosenza connaissait les hommes auxquels il avait affaire : il savait qu'ils ne reculaient devant aucun moyen d'arriver à leur but ; il savait qu'ils avaient une poudre qui avait le goût et l'odeur du sucre, dont il était impossible de distinguer la mixtion dans les aliments, et qui faisait mourir d'une mort lente ou prompte, selon qu'ils le désiraient, et sans laisser de trace : il connaissait le secret d'une clef empoisonnée qui était toujours sur la cheminée du pape, de sorte que, lorsque sa sainteté voulait se défaire de quelqu'un de ses familiers, il lui ordonnait d'aller ouvrir certaine armoire : or la poignée de cette clef avait une petite pointe, et comme la serrure de l'armoire jouait mal, on serrait la main, alors la serrure cédait, et l'on en était quitte pour une légère écorchure ; cette écorchure était mortelle. Il savait enfin que César portait une bague qui se composait de deux têtes de lion, et dont il tournait le chaton en dedans lorsqu'il voulait serrer la main d'un ami. Alors les dents du lion devenaient des dents de vipère, et l'ami mourait en maudissant Borgia. Il céda donc, moitié entraîné par la crainte, moitié ébloui par la récompense ; et César rentra au Vatican, muni du précieux papier par lequel l'archevêque de Cosenza reconnaissait qu'il était le seul coupable de la dispense accordée à la religieuse royale.

Deux jours après, grâce aux preuves que l'archevêque avait bien voulu lui fournir, le pape, en présence du gouverneur de Rome, de l'auditeur de la chambre apostolique, de l'avocat et du procureur fiscal, prononça la sentence qui condamnait l'archevêque de Cosenza à la perte de tous ses bénéfices et charges ecclésiastiques, à la dégradation de ses ordres et à la confiscation de ses biens : quant à sa personne, elle devait être livrée au magistrat civil. Deux jours après, le magistrat civil se rendit à la prison pour accomplir sa mission telle qu'il l'avait reçue du pape, et entra dans la prison de l'archevêque, suivi d'un greffier, de deux serviteurs et de quatre gardes. Le greffier déroula alors le papier qu'il tenait, et lut la sentence : les deux serviteurs dénouèrent un paquet, et, dépouillant le prisonnier de ses habits épiscopaux, ils le revêtirent d'une robe de gros drap blanc qui ne descendait que jusqu'aux genoux, de caleçons pareils et d'une paire de gros souliers. Enfin les gardes s'emparèrent de lui, et le conduisirent dans un des cachots les plus profonds du château Saint-Ange, où il trouva pour tout meuble un crucifix en bois, une table, une chaise et un lit ; pour toute distraction une lampe, une Bible et un bréviaire, et pour toute nourriture deux livres de pain et un baril d'eau, qu'on devait, ainsi qu'une fiole d'huile pour entretenir sa lampe, renouveler tous les trois jours.

Au bout d'un an le pauvre archevêque mourut de désespoir, après s'être rongé les bras dans son agonie.

Le jour même où il avait été descendu dans le cachot, César Borgia, qui avait si bien conduit cette affaire, avait été mis par le pape en possession de tous les biens du condamné.

Mais les chasses, les bals et les mascarades n'étaient point les seuls plaisirs du pape et de sa famille : de temps en temps il lui donnait d'étranges spectacles : nous en citerons deux seulement, l'un est un supplice, l'autre est tout bonnement une scène de haras. Mais comme l'un et l'autre offrent des détails dont nous ne voulons pas que nos lecteurs fassent honneur à notre imagination, nous les prévenons qu'ils sont traduits textuellement du journal latin de Burchard.

« Vers ce même temps (c'est-à-dire vers le commencement de l'année 1499), fut incarcérée une courtisane nommée la Corsetta, qui avait pour amant un certain Maure espagnol, qui venait la voir en habits de femme, et qu'on appelait, à cause de ce travestissement, *la Barbaresque espagnole*. En expiation de ce scandale, tous deux furent conduits par la ville, elle sans chemise ni jupon, mais avec la seule robe du Maure, dont aucun bouton n'était boutonné, et qui, par conséquent, était ouverte par-devant ; et lui avec ses habits de femme, les bras liés derrière le dos et les jupons relevés jusqu'à l'estomac, de manière que la partie qui avait péché fût exposée à tous les yeux : lorsqu'ils eurent fait ainsi le tour de la ville, la Corsetta fut renvoyée à sa prison avec le Maure. Mais, le 7 avril suivant, ce dernier en fut tiré de nouveau et conduit avec deux voleurs vers le champ des Fleurs. Les trois condamnés étaient précédés d'un sbire, monté au rebours sur un âne, et qui tenait à la main une longue perche, au bout de laquelle étaient liées, toutes sanglantes, les parties génitales d'un juif, à qui on venait de les couper en punition du commerce qu'il avait eu avec une chrétienne : arrivés au lieu de l'exécution, les deux voleurs furent pendus, et le malheureux Maure attaché à un poteau entouré de bois, où il devait être brûlé ; mais, une pluie abondante étant survenue, le feu ne put prendre malgré les efforts du bourreau. »

Cet accident imprévu, que le peuple prit pour un miracle, avait privé Lucrèce de la partie la plus curieuse de l'exécution ; mais son père se réservait de la dédommager plus tard par un autre genre de spectacle. Nous prévenons de nouveau le lecteur que les quelques lignes que nous allons lui mettre sous les yeux sont encore une traduction du journal du bon Allemand Burchard, qui ne voyait dans les événements les plus sanglants ou les plus lubriques que des faits journaliers qu'il enregistrait avec l'impassibilité d'un scribe, sans les accompagner d'aucune remarque, ni les faire suivre d'aucune réflexion.

« Le 11 novembre, un certain paysan étant entré dans Rome avec deux juments chargées de bois, les serviteurs de sa sainteté, au moment où il passait avec elles sur la place Saint-Pierre, coupèrent les deux sangles, de manière que les charges de bois tombèrent à terre avec les bâts, et conduisirent les deux juments dans une cour qui est entre le palais et la porte : alors on ouvrit les écuries, et quatre étalons libres et sans frein se lancèrent à la poursuite des juments, et, avec de grands hennissements, des ruades et des morsures, les couvrirent après les avoir gravement blessées dans le combat. Le pape et madame Lucrèce, qui étaient à la fenêtre située au-dessus de la porte du palais, prirent grand plaisir à ce combat et à ce qui s'ensuivit. »

Nous ferons comme Burchard, nous nous abstiendrons de toute réflexion.

Cependant la ruse de César Borgia à l'égard de l'archevêque de Cosenza avait eu le résultat désiré. Isabelle et Ferdinand ne pouvaient plus imputer à Alexandre VI la signature du bref dont ils s'étaient plaints ; donc rien ne s'opposait plus au mariage de Lucrèce avec Alphonse ; certitude qui causa une grande joie au pape, qui attachait d'autant plus d'importance au premier mariage, qu'il en rêvait déjà un second, entre César et dona Carlotta, fille de Frédéric.

En effet, César avait indiqué par toutes ses actions, depuis la mort de son frère, son peu de vocation pour la vie ecclésiastique ; de sorte que personne ne fut étonné lorsque, Alexandre VI ayant rassemblé un matin le consistoire, César y entra, et, s'adressant au pape, commença de dire que dès ses premières années il avait été, par ses inclinations et son génie, porté vers les professions séculières, et que ce n'était que pour obéir aux absolus commandements de sa sainteté qu'il s'était donné à l'Église, avait accepté la pourpre, les autres dignités et enfin l'ordre sacré du diaconat ; que, comprenant qu'à son âge, et dans sa situation, il était aussi inconvenant de s'abandonner à ses désirs qu'impossible d'y résister, il suppliait humblement sa sainteté de vouloir bien condescendre à ses penchants invincibles, et de permettre qu'il déposât l'habit et les dignités ecclésiastiques, afin qu'il pût rentrer dans le siècle, et contracter un légitime mariage ; priant en même temps les seigneurs cardinaux de vouloir bien intercéder auprès de sa sainteté, à qui de sa libre volonté il résignait les églises, abbayes et bénéfices, ainsi que toutes les autres dignités et faveurs ecclésiastiques qu'il en avait reçues. Les cardinaux, faisant droit à la requête de César, remirent alors d'une voix unanime au pape la décision de cette affaire, et, comme on peut le présumer, le pape, en bon père, et ne voulant pas forcer les inclinations de son fils, accepta la renonciation et fit droit à la supplique : aussitôt César déposa la pourpre, qui n'avait d'autre rapport avec lui, dit Tommaso Tommasi, son historien, qu'en ce qu'elle était couleur de sang.

En effet, cette renonciation était urgente, et il n'y avait pas de temps à perdre. Charles VIII, un jour qu'il avait été à la chasse et qu'il en était revenu tard et fatigué, s'était lavé la tête avec de l'eau froide, et, s'étant mis ensuite à table, avait été frappé d'apoplexie aussitôt après son souper, et était mort laissant le trône au bon Louis XII, son successeur, lequel avait deux grandes faiblesses, qui furent au reste aussi malheureuses l'une que l'autre : la première, qui était le plaisir de faire des conquêtes ; la seconde, la prétention d'avoir des enfants. Or Alexandre, qui était à l'affût de tout changement politique, avait vu du premier coup tout le parti qu'il pourrait tirer de l'avènement de Louis XII au trône, et se tenait prêt à profiter du besoin que le nouveau roi de France avait de lui pour l'accomplissement de son double désir. En effet, Louis XII avait besoin de son aide temporelle pour son expédition contre le duché de Milan, sur lequel, comme nous l'avons dit, il avait des droits du chef de Valentine Visconti, sa grand-mère, et de son aide spirituelle pour rompre son mariage avec Jeanne, fille de Louis XI, qui était stérile et monstrueusement difforme, et qu'il n'avait épousée que par la crainte que lui inspirait son père. Or Alexandre était prêt à accorder toutes ces choses à Louis XII, et à donner encore par-dessus un chapeau de cardinal à Georges d'Amboise, son ami, si de son côté le roi de France voulait employer son crédit à déterminer la jeune dona Carlotta, qui était à sa cour, à épouser son fils.

Aussi, comme cette négociation était déjà fort avancée le jour même où César avait déposé la pourpre et pris l'habit séculier, ce vieil et constant objet de son ambition, le seigneur de Villeneuve, envoyé du roi Louis XII, et qui devait ramener César en France, arriva à Rome et se présenta devant l'ex-cardinal, qui, pendant un mois, lui fit, avec son luxe accoutumé et avec toutes les caresses dont il savait si bien entourer ceux dont il avait besoin, les honneurs de Rome ; après quoi ils partirent, précédés d'un courrier du pape qui ordonnait aux villes par lesquelles ils devaient passer de les recevoir avec toutes sortes de marques d'honneur et de respect. Au reste, même ordre avait été expédié par toute la France, où l'on donna aux illustres voyageurs une garde si nombreuse, et où une population si empressée accourut pour les voir, qu'après avoir dépassé Paris, les gens de la suite de César écrivirent à Rome qu'ils n'avaient vu en France ni arbres, ni maisons, ni murailles, mais seulement des hommes, des femmes et des rayons de soleil.

Le roi, sous prétexte d'aller à la chasse, vint recevoir son hôte à deux lieues de la ville : là, comme il savait que César tenait beaucoup au nom de Valentino, qu'il portait étant cardinal, et qu'il continuait de porter encore avec le titre de comte, quoiqu'il eût résigné l'archevêché qui lui avait accordé ce nom, il lui accorda l'investiture de Valence en Dauphiné, avec le titre de duc, et une pension de vingt mille francs ; puis, après lui avoir fait ce don magnifique et avoir causé deux heures à peu près avec lui, il le quitta pour lui laisser le loisir de faire l'entrée splendide qu'il avait préparée.

Ce fut le mercredi dix-huitième jour de décembre de l'année 1498 que César Borgia fit son entrée dans la ville de Chinon avec un appareil digne du fils d'un pape qui vient épouser la fille d'un roi.

Le cortège se composait d'abord de vingt-quatre mulets couverts de caparaçons rouges, ornés d'écussons renfermant les armes du duc, et chargés de bahuts sculptés et de coffres incrustés d'ivoire et d'argent ; puis venaient vingt-quatre autres mulets couverts aussi de caparaçons, mais ceux-ci à la livrée du roi de France, qui était jaune et rouge ; puis après ceux-ci marchaient dix autres mulets couverts de satin jaune, avec des barres rouges en travers, et enfin dix autres encore couverts de drap d'or à bandes, et dont une bande était d'or frisé, et l'autre d'or ras.

Derrière les soixante-dix mulets qui ouvraient la marche, piaffaient, tenus en bride par autant d'écuyers qui marchaient à pied auprès d'eux, seize beaux chevaux de bataille ; ils étaient suivis de dix-huit coursiers de chasse, montés par dix-huit pages tous de l'âge de quatorze à seize ans, dont seize étaient habillés de velours cramoisi et deux vêtus de drap d'or frisé, et si élégants que la richesse du costume de ces deux enfants, qui au reste étaient les plus beaux de tous, fit naître dans tous les esprits, si l'on en croit Brantôme, d'étranges soupçons sur les causes de cette préférence. Enfin, derrière ces dix-huit chevaux marchaient six belles mules toutes harnachées de velours rouge, conduites par six valets vêtus de velours pareil à celui des harnais.

Le troisième groupe se composait d'abord de deux mulets tout couverts de drap d'or, portant chacun deux coffres dans lesquels on disait qu'étaient le trésor du duc, les pierreries qu'il apportait à sa fiancée et les reliques et bulles que son père l'avait chargé de remettre de sa part au bon roi Louis XII. Ils étaient suivis par vingt gentilshommes vêtus de drap d'or et d'argent, parmi lesquels étaient Paul Jordan Orsini et plusieurs barons et chevaliers des principaux de l'État ecclésiastique.

Alors venaient deux tambourins, un rebec et quatre soldats sonnant des trompettes et clairons d'argent ; puis, au milieu de quatre laquais vêtus mi-partie de velours cramoisi et de soie jaune, messire Georges d'Amboise et monseigneur le duc de Valentinois, lequel était monté sur un grand et beau coursier, harnaché fort richement, avec une robe de satin rouge et de drap d'or mi-partie, toute brodée d'or et de pierreries : à son bonnet était un double rang de rubis, gros comme des fèves, qui jetaient une si riche lueur, qu'on les eût pris pour ces escarboucles qu'on ne trouve que dans les Mille et une Nuits : il portait en outre au cou un collier qui valait bien deux cent mille livres ; enfin il n'y avait point jusqu'à ses bottes qui ne fussent toutes lacées de cordon d'or et brodées de perles. Quant à son cheval, il était couvert d'une cuirasse de feuilles d'or d'une admirable orfèvrerie, de laquelle sortaient, comme des fleurs, des bouquets de perles et des grappes de rubis.

Enfin, pour faire queue à tout ce magnifique cortège, derrière le duc venaient vingt-quatre mulets couverts de caparaçons rouges à ses armoiries, et portant la vaisselle d'argent, les tentes et le bagage.

Mais ce qui donnait à toute cette cavalcade un air de luxe merveilleux, c'est que tous ces mulets, ces mules et ces chevaux étaient ferrés avec des fers d'or si mal cloués, que plus des trois quarts restèrent en chemin ; luxe d'ailleurs dont fut fort blâmé César, que l'on trouva bien hardi de mettre ainsi aux pieds de ses chevaux un métal avec lequel on fait la couronne des rois.

Au reste, toute cette pompe manqua son effet sur celle pour qui elle avait été déployée ; car, lorsqu'on eut dit à dona Carlotta que c'était dans l'espérance de devenir son mari que César Borgia était venu en France, elle ne répondit rien autre chose, sinon qu'elle ne prendrait jamais pour époux non seulement un prêtre, mais encore un fils de prêtre ; non seulement un assassin, mais encore un fratricide ; non seulement un homme infâme par sa naissance, mais plus infâme encore par ses mœurs et ses actions.

Mais, à défaut de la fière Aragonaise, César Borgia trouva bientôt une autre princesse de noble sang qui consentit à devenir sa femme : c'était mademoiselle d'Albret, fille du roi de Navarre ; le mariage, arrêté à la condition que le pape donnerait deux cent mille ducats de douaire à la future et ferait son frère cardinal, fut célébré le 10 mai ; et le jour de la Pentecôte suivant le duc de Valentinois reçut l'ordre de Saint-Michel, ordre fondé par Louis XI, et qui, à cette époque, était le plus estimé qu'eussent les rois de France. La nouvelle de ce mariage, qui assurait à Rome l'alliance de

Louis XII, fut reçue avec une grande joie par le pape qui ordonna aussitôt par toute la ville des feux et des illuminations.

Louis XII, de son côté, outre la reconnaissance qu'il avait au pape d'avoir cassé son union avec madame Jeanne de France et autorisé son mariage avec Anne de Bretagne, regardait comme indispensable à ses projets sur l'Italie d'avoir le pape pour son allié : aussi fit-il la promesse au duc de Valentinois de mettre, aussitôt qu'il serait entré dans Milan, trois cents lances à sa disposition, pour les employer dans ses intérêts particuliers et contre qui il lui plairait, excepté contre les alliés de la France. Quant à la conquête de Milan, elle devait être entreprise aussitôt que Louis XII serait assuré de l'appui ou même de la neutralité des Vénitiens auxquels il avait envoyé des ambassadeurs autorisés à leur promettre en son nom la remise de Crémone et de Ghiera d'Adda, aussitôt qu'il aurait conquis la Lombardie.

Tout secondait donc au dehors la politique envahissante d'Alexandre VI, lorsqu'il fut forcé de détourner les yeux de la France pour les ramener sur le centre de l'Italie : c'est qu'au milieu de Florence il y avait un homme sans duché, sans couronne, sans épée, n'ayant d'autre puissance que celle de son génie, d'autre armure que sa pureté, et d'autre arme offensive que sa parole, et qui commençait à devenir plus dangereux pour lui que ne pouvaient l'être tous les rois, ducs ou princes de la terre ; cet homme était le pauvre moine dominicain Jérôme Savonarole, le même qui avait refusé l'absolution à Laurent de Médicis parce qu'il n'avait point voulu rendre la liberté à sa patrie.

Jérôme Savonarole avait prédit l'entrée des ultramontains en Italie, et Charles VIII avait conquis Naples ; Jérôme Savonarole avait prédit à Charles VIII qu'en

156

punition de ce qu'il n'accomplissait pas la mission libératrice qu'il avait reçue de Dieu, il était menacé d'un grand malheur, et Charles VIII était mort ; enfin, pareil à l'homme qui, tournant autour de la ville sainte, avait crié pendant huit jours : « Malheur à Jérusalem ! » et le neuvième jour cria : « Malheur à moi-même ! » Savonarole avait prédit sa propre chute ; mais, incapable de reculer devant le danger, le réformateur florentin n'en était pas moins résolu à attaquer le colosse d'abomination assis sur le siège de saint Pierre ; de sorte qu'à chaque débauche nouvelle, ou à chaque crime nouveau qui était apparu effrontément au jour, ou qui avait essayé de se cacher honteusement dans la nuit, il avait montré du doigt au peuple, en le poursuivant de son anathème, cet enfant de la luxure ou de l'ambition pontificale. Ainsi il avait flétri de sa censure les nouvelles amours d'Alexandre VI avec la belle Julia Farnèse, qui, au mois d'avril, venait d'ajouter un fils à la famille du pape ; ainsi il avait poursuivi de ses malédictions le meurtre du duc de Gandie, ce fratricide causé par la jalousie d'un incestueux ; enfin, il montrait à ses compatriotes, exclus de la ligue qui se formait en ce moment, le sort qui les attendait lorsque les Borgia, maîtres des petites principautés, en viendraient à s'attaquer aux duchés ou aux républiques. C'était donc un ennemi à la fois spirituel et temporel qui s'élevait contre lui et dont il fallait faire taire la voix importune et menaçante, à quelque prix que ce fût.

Cependant, si grande que fût la puissance du pape, ce n'était pas chose facile à accomplir qu'un pareil dessein. Savonarole, qui prêchait les austères principes de la liberté, avait réuni, même au milieu de la riche et voluptueuse Florence, un parti considérable connu sous le nom des *Piangioni*, ou des *Pénitents* : il se composait des citoyens qui, désirant à la fois une réforme dans l'État et dans l'Église, accusaient en même temps les Médicis d'avoir asservi la patrie, et les Borgia d'avoir ébranlé la foi, et demandaient que la république fût ramenée à son principe populaire et la religion à sa simplicité primitive. Au reste, sur le premier de ces points il avait déjà fait de grands progrès, puisque, en dépit des deux autres factions, celle des *Arrabbiati*, ou *Enragés*, qui, composée de jeunes patriciens les plus riches et les plus nobles de Florence, voulait un gouvernement oligarchique, et celle des *Bigi*, ou des *Gris*, qui désiraient le retour des Médicis, et que l'on nommait ainsi parce qu'ils conspiraient dans l'ombre, ils avaient successivement obtenu l'amnistie de tous les crimes et délits commis sous les autres gouvernements, l'abolition de la balie, qui était un pouvoir aristocratique, l'établissement d'un conseil souverain, composé de dix-huit cents citoyens, et les élections populaires substituées au tirage au sort, ou au choix oligarchique.

La première mesure qu'employa Alexandre VI contre la puissance croissante de Savonarole fut de le déclarer hérétique, et, comme tel, de lui interdire la chaire ; mais Savonarole avait éludé cette défense en faisant prêcher à sa place Dominique Bonvicini de Pescia, son disciple et son ami. Il en résulte que les préceptes du maître changeaient de bouche, et voilà tout, et que la semence, pour être répandue par une autre main, n'en tombait pas moins dans une terre fertile et ardente à la faire éclore. D'ailleurs Savonarole, posant pour l'avenir l'exemple que Luther suivit si heureusement, lorsque vingt-deux ans plus tard il fit brûler à Vittenberg la bulle d'excommunication de Léon X, avait, se lassant de son silence, bientôt déclaré, sur l'autorité du pape Pélage, qu'une excommunication injuste était sans efficacité, et que celui qui en était frappé n'avait pas même besoin de s'en faire absoudre.

En conséquence, il avait déclaré, le jour de Noël de l'année 1497, que le Seigneur lui inspirait de secouer l'obéissance, attendu la corruption du maître, et avait recommencé à prêcher dans l'église cathédrale avec un succès d'autant plus grand, que ses sermons avaient été interrompus, et une influence d'autant plus formidable, qu'elle s'appuyait sur les sympathies qu'inspire toujours aux masses une injuste persécution.

Alexandre VI alors, pour obtenir justice du rebelle, s'adressa à Léonard de Médicis, vicaire de l'archevêché de Florence, qui, en obéissance aux ordres reçus de Rome, publia un mandement pour empêcher les fidèles de suivre les prédications de Savonarole. D'après ce mandement, ceux qui écouteraient la parole de l'excommunié ne seraient point reçus à la confession ni à la communion, et comme, s'ils mouraient, ils seraient entachés d'hérésie, attendu leur commerce spirituel avec un hérétique, leurs corps devaient être traînés sur la claie et privés de sépulture. Savonarole en appela à la fois du mandement de son supérieur au peuple et à la seigneurie, et les deux pouvoirs réunis donnèrent, au commencement de l'année 1498 ordre au vicaire épiscopal de sortir de Florence dans le délai de deux heures.

Cette expulsion de Léonard de Médicis fut un nouveau triomphe pour Savonarole : aussi, voulant faire tourner au profit de l'amélioration des mœurs son influence croissante, il résolut de changer le dernier jour du carnaval, jour jusqu'alors consacré aux plaisirs mondains, en un jour de contrition religieuse. En effet, le jour même du mardi gras, un nombre considérable d'enfants, s'étant réunis devant l'église cathédrale, se divisa par troupes, qui, parcourant la ville, entrèrent de maison en maison, réclamant les livres profanes, les peintures voluptueuses, les luths et les harpes, les cartes et les dés à jouer, les cosmétiques et les parfums, enfin tous ces mille produits d'une civilisation et d'une société corrompue, à l'aide de laquelle Satan fait parfois si victorieusement la guerre à Dieu. Et les habitants de Florence, obéissant à cette injonction, vinrent apporter sur la place du Dôme toutes ces œuvres de perdition, qui eurent bientôt formé un immense bûcher, auquel les jeunes réformateurs mirent le feu en chantant des hymnes et des psaumes religieux. C'est là que furent brûlés un grand nombre d'exemplaires de Boccace, du *Morgante Maggiore*, et les tableaux de Fra Bartolomeo, qui, à compter de ce jour, renonça à la peinture mondaine pour consacrer entièrement son pinceau à la reproduction des scènes religieuses.

Une pareille réforme devenait effrayante pour Alexandre ; aussi résolut-il de combattre Savonarole à l'aide des mêmes armes avec lesquelles il attaquait, c'est-à-dire par l'éloquence. Il choisit pour lui tenir tête un prédicateur d'un talent reconnu, nommé frère François de Pouille ; et il l'envoya à Florence, où il commença à prêcher dans l'église de Sainte-Croix, accusant Savonarole d'hérésie et d'impiété. En même temps le pape, par un nouveau bref, déclara à la seigneurie que, si elle n'interdisait point la parole à l'hérésiarque, tous les biens des marchands florentins situés sur le territoire pontifical seraient confisqués, et la république mise en interdit et déclarée ennemie spirituelle et temporelle de l'Église. La seigneurie, abandonnée par la France, et voyant croître d'une manière effrayante la puissance matérielle de Rome, fut forcée de céder cette fois, et intima à Savonarole l'ordre de cesser de prêcher. Savonarole obéit, et prit congé de son auditoire par un discours plein d'éloquence et de fermeté.

Cependant la retraite de Savonarole, au lieu de calmer la fermentation, l'avait augmentée : on parlait de ses prophéties réalisées ; et des sectaires plus ardents que le maître, passant de l'inspiration au miracle, disaient tout haut que Savonarole avait offert de descendre dans les tombeaux de l'église cathédrale avec son antagoniste, et là comme preuve que sa doctrine était vraie, de ressusciter un mort, promettant de s'avouer vaincu si le miracle était fait par son adversaire. Ces bruits revinrent à frère François de Pouille, et, comme c'était un de ces hommes à passions ardentes, qui comptent la vie pour rien quand le sacrifice de leur vie peut être utile à leur cause, il déclara, dans son humilité, qu'il se regardait comme un trop grand pécheur pour que Dieu lui accordât la grâce d'opérer un miracle ; mais il proposa un autre défi, qui était d'entrer avec Savonarole dans un bûcher ardent. Il savait qu'il y devait périr, disait-il ; mais au moins il périrait en vengeant la cause de la religion, puisqu'il était certain d'entraîner avec lui le tentateur, qui précipitait tant d'âmes avec la sienne dans la damnation éternelle.

La proposition faite par le frère François fut rapportée à Savonarole ; mais, comme il n'avait pas proposé le premier défi, il hésitait à accepter le second, lorsque son disciple, frère Dominique Bonvicini, plus confiant que lui-même dans sa propre puissance, déclara qu'il était prêt à accepter à la place de son maître l'épreuve du feu, certain qu'il était que Dieu ferait un miracle à l'intercession de son prophète. À l'instant même le bruit se répandit dans Florence que le défi mortel était accepté : les partisans de Savonarole, qui étaient tous des hommes convaincus, ne doutaient pas du triomphe de leur cause. Ses ennemis étaient enchantés de voir un hérétique se livrer lui-même aux flammes ; enfin les indifférents voyaient dans l'épreuve un spectacle plein d'un terrible intérêt.

Mais le dévouement de frère Bonvicini de Pescia ne faisait pas le compte de frère François de Pouille : il voulait bien mourir d'une mort terrible, mais à la condition que Savonarole meure avec lui. En effet, que lui importait la mort d'un disciple obscur comme frère Bonvicini ? c'était le maître qu'il fallait frapper, c'était le chef de la doctrine qu'il fallait entraîner dans sa chute. Il déclara donc qu'il n'entrerait dans le bûcher qu'avec Savonarole lui-même, et n'accepterait jamais, jouant ce terrible jeu pour son compte, que son adversaire le jouât par procuration.

Alors il arriva une chose à laquelle, certes, on n'eût pas dû s'attendre, c'est qu'à la place de frère François de Pouille, qui ne voulait jouter qu'avec le maître, deux moines franciscains se présentèrent pour jouter avec le disciple. C'étaient frère Nicolas de Pilly et frère André Rondinelli. Aussitôt les partisans de Savonarole, voyant ce renfort arriver à leurs antagonistes se présentèrent en foule pour tenter l'épreuve. Les Franciscains, de leur côté, ne voulurent pas rester en arrière, et chacun prit parti, avec la même ardeur, pour l'un et pour l'autre. Florence tout entière semblait une loge d'insensés : chacun voulait le bûcher, chacun demandait à passer dans le feu ; ce n'étaient plus des hommes seulement qui se défiaient entre eux, c'étaient des femmes et des enfants, qui demandaient à faire l'épreuve. Enfin la seigneurie, réservant leurs droits aux premiers engagés, ordonna que le duel étrange aurait lieu seulement entre frère Dominique Bonvicini et frère André Rondinelli ; dix citoyens devaient en régler les détails. Quant au jour fixé, ce fut le 7 avril 1498, et le lieu la place du Palais.

Les juges du camp firent leurs dispositions en gens de conscience : grâce à leurs soins, un échafaud fut dressé à l'endroit indiqué : il avait cinq pieds de hauteur, dix de largeur, et quatre-vingts de longueur. Sur cet échafaud tout couvert de fagots et de bruyères, maintenus par des barrières faites du bois le plus sec que l'on avait pu trouver, on avait ménagé deux étroits sentiers de deux pieds de large au plus, et de soixante-dix pieds de long, dont l'entrée donnait sur la Loggia dei Lanzi, et la sortie à l'extrémité opposée. Quant à la Loggia, elle avait été elle-même séparée en deux par une cloison, afin que chaque champion eût une espèce de chambre pour faire ses préparatifs, comme au théâtre chaque acteur a sa loge pour s'habiller ; seulement ici la tragédie qu'on allait jouer n'était pas une fiction.

Les Franciscains arrivèrent sur la place et entrèrent dans la partie qui leur était réservée sans aucune démonstration religieuse, tandis qu'au contraire Savonarole se rendit à la sienne processionnellement, couvert des habits sacerdotaux avec lesquels il venait de célébrer l'office divin, et tenant en main la sainte hostie, que tout le monde pouvait voir, attendu que le tabernacle qui la renfermait était de cristal. Quant à frère Dominique Bonvicini de Pescia, le héros de la fête, il suivait avec un crucifix, et tous les moines dominicains, tenant une croix rouge à la main, marchaient derrière lui en psalmodiant, et derrière les citoyens les plus considérables de leur parti, tenant des torches à la main ; car, sûrs qu'ils étaient du triomphe de leur cause, ils voulaient eux-mêmes mettre le feu au bûcher. Quant à la place, elle était encombrée d'une telle foule, qu'elle se dégorgeait dans toutes les rues. Les portes et les fenêtres ne présentaient que des têtes superposées les unes aux autres ; les terrasses étaient couvertes de monde, et l'on apercevait des curieux jusque sur le toit du dôme et sur la plate-forme du campanile.

Cependant, en face de l'épreuve, les Franciscains élevèrent de telles difficultés, qu'il était évident que leur champion commençait à faiblir. La première crainte exprimée par eux fut que le frère Bonvicini pouvait être un enchanteur, et, comme tel, avoir sur lui quelque talisman ou quelque charme qui le garantît du feu. Ils exigèrent donc qu'il fût dépouillé de tous ses habits et qu'il en revêtît d'autres, qui seraient visités par les témoins. Frère Bonvicini ne fit aucune objection, si humiliant que fût un pareil soupçon, et changea de chemise, de robe et de froc. Alors, comme les Franciscains virent que Savonarole lui remettait en main le tabernacle, ils s'écrièrent que c'était une profanation, que d'exposer la sainte hostie à être brûlée ; que cela n'était point dans les conventions, et que, si Bonvicini ne renonçait pas à cette aide surnaturelle, ils renonceraient, eux, à l'épreuve. Savonarole répondit qu'il n'y avait rien d'étonnant, le champion de la foi ayant mis sa confiance en Dieu, qu'il portât entre ses mains le même Dieu dont il attendait son salut. Cette réponse ne satisfit point les Franciscains, qui ne voulurent pas démordre de leur prétention. Savonarole, de son côté, demeura inflexible dans son droit ; de sorte que, près de quatre heures s'écoulant ainsi en discussions où personne ne voulait céder, les choses demeurèrent dans le même état. Pendant ce temps, le peuple, amassé depuis le point du jour dans les rues, sur les terrasses, sur les toits, souffrant de la faim et de la soif, commençait à s'impatienter, et son impatience se traduisait en murmures qui arrivaient jusqu'aux champions ; si bien que les partisans de Savonarole, certains d'un miracle, tant ils avaient foi en lui, le suppliaient de céder sur toutes les conditions. Savonarole répondit à cela que, si c'était lui qui tentât l'épreuve, il se montrerait plus facile ; mais que, comme c'était un autre qui courait le danger, il ne pouvait prendre trop de précautions. Deux heures se passèrent encore, pendant lesquelles ses partisans essayèrent en vain de combattre ses refus. Enfin, comme la nuit avançait, que le peuple s'impatientait de plus en plus, et que ses murmures commençaient à devenir menaçants, Bonvicini déclara qu'il était prêt à traverser le bûcher sans tenir autre chose à la main qu'un crucifix. C'était une demande qu'on ne pouvait lui refuser ; aussi frère Rondinelli fut-il forcé d'accepter la proposition. On annonça donc au peuple que les champions étaient tombés d'accord, et que l'épreuve allait avoir lieu. À cette annonce le peuple se calma, dans l'espoir d'être enfin dédommagé de sa longue attente ; mais, en ce moment même, un orage qui depuis longtemps s'amassait sur Florence éclata avec une telle force, qu'en un instant le bûcher, auquel on venait de mettre le feu, se trouva éteint par la pluie, sans qu'il fût possible de le rallumer. Dès lors la foule se crut jouée, son enthousiasme se tourna en mépris ; ignorant de quel côté étaient venues les difficultés qui avaient retardé l'épreuve, elle en fit retomber la responsabilité sur les deux champions. La seigneurie, qui prévoyait les désordres qui allaient avoir lieu, ordonna à l'assemblée de se retirer ; mais l'assemblée n'en fit rien, et demeura sur la place, attendant, malgré la pluie affreuse qui tombait par torrents, la sortie des deux champions. Rondinelli fut reconduit au milieu des huées et poursuivi à coups de pierre. Quant à Savonarole, grâce à ses habits sacerdotaux et au saint-sacrement qu'il tenait à la main, il passa assez tranquillement au milieu de cette populace ; miracle aussi remarquable que s'il fût passé au milieu du bûcher.

Mais c'était la majesté seule de l'hostie sainte qui avait protégé celui que, de ce moment, l'on regarda comme un faux prophète ; et c'était à grand regret que la foule, excitée par le parti des *Arrabbiati*, qui depuis longtemps proclamaient Savonarole menteur et hypocrite, l'avait laissé rentrer à son couvent. Aussi, lorsque, le lendemain, qui était le dimanche des Rameaux, il monta en chaire pour expliquer sa conduite, ne put-il pas, au milieu des injures, des huées et des rires, obtenir un seul instant de silence. Bientôt même les cris, de moqueurs qu'ils étaient, devinrent menaçants : Savonarole, dont la voix était trop faible, ne put dominer le tumulte, descendit de la chaire, se retira dans la sacristie, puis de la sacristie rentra dans son couvent et s'enferma dans sa cellule. Au même instant un cri se fit entendre, qui fut répété aussitôt par tout ce qu'il y avait d'assistants : « À Saint-Marc ! à Saint-Marc ! » Ce noyau d'insurrection se recruta, en traversant les rues, de toute la populace, et arriva battre les murs du couvent, pareil à une mer qui monte. Bientôt les portes, fermées à son approche, craquèrent sous cet effort puissant de la multitude, qui broie à l'instant même tout ce qu'elle touche ; le flot populaire se répandit en une seconde par tout le couvent, et Savonarole, et ses deux adeptes Dominique Bonvicini et Silvestre Maruffi, arrêtés dans leurs cellules furent conduits à la prison au milieu de la populace, qui, toujours extrême dans son enthousiasme comme dans sa haine, voulait les mettre en pièces, et qu'on ne calma qu'en lui promettant de faire exécuter de force aux prisonniers l'épreuve qu'ils avaient refusé de faire de bonne volonté.

Alexandre VI, qui, comme on le pense, n'avait point été étranger, sinon de sa personne, du moins par son influence, à ce rapide et étrange revirement, eut à peine appris la chute et l'arrestation de Savonarole, qu'il le réclama comme relevant de la justice ecclésiastique. Mais, malgré les indulgences dont le pape accompagnait cette demande, la seigneurie exigea que le procès de Savonarole fût instruit à Florence ; et, pour ne point paraître entièrement soustraire le coupable à la juridiction pontificale, elle demanda au pape d'adjoindre au tribunal florentin deux juges ecclésiastiques. Alexandre VI, voyant qu'il n'obtiendrait pas autre chose de la magnifique république, députa auprès d'elle Joachim Turriano de Venise, général des Dominicains, et François Ramolini, docteur en droit : ils étaient d'avance porteurs de la teneur du jugement, qui déclarait Savonarole et ses complices hérétiques, schismatiques, persécuteurs de la sainte Église et séducteurs des peuples.

Au reste, cette fermeté des Florentins dans la réclamation de leurs droits comme juges n'était qu'une vaine démonstration pour sauver les apparences : le tribunal était composé de huit membres, tous connus pour ardents ennemis de Savonarole, dont le procès avait commencé par la torture. Il en résulta que Savonarole, faible de corps et d'une constitution irritable et nerveuse, n'avait pu soutenir la question de la corde, et, vaincu par la douleur au moment où, enlevé de terre par les poignets, le bourreau l'avait laissé retomber jusqu'à deux pieds du sol, il avait avoué, pour obtenir quelque relâche, que ses prophéties étaient de simples conjectures. Il est vrai qu'aussitôt rentré dans sa prison, il avait protesté contre cet aveu, disant que c'était la faiblesse de ses organes et son peu de constance à supporter les tourments qui lui avaient arraché ce mensonge ; mais que la vérité était que le Seigneur lui était plusieurs fois apparu dans ses extases, et lui avait révélé les choses qu'il avait dites. Cette protestation avait amené une nouvelle application à la torture ; application pendant laquelle Savonarole avait succombé de nouveau à la force de la douleur et s'était rétracté. Mais, à peine délié, et comme il était encore couché sur le matelas de la question, il déclara que ses aveux étaient l'œuvre de ses bourreaux et retomberaient sur leurs têtes ; mais que, quant à lui, il protestait de nouveau contre tout ce qu'il avait pu et pourrait dire. En effet, la torture avait pour la troisième fois ramené les mêmes aveux, et le repos qui l'avait suivie la même rétractation ; de sorte que les juges, après l'avoir condamné, lui et ses deux disciples, au feu, décidèrent que sa confession ne serait pas lue à haute voix sur le bûcher, comme c'était la coutume, certains qu'ils étaient que, cette fois comme les autres, elle serait démentie par lui et démentie publiquement ; ce qui pouvait être, pour quiconque connaît l'esprit versatile de la multitude, une chose du plus mauvais effet.

Le 23 mai, le bûcher qui avait été promis au peuple s'éleva de nouveau sur la place du palais, et cette fois la multitude se rassembla, certaine qu'elle ne serait pas frustrée de ce spectacle si longtemps attendu. En effet, vers les onze heures du matin, Jérôme Savonarole, Dominique Bonvicini et Silvestre Maruffi furent amenés sur le lieu de l'exécution, et, après avoir été dégradés de leurs ordres par les juges ecclésiastiques, furent, au centre d'une immense pile de bois, attachés tous trois au même pieu. Alors l'évêque Pagnanoli déclara aux condamnés qu'il les séparait de l'Église. « De la militante ? » répondit Savonarole, qui dès cette heure entrait en effet, grâce à son martyre, dans l'Église triomphante. Ce fut tout ce que dirent les condamnés ; car, en ce moment, un *Arrabbiato*, ennemi personnel de Savonarole, ayant franchi la haie que formaient les gardes autour de l'échafaud, arracha la torche des mains du bourreau, et mit lui-même le feu aux quatre coins du bûcher. Quant à Savonarole et à ses disciples, dès qu'ils virent la fumée s'élever, ils se mirent à chanter un psaume, et la flamme les enveloppait déjà de tous côtés de son voile ardent, que l'on entendait encore le chant religieux, qui alla frapper pour eux à la porte du ciel.

Ainsi se trouva débarrassé du plus terrible ennemi qui se fût jamais levé contre lui peut-être le pape Alexandre VI ; aussi, la vengeance pontificale poursuivit-elle les condamnés jusque après leur mort : la seigneurie, cédant à ses instances, avait donné des ordres pour que les cendres du prophète et de ses disciples fussent jetées dans l'Arno ; mais quelques ossements à demi-brûlés furent recueillis par les soldats mêmes qui avaient mission d'empêcher le peuple d'approcher du bûcher, et ces reliques saintes, aujourd'hui encore, sont exposées, toutes noircies par les flammes, à l'adoration des fidèles, qui, s'ils ne regardent plus Savonarole comme un prophète, le regardent au moins comme un martyr.

Cependant l'armée française s'apprêtait une seconde fois à passer les Alpes sous le commandement de Jacques Trivulce. Le roi Louis XII était venu accompagner jusqu'à Lyon César Borgia et Julien della Rovere, qu'il avait forcés de se réconcilier, et vers le commencement du mois de mai avait fait partir devant lui son avant-garde, que suivit bientôt le corps d'armée. Les forces du roi de France pour cette seconde conquête se composaient de seize cents lances, de cinq mille Suisses, de quatre mille Gascons, et de trois mille cinq cents soldats de pied, levés dans toutes les parties de la France. Le 13 août, toute cette assemblée, qui montait à quinze mille hommes à peu près, et qui devait combiner ses mouvements avec ceux des Vénitiens, arriva sous les murs d'Arezzo, et mit aussitôt le siège devant la ville.

La position de Ludovic Sforza était terrible, et il portait à cette heure la peine de l'imprudence qu'il avait commise en appelant les Français en Italie : tous les alliés sur lesquels il croyait pouvoir compter lui manquaient à la fois, soit qu'ils fussent occupés de leurs propres affaires, soit qu'ils fussent intimidés par le puissant ennemi que s'était fait le duc de Milan. En effet, Maximilien, qui lui avait promis de lui envoyer quatre cents lances, au lieu de reprendre les hostilités interrompues avec Louis XII, venait de se liguer avec le cercle de Souabe pour faire la guerre aux Suisses, qu'il avait déclarés rebelles à l'empire. Les Florentins, qui s'étaient engagés à lui founir trois cents hommes d'armes et deux mille hommes d'infanterie s'il voulait les aider à reprendre Pise, venaient de retirer leur parole sur les menaces que leur avait faites Louis XII, et avait promis à ce souverain de rester neutres. Enfin Frédéric, qui gardait ses troupes pour ses propres États, parce qu'il se figurait avec raison que, Milan conquise, il aurait de nouveau à défendre Naples, ne lui envoyait, malgré ses promesses, aucun secours, ni d'hommes ni d'argent. Ludovic Sforza en était donc réduit à ses propres forces.

Cependant, comme c'était un homme puissant dans les armes et habile dans la ruse, il ne se laissa point abattre du premier coup, et fit fortifier en toute diligence Annone, Novare et Alexandrie, envoya Cajazzo avec quelques troupes dans la partie du Milanais qui confine aux États de Venise, et ramena sur le Pô tout ce qu'il avait de forces. Mais ces précautions furent inutiles contre l'impétuosité française : en quelques jours Arezzo, Annone, Novare, Voghéra, Castelnuovo, Ponte-Corona, Tortone et Alexandrie furent prises, et Trivulce marcha sur Milan.

En voyant cette conquête rapide et ces victoires multipliées, Ludovic Sforza, désespérant de tenir dans sa capitale, résolut de se retirer en Allemagne avec ses enfants, le cardinal Ascanio son frère, et son trésor, qui en huit ans était tombé de quinze cent mille à deux cent mille ducats. Mais avant de partir il laissa la garde du château de Milan à Bernardino da Corte. En vain ses amis lui dirent de se défier de cet homme, en vain son frère Ascani s'offrit-il de s'enfermer dans cette forteresse, s'engageant à y tenir jusqu'à la dernière extrémité : Ludovic ne voulut rien changer à cette disposition, et partit le 2 septembre, laissant dans la citadelle trois mille hommes de pied, et assez de vivres, de munitions et d'argent, pour soutenir un siège de plusieurs mois.

Le surlendemain de ce départ, les Français passèrent à Milan. Dix jours après, sans qu'il fût tiré contre lui un seul coup de canon, Bernardino da Corte rendit le château. Vingt et un jours avaient suffi aux Français pour s'emparer des places de la capilale et de tous les États de leur ennemi.

Louis XII reçut à Lyon la nouvelle du succès de ses armes, et partit aussitôt pour Milan, où il fut accueilli avec toutes les démonstrations d'une joie sincère. Tous les ordres de citoyens s'étaient avancés jusqu'à trois milles hors des portes pour le recevoir, et quarante enfants, revêtus de drap d'or et de soie, le précédèrent en chantant des hymnes des poètes de l'époque, qui l'appelaient le roi libérateur et l'envoyé de la liberté. Cette grande joie des Milanais venait de ce que les partisans de Louis XII avaient répandu d'avance le bruit que le roi de France était assez riche pour abolir tous les impôts. En effet, dès le lendemain de son entrée dans la ville, le vainqueur fit sur eux une légère réduction, accorda de grandes grâces à plusieurs gentilshommes milanais, et donna à Trivulce, pour le récompenser de cette rapide et glorieuse campagne, la ville de Vigavano.

Cependant César Borgia, qui avait suivi Louis XII pour avoir sa part de la grande curée italienne, le vit à peine arrivé au but qu'il se proposait, qu'il réclama de lui la promesse qu'il lui avait faite, promesse que le roi de France, avec sa loyauté toute proverbiale, se hâta d'accomplir. En effet, il mit à l'instant même à la disposition de César Borgia trois cents lances, commandées par Yves d'Alègre, et quatre mille Suisses, sous les ordres du bailli de Dijon, pour l'aider à réduire *les vicaires de l'Église*.

Expliquons à nos lecteurs ce que c'était que les nouveaux personnages que nous introduisons en scène et que nous désignons sous ce nom.

Pendant les éternelles guerres des Guelfes et des Gibelins, et pendant le long exil des papes à Avignon, la plupart des villes ou des forteresses de la Romagne avaient été conquises ou usurpées par de petits tyrans, qui avaient pour la plupart reçu de l'empire l'investiture de leurs nouvelles possessions ; mais depuis que l'influence allemande avait repassé les monts, et que les papes avaient refait de Rome le centre du monde chrétien, tous ces petits princes, privés de leur appui primitif, s'étaient ralliés au saint-siège, avaient reçu une nouvelle investiture des mains pontificales, et payaient une redevance annuelle, grâce à laquelle ils recevaient le titre particulier de ducs, de comtes ou de seigneurs, et la dénomination générale de *vicaires de l'Église*.

Or il avait été facile à Alexandre VI, en relevant scrupuleusement les faits et gestes de chacun de ces messieurs depuis sept ans, c'est-à-dire depuis son exaltation au trône de saint Pierre, de trouver dans la conduite de chacun d'eux quelque petite infraction au traité passé entre les vassaux et le suzerain ; il avait donc présenté ses griefs devant un tribunal établi à cet effet, et obtenu des juges sentence, qui déclarait que les vicaires de l'Église, ayant manqué aux conditions de leur investiture, étaient dépouillés de leurs domaines, qui rentraient en la possession du saint-siège ; mais comme le pape avait affaire à des hommes contre lesquels il était plus facile de porter un pareil jugement que de l'exécuter, il avait nommé, pour son capitaine général, et avec charge de les recouvrer pour lui-même, le nouveau duc de Valentinois.

Ces seigneurs étaient les *Malatesta* de Rimini, les *Sforza* de Pesaro, les *Manfredi* de Faenza, les *Riarii* d'Imola et de Forli, les *Varani* de Camerino, les *Montefeltri* d'Urbin, et les *Caetani* de Sermonetta.

Cependant le duc de Valentinois, pour entretenir dans toute sa chaleur la bonne amitié que lui portait son parent et allié Louis XII, était, comme nous l'avons dit, resté avec lui à Milan pendant le temps de son séjour en cette ville ; mais après un mois d'occupation en personne, le roi de France ayant repris le chemin de sa capitale, le duc de Valentinois donna ordre à ses hommes d'armes et à ses Suisses d'aller l'attendre entre Parme et Modène, et partit en poste pour Rome, afin d'exposer de vive voix ses projets à son père et de prendre ses dernières instructions.

Il trouva en arrivant que la fortune de sa sœur Lucrèce avait fort grandi pendant son absence, non pas du côté de son mari Alphonse, dont, au contraire, grâce aux succès du roi Louis XII, l'avenir était fort certain, ce qui avait amené un refroidissement entre lui et Alexandre, mais du côté de son père, sur lequel elle exerçait à cette heure une influence plus merveilleuse que jamais. En effet, le pape avait déclaré Lucrèce Borgia d'Aragon gouvernante à vie de Spolète et de son duché, avec tous les émoluments, droits et rentes qui en dépendaient ; charge qui avait tellement accru sa puissance et agrandi sa position, qu'elle ne se montrait plus en public qu'avec un cortège de deux cents chevaux, montés par les plus illustres dames et les plus nobles cavaliers de Rome. De plus, comme le double amour de son père pour elle n'était un secret pour personne, les premiers prélats de l'Église, les habitués du Vatican, les intimes de sa sainteté, s'étaient faits ses plus humbles serviteurs ; si bien qu'on voyait des cardinaux lui donner la main quand elle descendait de sa litière ou de son cheval, et que des archevêques se disputaient l'honneur de lui dire la messe dans ses appartements.

Cependant il avait fallu que Lucrèce quittât Rome pour prendre possession de ses nouveaux États ; mais comme son père ne pouvait se passer longtemps de la présence de sa fille chérie, il résolut de se mettre en possession de la ville de Nepi, qu'il avait autrefois donnée, comme on se le rappelle sans doute, à Ascanio Sforza, pour acheter son suffrage. Ascanio avait perdu naturellement cette ville en s'attachant à la fortune de son frère, le duc de Milan ; et comme le pape allait la reprendre, il invita sa fille Lucrèce à venir l'y rejoindre et à assister aux fêtes de sa remise en possession.

L'empressement que mit Lucrèce à se rendre aux désirs de son père lui valut de sa part un nouveau don : c'était la ville et le territoire de Sermoneta, qui appartenaient aux Caetani. Il est vrai que ce don resta encore secret, attendu qu'il fallait se débarrasser d'abord des deux possesseurs de cette seigneurie, qui étaient l'un monsignor Jacomo Caetano, protonotaire apostolique, et l'autre un jeune cavalier plein d'espérances, nommé Prospero Caetano ; mais comme tous deux habitaient Rome et étaient sans défiance, se croyant, l'un par sa place, l'autre par son courage, en pleine faveur près de sa sainteté, on jugea que la chose ne présentait pas grande difficulté. En effet, aussitôt le retour d'Alexandre à Rome, sous prétexte de je ne sais quel délit, Jacomo Caetano fut arrêté et conduit au château Saint-Ange, où il mourut bientôt empoisonné, et Prospero Caetano fut étranglé dans sa maison. En vertu de cette double mort, si rapide qu'elle n'avait donné ni à l'un ni à l'autre le temps de faire un testament, le pape déclara Sermoneta et tous les autres biens relevant des Caetani dévolus à la chambre apostolique, laquelle chambre les vendit à Lucrèce moyennant la somme de quatre-vingt mille écus, que son père lui rendit le lendemain du jour où elle les lui avait payés. Quelque hâte qu'eût mise César Borgia, il trouva donc, en arrivant à Rome, que son père l'avait devancé dans le commencement de ses conquêtes.

Une autre fortune avait encore prodigieusement grandi pendant son séjour en France ; c'était celle de Jean Borgia, neveu du pape, et qui avait été jusqu'à sa mort l'un des plus fidèles amis du duc de Gandie. Au reste, on disait tout haut à Rome que le jeune cardinal devait les faveurs dont le comblait sa sainteté encore moins à la mémoire du frère qu'à la protection de la sœur. C'étaient deux motifs pour que Jean Borgia devînt particulièrement suspect à César : aussi fut-ce en faisant le serment intérieur de ne pas le laisser jouir longtemps de cette dignité que le duc de Valentinois apprit que son cousin Jean venait d'être nommé cardinal *a latere* de tout le monde chrétien, et était parti de Rome pour faire une tournée dans les États pontificaux avec une suite d'archevêques, d'évêques, de prélats et de cavaliers, telle qu'elle eût fait honneur au pape lui-même.

César n'était venu à Rome que pour prendre langue : aussi n'y resta-t-il que trois jours, et, emmenant toutes les forces dont sa sainteté pouvait disposer, il rejoignit son armée sur les bords de l'Enza, et marcha aussitôt avec elle sur Imola, laquelle, abandonnée de ses maîtres, qui s'étaient retirés à Forli, fut obligée de se rendre à composition. Imola prise, César marcha aussitôt sur Forli.

Là une résistance sérieuse l'arrêta ; et, cependant cette résistance venait de la part d'une femme : Catherine Sforza, veuve de Jérôme et mère d'Ottaviano Riario, s'était retirée dans cette ville, et avait exalté le courage de la garnison en se mettant, corps et biens, sous sa garde. César vit donc qu'il ne s'agissait plus là d'un coup de main, mais d'un siège en règle : aussi commença-t-il à faire toutes ses dispositions en conséquence, et, plaçant une batterie de canon en face de l'endroit où les murailles lui paraissaient les plus faibles, il ordonna de faire un feu non interrompu jusqu'à ce que la brèche fût praticable.

En revenant de donner cet ordre, il trouva au camp le cardinal Jean Borgia, qui se rendait de Ferrare à Rome, et qui n'avait point voulu passer si près de lui sans lui faire visite : César le reçut avec toute l'effusion d'une joie apparente, et le garda trois jours près de lui ; le quatrième, il réunit tous ses officiers et ses courtisans dans un grand repas d'adieu, et, ayant, chargé son cousin de dépêches pour le pape, il prit congé de lui avec toutes les marques d'affection qu'il lui avait données à son arrivée.

Le cardinal Jean Borgia avait pris la poste en sortant de table, lorsqu'en arrivant à Urbin il se trouva pris d'une indisposition si subite et si étrange, qu'il fut forcé de s'arrêter : néanmoins, au bout de quelques instants, se sentant un peu mieux, il reprit sa route ; mais, à peine entré à Rocca Contrada, il se trouva de nouveau si mal qu'il résolut de ne pas aller plus loin, et demeura deux jours dans cette ville. Enfin, sentant un peu d'amélioration dans son état, et ayant appris que Forli était prise, et que Catherine Sforza, en essayant de se retirer dans le château, avait été faite prisonnière, il résolut de retourner vers César, pour le féliciter de sa victoire ; mais à Fossombrone, quoiqu'il eût substitué une litière à sa voiture, force lui fut de s'arrêter une troisième fois, ce fut sa dernière halte ; il se coucha pour ne plus se relever ; trois jours après il était mort.

Son corps fut porté à Rome, et enseveli sans aucune pompe dans l'église de Santa-Maria-del-Popolo, où l'attendait le cadavre de son ami, le duc de Gandie, et cela sans que, malgré la haute fortune du jeune cardinal, on en parlât plus que s'il n'avait jamais existé ; car ainsi s'en allait sombrement et sans bruit tout ce qui était emporté par le torrent des ambitions de cette terrible trinité qu'on appelait Alexandre, César et Lucrèce.

Presque en même temps un autre assassinat épouvantait Rome. Don Giovanni Cerviglione, cavalier de naissance et brave soldat, capitaine des hommes d'armes de sa sainteté, fut, en revenant de souper chez don Elisée Pignatelli, chevalier de Saint-Jean, attaqué par des sbires, dont l'un lui demanda son nom, et, comme il le disait, voyant qu'il ne se trompait pas, lui enfonça son poignard dans la poitrine, tandis qu'un autre, du revers de son épée, lui abattait la tête, qui tomba aux pieds du corps avant que le corps fût tombé lui-même.

Le gouverneur de Rome porta plainte de cet assassinat au pape ; mais, ayant vu, à la manière dont sa sainteté avait reçu l'avis, que mieux aurait valu pour lui n'en point parler, il arrêta les recherches qu'il avait commencées ; de sorte qu'aucun des meurtriers ne fut arrêté. Seulement le bruit se répandit que, pendant le court séjour qu'il avait fait à Rome, César avait obtenu un rendez-vous de la femme de Cerviglione, qui était une Borgia, et que son mari, ayant appris cette infraction à ses devoirs, s'était emporté jusqu'à la menacer, elle et son amant : cette menace avait été rapportée à César, qui mettant le bras de Michelotto au bout du sien, avait de Forli frappé Cerviglione au milieu de Rome.

Une autre mort inattendue suivit de si près celle de don Giovanni Cerviglione, que l'on ne manqua point de l'attribuer sinon à la même cause, du moins à la même source. Monseigneur Agnelli de Mantoue, archevêque de Cosenza, clerc de la chambre et vice-légat de Viterbe, étant tombé, sans qu'on sût pourquoi, dans la disgrâce de sa sainteté, fut empoisonné à sa propre table, où il avait passé une partie de la nuit à causer joyeusement avec trois ou quatre convives, tandis que la mort se glissait déjà sourdement dans ses veines ; si bien que, s'étant couché en pleine santé, on le trouva le lendemain expiré dans son lit. Aussitôt trois parts furent faites de ses biens : les terres et les maisons furent au duc de Valentinois ; François Borgia, fils du pape Calixte III, eut l'évêché, et la place de clerc de la chambre fut vendue moyennant cinq mille ducats à Ventura Bennassai, marchand siennois, lequel, ayant versé cette somme entre les mains d'Alexandre, vint le même jour habiter le Vatican.

Cette dernière mort fixa un nouveau point de droit en suspens jusqu'alors : comme les héritiers de monseigneur Agnelli avaient fait quelques difficultés pour se laisser exproprier, Alexandre rendit un bref qui enlevait à tout cardinal et à tout prêtre la faculté de tester, et qui déclara que tous les biens vacants lui étaient dévolus.

Cependant César Borgia fut arrêté court au milieu de ses victoires. Grâce aux deux cent mille ducats restés dans son trésor, Ludovic Sforza avait levé cinq cents gens d'armes bourguignons et huit mille fantassins suisses, avec lesquels il était rentré en Lombardie. Trivulce avait donc été forcé, pour faire face à l'ennemi, de rappeler Yves d'Alègre et les troupes que Louis XII avait prêtées à César ; en conséquence, César mit une partie des soldats pontificaux qu'il avait amenés avec lui en garnison à Imola et à Forli, et reprit avec le reste la route de Rome.

Alexandre voulut que son entrée fût un triomphe : ayant donc appris que les fourriers de l'armée n'étaient plus qu'à quelques lieues de la ville, il fit envoyer par des coureurs l'invitation aux ambassadeurs des princes, aux cardinaux, aux prélats, aux barons romains et aux ordres de la cité, d'aller au-devant du duc de Valentinois avec toute leur suite, afin de solenniser le retour du vainqueur : or, comme la bassesse de ceux qui obéissent est toujours plus grande que l'orgueil de ceux qui commandent, ces ordres furent non seulement remplis, mais dépassés.

L'entrée de César avait eu lieu le 20 de février de l'an 1500, et quoique ce fût en pleine époque de jubilé, les fêtes du carnaval n'en commencèrent pas moins, plus bruyantes et plus licencieuses encore que d'habitude ; aussi, dès le lendemain, sous le voile d'une mascarade, le vainqueur prépara une nouvelle fête à son orgueil ; et comme s'il devait s'approprier la gloire, le génie et la fortune du grand homme dont il portait le nom, il résolut de représenter le triomphe de César sur la plaza Navona, lieu ordinaire des fêtes du carnaval. En conséquence, il partit le lendemain de cette place pour parcourir toutes les rues de Rome avec des costumes et des chars antiques, debout dans le dernier, vêtu de la robe des anciens empereurs, le front couronné du laurier d'or et entouré de licteurs, de soldats et d'enseignes, ces derniers portant des bannières où était écrite cette devise : *Aut Cæsar aut nihil.*

Enfin, le quatrième dimanche de Carême, le pape conféra à César cette dignité, si longtemps enviée par lui, de général et gonfalonier de la sainte Église.

Pendant ce temps, Sforza avait traversé les Alpes et passé le lac de Côme, au milieu des acclamations de joie de ses anciens sujets, qui avaient promptement perdu tout l'enthousiasme que leur avaient d'abord inspiré l'armée française et les promesses de Louis XII. Ces démonstrations de joie éclatèrent avec une telle force dans Milan, que Trivulce, jugeant qu'il n'y avait pas sûreté pour la garnison française à rester dans cette ville, se retira vers Novare. L'expérience lui prouva qu'il ne s'était pas trompé ; car à peine les Milanais le virent-ils faire les dispositions de son départ, qu'une sourde fermentation courut par toute la ville ; bientôt les rues se remplirent d'hommes armés. Il fallut traverser cette foule grondante l'épée à la main et la lance en arrêt ; et encore, à peine les Français eurent-ils franchi les portes, que le peuple se répandit par la campagne, poursuivant cette armée de ses cris et de ses huées jusque sur les rives du Tésin. Trivulce laissa à Novare quatre cents lances, plus les trois mille Suisses qu'Yves d'Alègre lui ramenait de la Romagne, et se dirigea avec le reste de son armée vers Mortara, où il s'arrêta enfin pour attendre le secours qu'il avait fait demander au roi de France. Derrière lui le cardinal Ascagne et le duc Ludovic rentrèrent à Milan au milieu des acclamations de toute la ville.

Ni l'un ni l'autre ne perdirent de temps, et, voulant mettre à profit cet enthousiasme, Ascagne se chargea d'assiéger le château de Milan, tandis que Ludovic passa le Tésin et vint attaquer Novare.

Assiégés et assiégeants se trouvèrent alors enfants de la même nation ; car à peine Yves d'Alègre avait-il avec lui trois cents Français, et Ludovic cinq cents Italiens. C'est qu'en effet, depuis six ans, les Suisses étaient devenus les seuls fantassins de l'Europe, et toutes les puissances indistinctement puisaient, l'or à la main, dans le vaste réservoir de leurs montagnes. Il en résultait que ces rudes enfants de Guillaume Tell, mis ainsi à l'enchère par les nations, conduits par leurs engagements divers de leurs pauvres et âpres montagnes dans les pays les plus riches et les plus voluptueux, tout en gardant leur courage, avaient perdu, au frottement des peuples étrangers, cette antique rigidité de principes qui les avait fait citer longtemps comme des modèles d'honneur et de bonne foi, et étaient devenus une espèce de marchandise toujours prête à se vendre au dernier enchérisseur. Ce furent les Français qui firent les premiers l'expérience de cette vénalité, qui devait être plus tard si fatale à Ludovic Sforza.

En effet, les Suisses de la garnison de Novare s'étant mis en communication avec ceux de leurs compatriotes qui formaient les avant-postes de l'armée ducale, et ayant appris que ceux-ci, qui ne connaissaient pas encore l'épuisement prochain du trésor de Ludovic, étaient mieux nourris et mieux payés qu'eux, s'engagèrent à livrer la ville et à passer sous les drapeaux milanais, si l'on voulait leur assurer la même solde. Ludovic, comme on le pense bien, accepta le marché. Novare lui fut remise, moins la citadelle, gardée par les Français, et l'armée ennemie se trouva recrutée de trois mille hommes. Ludovic alors fit la faute, au lieu de marcher sur Mortara avec ce nouveau renfort, de s'arrêter pour assiéger le château. Il résulta de ce délai que Louis XII, qui avait reçu les courriers de Trivulce, et qui avait compris le danger de sa position, avait hâté le départ de la gendarmerie française, déjà réunie pour passer en Italie, avait envoyé le bailli de Dijon lever de nouveaux Suisses, et avait ordonné au cardinal d'Amboise, son premier ministre, de passer les Alpes, et de s'établir à Asti pour presser le rassemblement de l'armée. Le cardinal y trouva un noyau de trois mille hommes ; La Trimouille lui amena quinze cents lances et six mille fantassins français ; enfin le bailli de Dijon y arriva avec dix mille Suisses ; de sorte qu'y compris les troupes que Trivulce avait avec lui à Mortara, Louis XII se trouva avoir au-delà des monts la plus belle armée qu'un roi de France y eût jamais mise en bataille. Aussitôt, par une marche habile, et avant même que Ludovic fût informé de son rassemblement et de sa puissance, cette armée vint se placer entre Novare et Milan, coupant au duc toute communication avec sa capitale. Force fut donc au duc, malgré son infériorité numérique, de s'apprêter à livrer une bataille.

Mais il arriva que, comme les préparatifs pour une affaire décisive se faisaient des deux côtés, la diète, qui avait été instruite que les fils des mêmes cantons étaient sur le point de s'égorger, envoya l'ordre à tous les Suisses servant, tant dans l'armée du duc de Milan que dans celle du roi de France de rompre leur engagement et de revenir dans leur patrie. Mais pendant les deux mois d'intervalle qui s'étaient écoulés entre la reddition de Novare et l'arrivée de l'armée française devant cette ville, les choses, par l'épuisement du trésor de Ludovic Sforza, avaient bien changé de face. De nouveaux pourparlers avaient eu lieu aux avant-postes, et cette fois, grâce à l'argent envoyé par Louis XII, c'étaient les Suisses au service de la France qui se trouvaient être mieux nourris et mieux payés que leurs compatriotes. Or les dignes Helvétiens, depuis qu'ils ne se battaient plus pour la liberté, savaient trop bien le prix de leur sang pour en répandre une seule goutte, si cette goutte n'était pas payée au poids de l'or : il en résulta qu'après avoir trahi Yves d'Alègre, ils se résolurent à trahir Ludovic ; et tandis que les recrues faites par le bailli de Dijon demeuraient fermes sous les drapeaux de la France, malgré l'injonction de la diète, les auxiliaires de Ludovic déclarèrent qu'en combattant contre leurs frères ils se rendaient coupables de rébellion aux ordres de la diète, et, partant, s'exposaient à une punition capitale que le payement immédiat de leur solde arriérée pourrait seul les engager à encourir. Le duc, qui avait épuisé jusqu'à son dernier ducat, et qui se trouvait séparé de sa capitale, dont une victoire seule pouvait lui rouvrir le chemin, promit aux Suisses non seulement leur solde arriérée, mais le double de cette solde, s'ils voulaient faire avec lui un dernier effort. Malheureusement cette promesse était soumise aux chances douteuses d'une bataille, et les Suisses déclarèrent que décidément ils respectaient trop leur patrie pour désobéir à ses ordres, et qu'ils aimaient trop leurs frères pour répandre gratis leur sang ; qu'en conséquence Sforza n'eût plus à compter sur eux, attendu qu'ils étaient décidés à reprendre, le lendemain même, le chemin de leurs cantons. Alors le duc, voyant que tout était perdu pour lui, et faisant un dernier appel à leur honneur, les adjura du moins de pourvoir à sa sûreté en le comprenant dans la capitulation qu'ils allaient faire. Mais ceux-ci répondirent que cette clause rendrait la capitulation sinon impossible, du moins la priverait des avantages qu'ils avaient droit d'attendre, et sur lesquels ils comptaient pour les indemniser de l'arriéré de leur solde. Cependant, faisant semblant de se laisser toucher à la fin par les prières de celui dont ils avaient si longtemps suivi les ordres, ils lui offrirent de le cacher sous leurs habits et dans leurs rangs. Cette proposition était illusoire : Sforza, étant déjà vieux et court de taille, ne pouvait manquer d'être reconnu au milieu d'hommes dont le plus âgé n'avait pas trente ans, et le plus petit moins de cinq pieds six pouces. Cependant c'était sa dernière ressource : aussi, sans la repousser tout à fait, chercha-t-il un moyen, en la modifiant, de l'employer avec efficacité. C'était de se déguiser en cordelier, et monté sur un mauvais cheval, de se faire passer pour leur chapelain ; quant à Galéas de San-Severino, qui commandait sous lui, et à ses deux frères, comme ils étaient tous trois de haute taille, ils prirent des costumes de soldats, espérant passer inaperçus dans les rangs suisses.

Ces dispositions étaient à peine arrêtées, que le duc reçut avis que la capitulation était signée entre Trivulce et les Suisses. Ceux-ci, qui n'avaient rien stipulé en faveur du duc et de ses généraux, devaient passer le lendemain avec armes et bagages au milieu des soldats français : la dernière ressource du malheureux Ludovic et de ses généraux était donc de se confier à leur déguisement. Ce fut effectivement ce qu'ils firent. San-Severino et ses frères prirent rang dans les lignes des fantassins, et Sforza, enveloppé dans sa robe de moine et son capuchon rabattu jusque sur les yeux, se plaça au milieu des bagages.

L'armée commença de défiler ; mais les Suisses, après avoir fait argent de leur sang, avaient songé à faire argent de leur honneur. Les Français étaient prévenus du déguisement de Sforza et de ses généraux. Aussi tous quatre furent-ils reconnus, et Sforza fut arrêté par La Trimouille lui-même.

On dit que le prix de cette trahison fut la ville de Bellinzona, qui appartenait aux Français, et dont les Suisses, en se retirant dans leurs montagnes, s'emparèrent sans que Louis XII fît rien par la suite pour la leur reprendre.

Lorsque Ascanio Sforza, qui, ainsi que nous l'avons dit, était resté à Milan, apprit la nouvelle de cette lâche désertion, il jugea que la partie était perdue, et que ce qu'il avait de mieux à faire était de fuir avant que par un de ces revirements si familiers à la populace, il ne se retrouvât peut-être prisonnier des anciens sujets de son frère, à qui l'idée pouvait venir de racheter leur pardon au prix de sa liberté : en conséquence, il s'enfuit nuitamment avec les principaux chefs de la noblesse gibeline, et prit la route de Plaisance, pour gagner le royaume de Naples. Mais, arrivé à Rivolta, il se souvint qu'il avait dans cette ville un vieil ami d'enfance, nommé Conrad Lando, qu'aux jours de sa puissance il avait comblé de biens ; comme lui et ses compagnons étaient extrêmement fatigués, il résolut de lui demander l'hospitalité pour une nuit. Conrad les reçut avec toutes les démonstrations de la joie la plus vive, et mit sa maison et ses serviteurs à leur disposition. Mais à peine furent-ils couchés, qu'il envoya un courrier à Plaisance, pour prévenir Carlo Orsini, qui commandait la garnison vénitienne, qu'il était prêt à lui livrer le cardinal Ascanio et les principaux chefs de l'armée milanaise. Carlo Orsini, ne voulant remettre à personne une expédition de cette importance, monta aussitôt à cheval avec vingt-cinq hommes, et, ayant fait envelopper la maison de Conrad, entra l'épée à la main dans la chambre où étaient le cardinal Ascanio et ses compagnons, qui, surpris au milieu de leur sommeil, se rendirent sans faire de résistance. Les prisonniers furent conduits à Venise ; mais Louis XII les réclama, et ils lui furent livrés.

Ainsi le roi de France se trouva maître de Ludovic Sforza et d'Ascanio, d'un neveu légitime du grand François Sforza, nommé Hermès, de deux bâtards nommés Alexandre et Contino, enfin de François, fils du malheureux Jean Galéas, qui avait été empoisonné par son oncle.

Louis XII, pour en finir d'un seul coup avec toute la famille, contraignit François à entrer dans un cloître, fit jeter Alexandre, Contino et Hermès dans une prison, enferma le cardinal Ascanio dans la tour de Bourges, et enfin, après avoir transféré le malheureux Ludovic de la forteresse de Pierre-Encise, au Lys Saint-Georges, il le relégua définitivement au château de Loches, où, après une captivité de dix ans au milieu de la solitude la plus profonde et du plus entier dénûment, il mourut en maudissant l'heure où l'idée lui était venue d'attirer les Français en Italie.

La nouvelle de la chute de Ludovic et de sa famille causa à Rome une joie extrême ; car, en consolidant la puissance des ultramontains dans le Milanais, elle établissait celle du saint-siège dans la Romagne, puisque rien ne s'opposait plus aux conquêtes de César. Aussi des présents considérables furent-ils faits aux courriers qui vinrent annoncer cette nouvelle qui fut publiée par toute la ville de Rome, au son des trompettes et des tambours. Aussitôt les cris de « France ! France ! » qui étaient ceux de Louis XII, et les cris de « Orso ! Orso ! » qui étaient ceux des Orsini, retentirent dans toutes les rues, qui le soir furent illuminées, comme si Constantinople ou Jérusalem était prise. De son côté, le pape rendit au peuple des fêtes et des feux d'artifice, sans s'inquiéter le moins du monde de ce qu'on était dans la semaine sainte, et de ce que le jubilé avait attiré à Rome plus de deux cent mille personnes, tant les intérêts temporels de sa maison lui paraissaient devoir l'emporter sur les intérêts spirituels de ses sujets.

Une seule chose manquait pour assurer la réussite des vastes projets que le pape et son fils fondaient sur l'amitié et l'alliance de Louis XII, c'était l'argent : mais Alexandre n'était pas homme à s'embarrasser d'une pareille misère ; il est vrai que la vente des bénéfices était épuisée, que les impôts ordinaires et extraordinaires étaient perçus pour toute l'année, enfin que l'héritage des cardinaux et des prélats n'était plus que d'un bien faible secours, les plus riches ayant été empoisonnés ; mais il restait encore à Alexandre d'autres moyens, qui, pour être plus inusités, n'étaient pas moins efficaces.

Le premier qu'il employa fut de répandre le bruit que les Turcs menaçaient d'envahir la chrétienté, et qu'il savait de science certaine que l'été ne se passerait pas sans que Bajazet débarquât deux armées considérables, l'une dans la Romagne, et l'autre dans la Calabre : en conséquence, il publia deux bulles, l'une pour lever dans toute l'Europe la dixième partie des revenus ecclésiastiques, de quelque nature qu'ils fussent, l'autre pour obliger les juifs à payer la même somme ; ces deux bulles contenaient les excommunications les plus sévères contre ceux qui refuseraient de s'y soumettre, ou qui tenteraient de s'y opposer.

Le second fut de vendre des indulgences, chose qui ne s'était pas encore faite : ces indulgences pesaient sur ceux que leur santé ou leurs affaires empêchaient de venir à Rome pendant le jubilé : grâce à cet expédient, le voyage devenait inutile, et moyennant le tiers de la somme qu'il eût coûté, les péchés étaient remis tout aussi complètement que si les fidèles eussent rempli toutes les conditions de leur pèlerinage. On établit pour la perception de cette taxe une véritable armée de collecteurs, dont un certain Ludovic de la Torre fut nommé le chef. Les sommes qu'Alexandre fit rentrer dans le trésor pontifical par ce moyen sont incalculables, et on en aura une idée lorsqu'on saura que le territoire de Venise paya à lui seul sept cent quatre-vingt-dix-neuf mille livres pesant d'or.

Cependant, comme les Turcs firent effectivement quelques démonstrations du côté de la Hongrie, et que les Vénitiens craignaient qu'ils n'arrivassent jusqu'à eux, ils firent demander du secours au pape : alors le pape ordonna que dans tous ses États on dise, à l'heure de midi, un *Ave Maria*, pour prier Dieu d'éloigner le danger qui menaçait la sérénissime république. Ce fut la seule aide que les Vénitiens obtinrent de sa sainteté, en échange des sept cent quatre-vingt-dix-neuf mille livres pesant d'or qu'il avait reçues d'eux.

Cependant, comme si Dieu eût voulu faire connaître à son étrange représentant qu'il était irrité d'une pareille raillerie des choses saintes, la veille de la Saint-Pierre, au moment où Alexandre passait près du Campanile, se rendant à la tribune des bénédictions, une pièce de fer énorme s'en détacha et tomba à ses pieds ; mais, comme si un seul avertissement n'eût point été une admonestation suffisante, le lendemain, jour de la Saint-Pierre, au moment où le pape était dans une des chambres de son appartement habituel, avec le cardinal Capuano et monseigneur Poto, son camérier secret, il vit par les croisées ouvertes s'amasser un nuage si noir, que, prévoyant une tempête, il ordonna au cardinal et au camérier de fermer les fenêtres. Le pape ne s'était pas trompé ; car, comme ils obéissaient à cet ordre, il vint un si furieux coup de vent, que la plus haute cheminée du Vatican, renversée ainsi qu'un arbre qui se déracine, s'écroula sur le toit, qu'elle enfonça, et, brisant le plancher supérieur, vint tomber dans la chambre même où ils se trouvaient. À cette chute, qui fit trembler tout le palais, et au bruit qu'ils entendirent derrière eux, le cardinal Capuano et monseigneur Poto se retournèrent, et, voyant la chambre pleine de poussière et de débris, ils sautèrent à l'instant même, sur les parapets des fenêtres, en criant aux gardes de la porte : « Le pape est mort ! le pape est mort ! » À ces cris, on accourut, et l'on trouva trois personnes étendues dans les décombres, l'une morte et les deux autres mourantes : le mort était un gentilhomme siennois, nommé Laurent Chigi, et les deux mourants deux commensaux du Vatican ; ils passaient dans l'étage supérieur, et avaient été entraînés avec les débris. Cependant on ne trouvait point Alexandre ; et attendu qu'il ne répondait pas quoiqu'on l'appelât sans cesse, la croyance qu'il avait péri se confirma et se répandit bientôt par la ville. Mais au bout d'un certain temps, comme il n'était qu'évanoui et qu'il commençait à revenir à lui, on l'entendit se plaindre, et on le découvrit tout étourdi du coup et blessé, quoique non dangereusement, en plusieurs parties du corps. Une espèce de miracle l'avait sauvé : la poutre, qui s'était brisée par le milieu, avait laissé chacun de ses bouts latéraux, et l'un de ces bouts avait formé un toit au-dessus du trône pontifical ; de sorte que le pape, qui y était assis en ce moment, avait été protégé par cette voûte, et n'avait reçu que quelques contusions.

Les deux nouvelles contradictoires de la mort subite et de la conservation miraculeuse du pape se répandirent aussitôt dans Rome, et le duc de Valentinois, épouvanté du changement que le moindre accident arrivé au saint-père pouvait amener dans sa fortune, accourut au Vatican, ne pouvant se rassurer qu'au témoignage de ses propres yeux. Quant à Alexandre, il voulut rendre des actions publiques au ciel de la protection qu'il lui avait accordée, et se transporta le jour même, escorté par un nombreux cortège de prélats et d'hommes d'armes, porté sur son siège pontifical par deux valets de chambre, deux écuyers, et deux palefreniers, à l'église de Santa-Maria-del-Popolo, dans, laquelle étaient enterrés le duc de Gandie et Jean Borgia, soit qu'il lui fût demeuré dans le cœur quelque reste de dévotion, soit qu'il y fût attiré par le souvenir de l'amour profane qu'il portait à son ancienne maîtresse, la Vanozza, laquelle, sous la figure de la Madone, était exposée à la vénération des fidèles dans une chapelle à gauche du grand autel. Arrivé devant cet autel, le pape alors fit don à l'église d'un magnifique calice dans lequel étaient trois cents écus d'or, qu'à la vue de tous le cardinal de Sienne vida dans une patène d'argent, à la grande satisfaction de la vanité pontificale.

Mais, avant de quitter Rome pour accomplir la conquête de la Romagne, le duc de Valentinois avait réfléchi combien était devenu inutile, à lui et à son père, le mariage autrefois tant désiré de Lucrèce avec Alphonse. Il y avait bien plus : le repos que prenait Louis XII en Lombardie n'était qu'une halte, et Milan était visiblement le relais de Naples. Or il était possible que Louis XII s'inquiétât de ce mariage, qui faisait du neveu de son ennemi le gendre de son allié. Au lieu de cela, Alphonse mort, Lucrèce était en position d'épouser quelque puissant seigneur de la Marche, du Ferrarais ou de la Bresse, qui pouvait seconder son beau-frère dans la conquête de la Romagne. Alphonse devenait donc non seulement dangereux, mais encore inutile ; ce qui, avec le caractère des Borgia était bien pis peut-être. La mort d'Alphonse fut résolue.

Cependant le mari de Lucrèce, qui avait depuis long-temps compris le danger qu'il courait en demeurant près de son terrible beau-père, s'était retiré à Naples. Mais, comme, dans leur dissimulation constante, ni Alexandre ni César n'avaient changé avec lui la nature de leurs relations, il commençait à perdre ses craintes, lorsqu'il reçut une invitation du pape et de son fils pour venir prendre sa part d'une course de taureaux à la manière espagnole, qu'ils donnaient pour fêter le départ du duc. Dans la position précaire où la maison de Naples se trouvait, il était de la politique d'Alphonse de n'offrir à Alexandre aucun prétexte de rupture ; il ne voulut donc point refuser sans motif, et se rendit à Rome. Seulement, comme on jugeait inutile de consulter Lucrèce dans cette affaire, attendu qu'elle avait, dans deux ou trois circonstances, témoigné à son mari un attachement ridicule, on la laissa tranquille dans son gouvernement de Spolète.

Alphonse fut reçu par le pape et par le duc de Valentinois avec toutes les démonstrations d'une sincère amitié, et on lui donna au Vatican même, dans le corps de logis appelé Torre-Nova, l'appartement qu'il avait déjà habité avec Lucrèce.

Une grande lice avait été préparée sur la place Saint-Pierre, dont on avait barricadé les rues, et dont les maisons environnantes offraient à leurs fenêtres des loges toutes construites. Le pape et sa cour étaient aux balcons du Vatican.

La fête commença par des toréadors payés ; puis, lorsqu'ils eurent bien déployé leur force et leur adresse, Alphonse d'Aragon et César Borgia descendirent à leur tour dans l'arène, et, pour donner une preuve de la bonne harmonie qui régnait entre eux, décidèrent que le taureau qui poursuivrait César serait tué par Alphonse, et que celui qui poursuivrait Alphonse serait tué par César.

En effet, César étant resté seul et à cheval dans la lice, Alphonse sortit par une porte qui avait été pratiquée, et qui demeura entrebâillée, afin qu'il pût rentrer sans retard au moment où il jugerait sa présence nécessaire. En même temps, et du côté opposé on introduisit un taureau, qui fut à l'instant même couvert de dards et de flèches, dont quelques-unes contenaient de l'artifice, et qui, prenant feu, irritèrent le taureau au point qu'après s'être roulé de douleur, il se releva furieux, et apercevant un homme à cheval, il se précipita à l'instant même sur lui. Ce fut alors, dans cette étroite arène, poursuivi par ce rapide ennemi, que César déploya toute cette adresse qui faisait de lui un des premiers cavaliers de l'époque. Néanmoins, si habile qu'il fût, il n'aurait pu échapper longtemps, dans l'espace resserré où il manœuvrait, à cet adversaire, contre lequel il n'avait d'autre ressource que la fuite, si, au moment où le taureau commençait à gagner sur lui, Alphonse ne fût sorti tout à coup, agitant de la main gauche un manteau rouge, et tenant de la main droite une longue et fine épée aragonaise. Il était temps ; le taureau n'était plus qu'à quelques pas de César, et le péril qu'il courait paraissait si imminent, qu'un cri poussé par une femme partit de l'une des fenêtres ; mais, à la vue d'un homme à pied, le taureau s'arrêta court, et, jugeant qu'il aurait meilleur marché de ce nouvel ennemi que de l'ancien, il se retourna contre lui, et, après être resté un instant immobile, mugissant, faisant voler la poussière avec ses pieds de derrière et battant ses flancs de sa queue, il s'élança sur Alphonse, les yeux sanglants et labourant la terre avec sa corne. Alphonse l'attendit tranquillement, puis, lorsqu'il fut à trois pas de lui, fit un bond de côté, lui présentant au défaut de l'épaule son épée, qui disparut aussitôt jusqu'à la garde. Au même instant le taureau, arrêté au milieu de sa course, demeura un instant immobile et frémissant sur ses quatre jambes ; bientôt il tomba sur ses genoux, poussa un mugissement sourd, et, se couchant sur la place même où il avait été arrêté, expira sans faire un seul pas de plus.

Les applaudissements retentirent de tous côtés, tant le coup avait été adroitement et rapidement porté. Quant à César, il était resté à cheval, cherchant des yeux, au lieu de s'occuper de ce qui se passait à côté de lui, la belle spectatrice qui lui avait donné une si vive marque d'intérêt ; sa recherche n'avait point été sans résultat, et il avait reconnu une des demoiselles d'honneur d'Élisabeth, duchesse d'Urbin, qui était fiancée à Jean-Baptiste Carracciolo, capitaine général de la république de Venise.

C'était au tour d'Alphonse de courir, c'était au tour de César de combattre : les jeunes gens changèrent donc de rôles, et, après que quatre mules eurent, en se cabrant, traîné hors de l'arène le cadavre du taureau, et que les valets et les serviteurs de sa sainteté eurent recouvert de sable la place tachée de sang, Alphonse monta un magnifique cheval d'Andalousie à l'origine arabe, léger comme le vent, qui avait fécondé sa mère dans le désert de Sahara, tandis que César, mettant pied à terre, se retira à son tour, pour reparaître au moment où Alphonse courrait le même danger auquel il venait de l'arracher.

Alors un autre taureau fut introduit à son tour, excité de la même manière avec des dards acérés et des flèches flamboyantes. Comme le premier, en apercevant un homme à cheval, il s'élança sur lui, et alors commença une course merveilleuse, dans laquelle il était impossible de savoir, tant ils passaient rapidement, si c'était le cheval qui poursuivait le taureau, ou si c'était le taureau qui poursuivait le cheval. Cependant, après cinq ou six tours, si rapide que fût le fils de l'Arabie, le taureau commença à gagner sur lui, et l'on put reconnaître lequel poursuivait, et lequel fuyait ; si bien qu'au bout d'un instant il n'y avait plus entre eux que la longueur de deux bois de lance, lorsque tout à coup César Borgia parut à son tour, armé d'une de ces longues épées à deux mains dont les Français avaient l'habitude de se servir ; et au moment où le taureau, près de joindre don Alphonse, passait devant lui, César, faisant flamboyer le glaive comme un éclair, lui abattit la tête, tandis que le corps, emporté par sa course, allait tomber dix pas plus loin. Ce coup était si fort inattendu, et avait été exécuté avec une telle adresse, qu'il fut accueilli, non plus par des applaudissements, mais par des acclamations d'enthousiasme et des cris de délire. Quant à César, comme s'il n'eût conservé au milieu de son triomphe que le souvenir de ce cri causé par le premier danger qu'il avait couru, il ramassa la tête du taureau, et, la remettant à un de ses écuyers, lui ordonna de la déposer comme un hommage au pied de la belle Vénitienne qui lui avait donné une si vive marque d'intérêt.

Cette fête, outre le triomphe qu'elle avait valu à chacun des jeunes gens, avait encore un autre but : c'était de prouver à la foule que la meilleure harmonie régnait entre eux, puisqu'ils venaient mutuellement de se sauver la vie. Il en résultait que, si quelque accident arrivait à César, nul ne songerait à en accuser Alphonse ; de même que, si quelque accident arrivait à Alphonse, nul ne songerait à en accuser César.

Il y avait souper au Vatican : Alphonse fit une toilette élégante, et, vers les dix heures du soir, s'apprêta à passer du corps de logis qu'il habitait dans celui où demeurait le pape ; mais la porte qui séparait les deux cours était fermée, et Alphonse eut beau frapper, on ne lui ouvrit point. Alors il pensa qu'il était tout simple à lui de faire le tour par la place Saint-Pierre : étant donc sorti sans suite par une porte du jardin du Vatican, il s'achemina à travers les rues sombres qui conduisaient à l'escalier par lequel on montait à la place ; mais à peine eut-il mis le pied sur les premières marches, qu'il fut attaqué par une troupe d'hommes armés. Alphonse voulut tirer son épée ; mais, avant qu'elle ne fût hors du fourreau, il avait élé frappé de deux coups de hallebarde, l'un à la tête, l'autre à l'épaule ; d'une estocade au flanc, et de deux coups de pointe, l'un à la tempe, l'autre à la jambe. Renversé par ces cinq blessures, il était tombé sans connaissance ; ses assassins, qui l'avaient cru mort, avaient aussitôt remonté l'escalier, et, ayant trouvé sur la place quarante cavaliers qui les attendaient, ils étaient tranquillement sortis sous leur protection par la porte Portèse.

Alphonse fut trouvé mourant, mais non point mort, par des passants dont quelques-uns, l'ayant reconnu, portèrent à l'instant même la nouvelle de cet assassinat au Vatican, tandis que les autres, soulevant le blessé dans leurs bras, le ramenèrent à son appartement de Torre-Nova. Le pape et César, qui avaient appris cette nouvelle au moment de se mettre à table, en avaient paru si affligés, qu'ils avaient abandonné leurs convives et s'étaient rendus à l'instant même auprès de don Alphonse, pour s'assurer si ses blessures étaient ou n'étaient pas mortelles, et dès le lendemain matin, pour détourner les soupçons qui auraient pu planer sur eux, avaient fait arrêter François Gazella, oncle maternel d'Alphonse, qui avait accompagné son neveu à Rome. Convaincu par de faux témoins qu'il était l'auteur de l'assassinat, Gazella eut la tête tranchée.

Cependant la moitié de la besogne seulement était faite : bien ou mal écartés, les soupçons l'étaient suffisamment pour qu'on n'osât point accuser de cet assassinat les véritables assassins ; mais Alphonse n'était pas mort, et grâce à la vigueur de son tempérament et à la science des médecins, qui avaient pris au sérieux les lamentations du pape et de son fils, et qui avaient cru leur être agréables en guérissant leur gendre et leur beau-frère, le blessé marchait vers sa convalescence ; en même temps la nouvelle arriva que Lucrèce, ayant appris l'accident arrivé à son mari, allait se mettre en route pour le venir joindre, et le soigner elle-même. Il n'y avait pas de temps à perdre, César fit venir Michelotto.

La même nuit, dit Burchard, don Alphonse, qui ne voulait pas mourir de ses blessures, fut étranglé dans son lit.

Le lendemain on lui fit des funérailles, sinon telles qu'il convenait à son rang, du moins assez décentes. Don François Borgia, archevêque de Cosenza, mena le deuil à l'église Saint-Pierre, où le cadavre fut enseveli dans la chapelle de Sainte-Marie-des-Fièvres.

La même nuit Lucrèce arriva, elle connaissait trop bien son père et son frère pour que ce fût à elle que l'on pût faire prendre le change ; et quoique le duc de Valentinois eût fait arrêter, aussitôt la mort de don Alphonse, non seulement ses médecins et chirurgiens, mais encore un pauvre diable de bossu qui lui servait de valet de chambre, elle n'en vit pas moins d'où partait le coup ; aussi, craignant que la douleur qu'elle éprouvait cette fois bien réellement ne lui ôtât la confiance de son père et de son frère, elle se retira à Nepi avec toute sa maison, toute sa cour, et plus de six cents cavaliers, pour passer dans cette ville le temps de son deuil.

Cette grande affaire de famille réglée, et Lucrèce encore une fois veuve, et par conséquent prête à servir les nouvelles combinaisons politiques du pape, César Borgia ne resta plus à Rome que le temps d'y recevoir les ambassadeurs de France et de Venise ; mais comme ils tardaient quelque peu à arriver, et que les dernières fêtes données avaient fait une brèche dans le trésor du pape, il fit une nouvelle promotion de douze cardinaux : cette promotion avait un double résultat, le premier, celui de faire entrer six cent mille ducats dans la caisse pontificale, chaque chapeau ayant été mis à prix à la somme de cinquante mille ducats, et le second d'assurer au pape une majorité sûre dans le sacré conseil.

Les ambassadeurs arrivèrent enfin ; le premier, qui était M. de Villeneuve, celui-là même qui était déjà venu au nom de la France chercher le duc de Valentinois, au moment d'entrer dans Rome, rencontra sur la route un homme masqué, qui, sans ôter son masque, lui témoigna la joie qu'il éprouvait de son arrivée. Cet homme était César lui-même, qui, ne voulant pas être reconnu, repartit après une courte conférence, et sans s'être découvert le visage. M. de Villeneuve entra derrière lui et trouva à la porte del Popolo les ambassadeurs des différentes puissances, et même ceux d'Espagne et de Naples, dont les souverains n'étaient point encore, il est vrai, en hostilité ouverte avec la France, mais commençaient à être en froideur. Alors, comme ces derniers, de peur de se compromettre, se contentaient, pour tout compliment, de dire à leur collègue de France : « Monsieur, soyez le bienvenu », le maître des cérémonies, surpris d'un compliment aussi court, leur demanda s'ils n'avaient rien autre chose à dire ; et comme ils répondirent que non, M. de Villeneuve leur tourna aussitôt le dos en répliquant que « ceux qui n'avaient rien à dire n'avaient point besoin de réponse » ; puis s'étant placé entre l'archevêque de Reggio, gouverneur de Rome, et l'archevêque de Raguse, il se rendit au palais des Saints-Apôtres, que l'on avait préparé pour sa réception.

Quelques jours après, Maria Georgi, ambassadeur extraordinaire de Venise, arriva à son tour. Il était chargé non seulement de régler avec le pape les affaires courantes, mais encore d'apporter à Alexandre et à César le titre de nobles vénitiens et l'inscription de leurs noms au Livre d'Or, faveur qu'ils avaient fort ambitionnée tous deux, moins pour la vaine gloire qu'ils en recevaient que pour l'influence nouvelle que ce titre pouvait leur donner.

Puis le pape procéda à la remise des chapeaux vendus aux douze cardinaux. Les nouveaux princes de l'Église étaient *don Diègue de Mendoce*, archevêque de Séville ; *Jacques*, archevêque d'Oristagni, vicaire général du pape ; *Thomas*, archevêque de Strigonie ; *Pierre*, archevêque de Reggio, gouverneur de Rome ; *François Borgia*, archevêque de Cosenza, trésorier général ; *Jean*, archevêque de Salerne, vice-camerlingue ; *Louis Borgia*, archevêque de Valence, secrétaire de sa sainteté, et frère de Jean Borgia, empoisonné par César ; *Antoine*, évêque de Côme ; *Jean-Baptiste Ferraro*, évêque de Modène ; *Amédée d'Albret*, fils du roi de Navarre, beau-frère du duc de Valentinois ; enfin *Marc Cornaro*, noble Vénitien, en la personne duquel sa sainteté retournait à la sérénissime république la faveur qu'elle venait d'en recevoir.

Puis, comme rien n'arrêtait plus le duc de Valentinois à Rome, il ne prit que le temps de faire un emprunt à un riche banquier nommé Augustin Chigi, frère de ce Laurent Chigi qui avait péri le jour où le pape avait manqué d'être tué lui-même par la chute d'une cheminée, et partit pour la Romagne, accompagné de Vitellozo Vitelli, de Jean-Paul Baglioni, et de Jacques de Santa-Croce, – alors ses amis, plus tard ses victimes.

La première entreprise du duc de Valentinois fut contre Pesaro ; c'était une attention de beau-frère dont Jean Sforza comprit toutes les conséquences ; car, au lieu d'essayer ou de défendre ses États par les armes, ou de les disputer par des négociations, ne voulant pas exposer le beau pays dont il avait été longtemps le maître à la vengeance d'un ennemi irrité, il recommanda à ses sujets de lui conserver la même affection, dans l'espérance d'une fortune meilleure, et s'enfuit en Dalmatie. Malatesta, seigneur de Rimini, suivit cet exemple ; si bien que le duc de Valentinois entra dans ces deux villes sans coup férir. César laissa une garnison suffisante dans ses nouvelles conquêtes, et marcha vers Faenza.

Mais là les choses changèrent de face ; Faenza était alors sous la domination d'Astor Manfredi, beau et brave jeune homme de dix-huit ans, qui, bien qu'abandonné par les Bentivogli, ses proches parents, et par les Vénitiens et les Florentins, ses alliés, lesquels, à cause de l'amitié que le roi de France portait à César, n'osèrent lui amener aucun secours, résolut, connaissant l'amour de ses sujets pour sa famille, de se défendre jusqu'à la dernière extrémité. Sachant donc que le duc de Valentinois marchait contre lui, il rassembla en toute hâte ceux de ses vassaux qui étaient en état de porter les armes et les quelques soldats étrangers qui voulurent bien entrer à sa solde, et, ayant amassé des vivres et des munitions, s'enferma avec eux dans la ville.

Ces préparatifs de défense inquiétèrent peu César : il avait une armée magnifique, composée des meilleures troupes de France et d'Italie, et qui, à part lui, comptait parmi ses chefs Paul et Jules Orsini, Vitellozo Vitelli, et Paul Baglione, c'est-à-dire les premiers capitaines de l'époque. Aussi, après avoir reconnu la place, commença-t-il aussitôt le siège en plaçant son camp entre les deux fleuves Lamore et Marzeno, et en établissant son artillerie du côté qui regarde Forli, point sur lequel les assiégés avaient de leur côté élevé un puissant bastion.

Au bout de quelques jours de tranchée ouverte, la brèche étant devenue praticable, le duc de Valentinois ordonna l'assaut, et, montrant l'exemple à ses soldats, marcha le premier à l'ennemi. Mais, quel que fût son courage et celui des capitaines qui l'accompagnaient, Astor Manfredi fit si bonne défense, que les assiégeants furent repoussés avec une grande perte de soldats, et en laissant dans les fossés de la ville Honorio Savello, un de leurs plus braves chefs.

Cependant Faenza, malgré le courage et le dévouement de ses défenseurs, n'aurait pu tenir longtemps contre une armée aussi formidable, si l'hiver ne lui était venu en aide. Surpris par la rigueur de la saison, sans maisons pour se mettre à l'abri et sans arbres pour faire du feu, les paysans ayant démoli les unes et abattu les autres, le duc de Valentinois fut obligé de lever le siège et de prendre ses quartiers d'hiver dans les villes voisines, pour être tout prêt au retour du printemps ; car César, qui ne pouvait pardonner à une petite ville, habituée à une longue paix, gouvernée par un enfant et privée de tout secours étranger, de l'avoir tenu ainsi en échec, avait juré de prendre sa revanche. Il sépara donc son armée en trois parties, envoya le premier tiers à Imola, le second à Forli, et vint avec le troisième prendre poste à Césène, qui, d'une ville de troisième ordre qu'elle était, se trouva tout à coup transformée en une cité de luxe et de plaisir.

En effet, avec l'âme active de César, il lui fallait sans cesse ou des guerres ou des fêtes. Aussi la guerre interrompue les fêtes commencèrent-elles, somptueuses et ardentes comme il les savait faire ; les jours se passaient en jeux et en cavalcades, les nuits en bals et en amours ; car les plus belles femmes de la Romagne, c'est-à-dire du monde, étaient venues faire au vainqueur un sérail que lui eussent envié le soudan d'Égypte et l'empereur de Constantinople.

Dans une de ces promenades que le duc de Valentinois faisait aux environs de la ville avec cette cour de nobles flatteurs et de courtisanes titrées, qui ne le quittait jamais, il vit venir sur la route de Rimini un cortège assez nombreux pour qu'il reconnût qu'il devait accompagner quelqu'un d'importance. Bientôt, remarquant que le personnage principal de ce cortège était une femme, César s'en approcha et reconnut cette même demoiselle de la duchesse d'Urbin qui, le jour de la course au taureau, avait poussé un cri lorsque lui César avait failli être atteint par l'animal furieux. À cette époque, comme nous l'avons dit, elle était fiancée de Jean Carracciolo, général des Vénitiens. Or Élisabeth de Gonzague, sa protectrice et sa marraine, l'envoyait, avec une suite digne d'elle, à Venise, où le mariage devait s'accomplir.

Déjà, à Rome, la beauté de cette jeune fille avait frappé César, mais en la revoyant elle lui parut plus belle encore que la première fois : aussi, de ce moment, résolut-il de garder pour lui cette belle fleur d'amour, près de laquelle il s'était déjà reproché plus d'une fois d'avoir passé avec tant d'indifférence. En conséquence, il la salua comme une ancienne connaissance, s'informa si elle ne s'arrêtait point quelque temps à Césène, et apprit qu'elle ne faisait qu'y passer, marchant à grandes journées, tant elle était impatiemment attendue, et qu'elle allait coucher le même soir à Forli. C'était tout ce que voulait savoir César, qui appela Michelotto, et lui dit tout bas quelques paroles que personne n'entendit.

En effet, le cortège, ainsi que l'avait dit la belle mariée, ne fit qu'une halte à la ville voisine, et, quoique la journée fût déjà avancée, repartit aussitôt pour Forli ; mais à peine eut-il fait une lieue, qu'une troupe de cavaliers partie de Césène le rejoignit et l'enveloppa. Quoiqu'ils fussent loin d'être en force suffisante, les soldats de l'escorte voulurent défendre la femme de leur général ; mais quelques-uns étant tombés morts, les autres, épouvantés, prirent la fuite ; et comme la femme était descendue de sa litière pour essayer de fuir, le chef la prit entre ses bras, la posa devant lui sur son cheval, puis, ordonnant à ses soldats de retourner à Césène sans lui, il mit sa monture au galop à travers terres, et, comme le crépuscule commençait à descendre, il disparut bientôt dans l'obscurité.

Carracciolo apprit cette nouvelle par un des fuyards, qui lui dit avoir reconnu dans les ravisseurs les soldats du duc de Valentinois. D'abord, il crut avoir mal entendu, tant il avait peine à croire à cette terrible nouvelle ; mais, se l'étant fait répéter, il demeura un instant immobile et comme frappé de la foudre ; puis tout à coup, sortant de cet état de stupeur par un cri de vengeance, il s'élança vers le palais ducal, où étaient réunis le doge Barberigo et le conseil des Dix, et, pénétrant au milieu d'eux sans être annoncé et au moment où eux-mêmes venaient d'apprendre l'attentat du duc de Valentinois :

— Sérénissimes seigneurs, s'écria-t-il, je viens prendre congé de vous, résolu que je suis d'aller perdre, dans une vengeance privée, une vie que j'avais cru pouvoir consacrer au service de la république. Je suis offensé dans la plus noble partie de mon âme – dans mon honneur. On m'a volé le bien le plus cher que je possédais – ma femme ; et celui qui a fait cela, c'est le plus perfide, le plus sacrilège, le plus infâme des hommes, c'est le Valentinois ! Ne vous blessez point, messeigneurs, si je parle ainsi d'un homme qui se vante de faire partie de votre noblesse et d'être sous votre protection : cela n'est pas, il ment ; et ses lâchetés et ses crimes l'ont fait indigne de l'une et de l'autre, comme il est indigne de la vie que je lui arracherai avec cette épée. Il est vrai qu'un sacrilège par la naissance, qu'un fratricide, qu'un usurpateur du bien d'autrui, qu'un oppresseur des innocents, qu'un assassin de grande route, qu'un homme qui viole toutes les lois, même celle qui est respectée chez les peuples les plus barbares, l'hospitalité, qu'un homme qui fait violence, dans ses propres États, à une vierge qui passe, quand elle avait le droit d'attendre de lui, au contraire, non seulement les égards dus à son sexe et à sa condition, mais encore à la sérénissime république, dont je suis le condottiere, et qu'il insulte en ma personne en déshonorant ma femme : il est vrai, dis-je, que cet homme mérite de mourir d'une autre main que la mienne. Mais, comme celui qui devrait le faire punir, au lieu d'être prince et juge, n'est qu'un père aussi coupable que le fils, j'irai moi-même le trouver, et je sacrifierai ma vie, non seulement à la vengeance de ma propre injure et du sang de tant d'innocents, mais encore au salut de la sérénissime république, à l'oppression de laquelle il aspire, après avoir accompli celle des autres princes de l'Italie.

Le doge et les sénateurs, qui, ainsi que nous l'avons dit, étaient déjà prévenus de l'événement qui amenait Carracciolo devant eux, l'avaient écouté avec un grand intérêt et une profonde indignation ; car, ainsi qu'il l'avait dit, ils étaient insultés eux-mêmes dans la personne de leur général ; aussi lui jurèrent-ils tous, sur leur honneur, que s'il voulait s'en remettre à eux, au lieu de s'abandonner à une colère qui ne pouvait que le perdre, ou sa femme lui serait rendue sans qu'une seule tache eût souillé son voile nuptial, ou il en serait tiré une vengeance proportionnée à l'affront. Aussitôt, et comme preuve de l'empressement que mettait à cette affaire le noble tribunal, Louis Manenti, secrétaire des Dix, fut envoyé à Imola, où l'on disait que se trouvait le duc, afin de lui exprimer tout le déplaisir qu'éprouvait la sérénissime république de l'outrage fait à son condottiere. En même temps, le conseil des Dix et le doge allèrent trouver l'ambassadeur de France, le priant de se joindre à eux et de se rendre en personne, avec Manenti, près du duc de Valentinois, pour le sommer, au nom du roi Louis XII, de renvoyer à l'instant même à Venise celle qu'il avait enlevée.

Les deux messagers se rendirent à Imola, où ils trouvèrent César, qui écouta leur réclamation avec les marques du plus parfait étonnement, niant qu'il fût pour quelque chose dans ce crime, dont il autorisait Manenti et l'ambassadeur de France à poursuivre les auteurs, tandis que, de son côté, il promit de faire faire les perquisitions les plus actives. Le duc avait une telle apparence de bonne foi, que les envoyés de la sérénissime république y furent un instant trompés, et entreprirent les recherches les plus minutieuses. En conséquence, ils se rendirent sur les lieux mêmes, et commencèrent à prendre des informations. On avait trouvé sur la grande route les morts et les blessés. On avait vu passer un homme emportant une femme éplorée au grand galop de son cheval : bientôt il avait quitté le chemin frayé, et s'était élancé à travers terres. Un paysan qui revenait de travailler aux champs l'avait vu apparaître et s'évanouir comme une ombre, prenant la direction d'une maison isolée. Une vieille femme disait l'avoir vu entrer dans cette maison. Mais dans la nuit du lendemain la maison avait disparu comme par enchantement, et la charrue avait passé à sa place ; de sorte que nul ne pouvait dire ce qu'était devenue celle que l'on cherchait, puisque ceux qui habitaient la maison, et même la maison, n'étaient plus là.

Manenti et l'ambassadeur de France revinrent à Venise, racontant ce que le duc de Valentinois leur avait dit, ce qu'ils avaient fait, et comment leurs recherches avaient été sans résultat. Nul n'eut aucun doute que César ne fût le coupable ; mais nul aussi ne put lui prouver qu'il l'était. En conséquence, la sérénissime république, qui, à cause de sa guerre contre les Turcs, ne pouvait se brouiller avec le pape, défendit à Carracciolo de tirer aucune vengeance particulière de cet événement, dont le bruit s'éteignit peu à peu, et dont on finit par ne plus parler.

Cependant, les plaisirs de l'hiver n'avaient point détourné César de ses projets sur Faenza. Aussi, à peine le retour du printemps lui permit-il de se mettre en campagne, qu'il marcha de nouveau vers la ville, campa vis-à-vis du château, et, après avoir pratiqué une nouvelle brèche, ordonna un assaut général, auquel il monta le premier ; mais, en dépit du courage qu'il y déploya de sa personne, et si bien qu'il fût secondé de ses soldats, ils furent repoussés par Astor, qui, à la tête des hommes, faisait face sur la brèche, tandis que les femmes elles-mêmes, du haut des remparts, roulaient sur les assiégeants des pierres et des troncs d'arbres. Après une heure de lutte corps à corps, César fut forcé de se retirer, laissant deux mille hommes dans les fossés de la ville, et, parmi ces deux mille hommes, Valentin Farnèse, un de ses plus braves condottieri.

Alors César, voyant que ni excommunications ni assauts ne pouvaient rien, convertit le siège en blocus : toutes les routes qui conduisaient à Faenza furent coupées, toutes les communications interrompues, et comme plusieurs signes de révolte s'étaient fait remarquer à Césène, il y mit pour gouverneur un homme, dont il connaissait la puissante volonté, nommé Ramiro d'Orco, avec pouvoir de vie et de mort sur les habitants ; puis il attendit, tranquille devant Faenza, que la faim fît sortir les habitants de ces murailles qu'ils s'acharnaient avec tant d'entêtement à défendre. En effet, au bout d'un mois, pendant lequel les Faïentins avaient subi toutes les horreurs de la famine, des parlementaires vinrent au camp de César pour proposer une capitulation. César, à qui il restait beaucoup à faire en Romagne, se montra plus facile qu'on n'eût pu l'espérer, et la ville se rendit à la condition qu'on ne toucherait ni à la personne ni aux biens des habitants, qu'Astor Manfredi, son jeune souverain, aurait la faculté de se retirer où il voudrait, et partout où il serait retiré jouirait du revenu de son patrimoine.

Les conditions furent fidèlement remplies à l'égard des habitants ; mais César, ayant vu Astor qu'il ne connaissait pas, fut pris d'une étrange passion pour ce beau jeune homme, qui ressemblait à une femme : il le garda donc auprès de lui dans son armée, lui faisant honneur comme à un jeune prince, et paraissant aux yeux de tous avoir pour lui la plus vive amitié ; puis un jour Astor disparut, comme avait fait la fiancée de Carracciolo, sans que personne sût ce qui était advenu de lui ; César lui-même parut fort inquiet, dit qu'il s'était sauvé sans doute, et, pour faire croire à cette fuite, envoya après lui des courriers dans toutes les directions.

Un an après cette double disparition, on trouva dans le Tibre, un peu au-dessous du château Saint-Ange, le corps d'une belle jeune femme, dont les mains étaient liées derrière le dos, et le cadavre d'un beau jeune homme, ayant encore autour du cou la corde de l'arc avec laquelle on l'avait étranglé. La jeune femme était la fiancée de Carracciolo, le jeune homme était Astor.

Tous deux avaient servi pendant cette année aux plaisirs de César, qui, s'étant enfin lassé d'eux, les avait fait jeter dans le Tibre.

Au reste, la prise de Faenza valut à César le titre de duc de Romagne, qui lui fut d'abord donné en plein consistoire par le pape, et qui fut ratifié ensuite par le roi de Hongrie, la république de Venise et les rois de Castille et de Portugal. La nouvelle de cette ratification parvint à Rome la veille du jour où le peuple avait l'habitude de célébrer l'anniversaire de la fondation de la ville éternelle ; cette fête, qui datait de Pomponius Lætus, acquit une nouvelle splendeur des événements heureux qui venaient d'arriver à son souverain. Le canon tira toute la journée en signe de joie ; le soir il y eut des illuminations et des feux d'artifice, et, pendant une partie de la nuit, le prince de Squillace accompagné des principaux seigneurs de la noblesse romaine, parcourut les rues de la ville, portant des torches à la main, et criant : « Vive Alexandre ! vive César ! vivent les Borgia ! vivent les Orsini ! vive le duc de Romagne ! »

Cependant l'ambition de César croissait avec ses victoires ; à peine fut-il maître de Faenza, qu'excité par les Mariscotti, anciens ennemis des Bentivoglio, il jeta les yeux sur Bologne ; mais Jean de Bentivoglio, dont les ancêtres de temps immémorial possédaient celtte ville, non seulement avait fait tous les préparatifs nécessaires pour faire une longue résistance, mais encore il s'était mis sous la protection de la France ; de sorte qu'à peine eut-il appris que César se dirigeait vers la frontière du Bolonais avec son armée, qu'il envoya un courrier à Louis XII pour réclamer la parole donnée. Louis XII la tint avec sa fidélité ordinaire, et comme César arrivait devant Bologne, il reçut une invitation du roi de France de ne rien entreprendre contre son allié, Bentivoglio ; mais comme César n'était pas homme à s'être dérangé pour rien, il fit ses conditions de retraite, auxquelles Bentivoglio souscrivit, trop heureux d'en être quitte à ce prix : c'était la cession de Castel Bolonese, forteresse située entre Imola et Faenza, la promesse d'un tribut de neuf mille ducats, et l'entretien à son service de cent hommes d'armes et de deux mille fantassins. En échange de ces avantages, César Borgia confia à Bentivoglio qu'il était redevable de sa visite aux conseils des Mariscotti ; puis, renforcé du contingent de son nouvel allié, il prit la route de la Toscane ; mais à peine était-il hors de vue, que Bentivoglio fit fermer les portes de Bologne, chargea son fils Hermès d'assassiner de sa main Agamemnon Mariscotti, chef de la famille ; tandis qu'il faisait massacrer de son côté trente-quatre de ses frères, fils, filles ou neveux, et deux cents de leurs parents et amis. Cette boucherie fut faite par les plus nobles jeunes gens de Bologne, que Bentivoglio força de tremper dans ce meurtre afin de les attacher à lui par la crainte des représailles.

Les projets de César sur Florence commençaient à n'être plus un mystère ; dès le mois de janvier, il avait envoyé à Pise Regnier de la Sassetta et Pierre de Gamba Corti, avec mille à douze cents hommes, et, aussitôt la conquête de la Romagne achevée, il avait encore acheminé vers cette ville Oliverotto da Fermo, avec de nouveaux détachements. De son côté, comme on le voit, il avait renforcé son armée de cent hommes d'armes et de deux mille fantassins ; il venait d'être rejoint par Vitellozzo Vitelli, seigneur de Città di Castello, et par les Orsini qui lui avaient amené encore deux ou trois mille hommes ; de sorte qu'il avait sous ses ordres, sans compter les troupes envoyées à Pise, sept cents hommes d'armes et cinq mille fantassins.

Cependant, malgré cette formidable assemblée, il n'entra en Toscane qu'en protestant de ses intentions pacifiques et en déclarant qu'il voulait seulement traverser les États de la république pour se rendre à Rome, offrant de payer comptant tous les vivres dont son armée aurait besoin. Mais lorsque, après avoir passé les défilés des montagnes, il fut arrivé à Barberino, comme il sentit que la ville était en sa puissance, et que rien ne pouvait plus lui en défendre les approches, il commença à mettre à prix l'amitié qui lui était offerte, et à imposer des conditions au lieu d'en recevoir. Ces conditions étaient que Pierre de Médicis, parent et allié des Orsini, fût rétabli dans son ancienne autorité ; que six bourgeois de la ville, désignés par Vitellozzo, fussent remis entre ses mains, afin qu'ils expiassent par leur mort celle de Paul Vitelli, exécuté injustement par les Florentins ; que la seigneurie s'engageât à ne donner aucun secours au seigneur de Piombino, qu'il comptait déposséder incessamment de ses États ; enfin que la république le prît, lui César, à son service, avec une solde proportionnée à son mérite. Mais, comme César en était là de ses négociations avec Florence, il reçut de Louis XII l'ordre de se préparer, ainsi que la chose avait été convenue, à le suivre avec son armée dans la conquête de Naples, qu'il était enfin en état d'entreprendre. César n'osait point manquer de parole à un si puissant allié ; il lui fit donc répondre qu'il était à ses ordres, et comme les

Florentins ignoraient qu'il fût forcé de quitter la Toscane, il se fit acheter sa retraite moyennant une somme de trente-six mille ducats par année en échange de laquelle il devait tenir trois cents hommes d'armes, toujours prêts à secourir la république à son premier appel et dans tous ses besoins.

Cependant, si pressé que fût César, il espéra qu'il aurait encore le temps de conquérir en passant le territoire de Piombino, et d'emporter sa capitale par un vigoureux coup de main ; en conséquence, il entra sur les terres de Jacques IV d'Appiano ; mais il trouva que celui-ci avait d'avance, et pour lui ôter toute ressource, dévasté son propre pays, brûlé les fourrages, coupé les arbres, arraché les vignes, et détruit le petit nombre de fontaines qui donnaient des eaux salubres. Cela ne l'empêcha point de s'emparer en peu de jours de Severeto, de Scarlino, de l'île d'Elbe et de la Pianosa ; mais force lui fut de s'arrêter devant le château, qui offrait une sérieuse résistance. Or, comme l'armée du roi Louis XII continuait son chemin vers Rome, et qu'il reçut le 27 juillet un nouvel ordre de la rejoindre, il partit le lendemain laissant, pour poursuivre le siège en son absence, Vitellozzo et Jean-Paul Baglione.

Cette fois Louis XII s'avançait vers Naples, non plus avec la bouillante imprévoyance de Charles VIII, mais, au contraire, avec la prudente circonspection qui lui était habituelle. Outre son alliance avec Florence et Rome, il avait encore signé un traité secret avec Ferdinand le Catholique, qui prétendait avoir, par la maison de Duras, les mêmes droits sur le royaume de Naples que Louis XII avait par la maison d'Anjou. Par ce traité, les deux rois se partageaient d'avance leur conquête : Louis XII serait maître de Naples, de la terre de Labour et des Abruzzes, avec le titre de roi de Naples et de Jérusalem ; Ferdinand se réservait la

Pouille et la Calabre, avec le titre de duc de ces provinces ; tous deux devaient ensuite recevoir l'investiture du pape et relever de lui. Or ce partage avait d'autant plus de chance d'être mis à exécution, que Frédéric, croyant toujours Ferdinand son bon et fidèle ami, devait lui ouvrir les portes de ses villes, et recevoir au lieu d'alliés dans ses forteresses des vainqueurs et des maîtres. Tout cela n'était peut-être pas très loyal de la part d'un roi qui avait si longtemps ambitionné et qui venait de recevoir le surnom de Catholique ; mais peu importait à Louis XII, qui profitait de la trahison sans la partager.

L'armée française, à laquelle venait de se réunir le duc de Valentinois, se composait de mille lances, de quatre mille Suisses, et de six mille Gascons et aventuriers ; d'un autre côté, Philipe de Rabenstein conduisait par mer seize vaisseaux bretons et provençaux, et trois caraques génoises, portant six mille cinq cents hommes de débarquement.

Le roi de Naples n'avait à opposer à cette nombreuse assemblée que sept cents hommes d'armes, six cents chevau-légers et six mille fantassins qu'il avait mis sous le commandement des Colonna, qu'il avait pris à sa solde depuis que le pape les avait chassés des États de l'Église ; mais il comptait fort sur Gonzalve de Cordoue, qui devait venir le rejoindre à Gaète, et à qui, dans sa confiance, il faisait ouvrir toutes les forteresses de la Calabre.

Mais la sécurité qu'inspirait à Frédéric son infidèle allié ne fut pas longue : en arrivant à Rome, les ambassadeurs français et espagnols présentèrent au pape le traité signé à Grenade, le 11 novembre 1500, entre Louis XII et Ferdinand le Catholique, traité qui, jusqu'alors, était demeuré secret. Alexandre qui, dans sa prévoyance des choses à venir, avait dénoué, par la mort d'Alphonse, tous les liens qui l'attachaient à la maison d'Aragon, commença cependant par faire quelques difficultés ; mais alors il lui fut démontré que cet arrangement n'avait été pris que pour donner aux princes chrétiens de nouveaux moyens d'attaquer l'empire ottoman, et devant une pareille considération, comme on le comprend bien, tous les scrupules du pape devaient céder ; aussi se décida-t-il, le 25 juin, à rassembler un consistoire qui déclara Frédéric déchu du trône de Naples.

Frédéric, en apprenant à la fois l'arrivée de l'armée française à Rome, la trahison de son allié Ferdinand, et la déchéance prononcée par Alexandre, comprit bien que tout était perdu ; cependant il ne voulut pas qu'il fût dit qu'il avait abandonné son royaume sans avoir même essayé de le défendre. En conséquence, il chargea Fabrice Colonna et Ranuce de Marciano, ses deux nouveaux condottieri, d'arrêter les Français devant Capoue, avec trois cents hommes d'armes, quelques chevau-légers et trois mille fantassins ; occupa de sa personne Aversa, avec une autre partie de son armée, tandis que Prosper Colonna devait avec le reste défendre Naples et faire face aux Espagnols du côté de la Calabre.

Ces dispositions étaient à peine prises, que d'Aubigny, ayant passé le Vulturne, vint mettre le siège devant Capoue, et investit cette ville de l'un et de l'autre côté du fleuve. À peine campés devant les remparts, les Français commencèrent à établir leurs batteries, qui bientôt se mirent à jouer, à la grande terreur des pauvres assiégés, qui, presque tous étrangers à la ville, y étaient accourus de toutes parts, croyant trouver un abri derrière ses murailles. Aussi, dès que le premier assaut eut été donné par les Français, quoiqu'il eût été bravement repoussé par Fabrice Colonna, la terreur se répandit telle dans la ville, si grande et si aveugle, que chacun parla aussitôt d'ouvrir les portes, et que ce fut à grand-peine que Colonna fit comprendre à cette multitude qu'il fallait au moins profiter de l'échec éprouvé par les assiégeants pour obtenir d'eux une bonne capitulation. Les ayant donc ramenés à son avis, il envoya des parlementaires à d'Aubigny, et une conférence fut arrêtée pour le surlendemain dans laquelle on traiterait de la reddition de la ville.

Mais ce n'était point là l'affaire de César Borgia ; resté en arrière pour conférer avec le pape, il avait rejoint l'armée française avec une partie de ses troupes, le jour même où la conférence avait été indiquée pour le surlendemain : or une capitulation quelconque devait lui enlever la part de butin et de plaisir que lui promettait la prise d'assaut d'une ville aussi riche et aussi peuplée que Capoue.

En conséquence, il entama de son côté des négociations avec un des chefs chargés de la défense d'une porte, négociations sourdes et dorées, toujours plus promptes et plus efficaces que les autres ; de sorte que, au moment même où Fabrice Colonna discutait dans un bastion avancé les conditions de la capitulation avec les capitaines français, on entendit tout à coup de grands cris de détresse : c'était Borgia qui, sans prévenir personne, et accompagné de sa fidèle armée de la Romagne, venait d'entrer dans la ville, et qui commençait à égorger la garnison, laquelle, sur la foi de la capitulation près d'être signée, s'était relâchée de sa vigilance. De leur côté, les Français, voyant la ville à moitié rendue, se ruèrent sur les portes avec une telle impétuosité, que les assiégés ne cherchèrent plus même à les défendre, et pénétrèrent dans Capoue par trois côtés différents ; alors il n'y eut plus moyen de rien arrêter. La boucherie et le pillage avaient commencé, il fallait que l'œuvre de destruction s'accomplît tout entière ; en vain Fabrice Colonna, Ranuce de Marciano et don Ugo de Cardona, essayèrent-ils de faire face à la fois, avec quelques hommes qu'ils avaient rassemblés, aux Français et aux Espagnols. Fabrice Colonna et don Ugo furent faits prisonniers ; Ranuce, blessé d'un trait d'arbalète, tomba entre les mains du duc de Valentinois ; sept mille habitants furent massacrés dans les rues, parmi lesquels se trouva le traître qui avait livré la porte ; les églises furent pillées, les couvents de religieuses forcés ; et alors on vit une partie de ces saintes filles se précipiter dans les puits ou se jeter dans le fleuve pour échapper aux soldats. Trois cents des plus nobles femmes de la ville s'étaient réfugiées dans une tour ; le duc de Valentinois en enfonça les portes ; choisit pour lui les quarante plus belles et livra le reste à son armée.

Le pillage dura trois jours.

Capoue emportée, Frédéric comprit qu'il était inutile qu'il essayât plus longtemps de se défendre ; en conséquence, il s'enferma dans le Château-Neuf et permit à Gaète et à Naples de traiter avec le vainqueur : Gaète se racheta du pillage moyennant soixante mille ducats, et Naples moyennant la reddition du château, qui fut faite à d'Aubigny par Frédéric lui-même à la condition qu'il pourrait faire conduire dans l'île d'Ischia son argent, ses bijoux et ses meubles, et y rester avec sa famille pendant six mois à l'abri de toute hostilité. Cette capitulation fut fidèlement tenue de part et d'autre ; d'Aubigny entra dans Naples, et Frédéric se retira à Ischia.

Ainsi tomba, d'une dernière et terrible chute, et pour ne plus se relever jamais, cette branche de la maison d'Aragon qui avait régné soixante-cinq ans. Frédéric, qui était son chef, demanda et obtint un sauf-conduit pour passer en France, où Louis XII lui accorda le duché d'Anjou et trente mille ducats de rente, à la condition qu'il ne quitterait plus le royaume, où il mourut en effet le 9 septembre 1504. Son fils aîné, don Ferdinand duc de Calabre, se retira en Espagne, où on lui permit de se marier deux fois, mais avec des femmes dont la stérilité était reconnue, et où il mourut en 1550 ; Alphonse, le second fils qui avait suivi son père en France, mourut empoisonné, dit-on, à Grenoble à l'âge de vingt-deux ans ; enfin César, le troisième fils, mourut de son côté à Ferrare, avant d'avoir atteint sa dix-huitième année.

Quant à Charlotte, sa fille, elle épousa en France Nicolas, comte de Laval, gouverneur et amiral de Bretagne ; une fille naquit de ce mariage : ce fut Anne de Laval, qui fut mariée à François de La Trimouille, et c'est par elle qu'avaient été transmis à la maison de La Trimouille les droits que cette maison fit valoir depuis sur le royaume des Deux-Siciles.

La prise de Naples rendit au duc de Valentinois sa liberté ; il quitta donc l'armée française, après avoir reçu de son chef de nouvelles assurances de l'amitié du roi Louis XII, et revint au siège de Piombino, qu'il avait été forcé d'interrompre. Pendant ce temps le pape Alexandre visitait les conquêtes de son fils, et parcourait toute la Romagne, accompagné de Lucrèce, qui s'était enfin consolée de la mort de son mari, et qui n'avait jamais joui près de sa sainteté d'une si grande faveur ; aussi, en revenant à Rome, n'eut-elle plus d'autres appartements que ceux de son père. Il résulta de cette recrudescence d'amitié pontificale deux bulles qui érigeaient en duchés les villes de Nepi et de Sermoneta : l'un fut donné à Jean Borgia, un des bâtards du pape qu'il avait eus en dehors de ses amours avec la Vanozza et Julia Farnèse, et l'autre à don Roderic d'Aragon, fils de Lucrèce et d'Alphonse : les terres des Colonna faisaient les apanages de ces deux duchés.

Mais, outre cela, Alexandre rêvait encore un nouvel accroissement de fortune ; c'était un mariage entre Lucrèce et don Alphonse d'Este, fils du duc Hercule de Ferrare, mariage en faveur duquel Louis XII s'était entremis.

Or, comme sa sainteté était en veine de bonheur, elle apprit le même jour que Piombino s'était rendu au duc de Valentinois, et que parole avait été donnée par le duc Hercule au roi de France.

C'étaient là, en effet, de riches nouvelles pour Alexandre VI, mais dont l'une, comme importance, ne pouvait se comparer à l'autre ; aussi celle du mariage de madame Lucrèce avec l'héritier présomptif du duché de Ferrare fut-elle reçue avec une joie qui sentait un peu son parvenu. Le duc de Valentinois fut invité à revenir à Rome, pour prendre sa part du bonheur de la famille, et le jour où la publication de la nouvelle eut lieu, le gouverneur du château Saint-Ange reçut l'ordre de tirer le canon de quart d'heure en quart d'heure, depuis midi jusqu'à minuit. À deux heures, Lucrèce, en habits de fiancée, accompagnée par ses deux frères le duc de Valentinois et le duc de Squillace, sortit du Vatican, suivie de toute la noblesse de Rome, et alla rendre grâces, à l'église de la Madonna del Popolo, où étaient enterrés le duc de Gandie et le cardinal Jean Borgia, de la nouvelle faveur que le ciel accordait à sa maison ; et le soir, accompagnée de cette même cavalcade rendue plus brillante encore par la lueur des torches et la clarté des illuminations, elle parcourut toute la ville, au milieu des cris de : « Vive le pape Alexandre VI ! vive la duchesse de Ferrare ! » que poussaient des hérauts habillés de drap d'or.

Le lendemain, on publia par la ville que des courses de femmes étaient ouvertes du château Saint-Ange à la place Saint-Pierre ; que, de trois jours l'un, il y aurait un combat de taureau à la manière espagnole ; et qu'à partir du mois d'octobre, où l'on était alors, jusqu'au premier jour de Carême, les mascarades seraient permises dans les rues de Rome.

Telles étaient les fêtes du dehors ; quant à celles qui avaient lieu dans l'intérieur du Vatican, le programme n'en était pas donné au peuple ; car, au dire de Burchard, témoin oculaire, voici ce qu'elles étaient :

« Le dernier dimanche du mois d'octobre, cinquante courtisanes soupèrent au palais apostolique dans la chambre du duc de Valentinois, et, après avoir soupé, dansèrent avec les écuyers et les serviteurs, d'abord vêtues de leurs habits, ensuite nues ; après le souper on enleva la table, on posa symétriquement les candélabres à terre, et l'on sema sur le parquet une grande quantité de châtaignes, que ces cinquantes femmes, toujours nues, ramassèrent en marchant à quatre pattes entre les flambeaux ardents ; le pape Alexandre, le duc de Valentinois et sa sœur Lucrèce, qui regardaient ce spectacle d'une tribune, encourageaient par leurs applaudissements les plus adroites et les plus diligentes, qui reçurent pour prix des jarretières brodées, des brodequins de velours et des bonnets de drap d'or et de dentelles ; puis on passa à de nouveaux plaisirs, et... »

Nous en demandons bien humblement pardon à nos lecteurs, et surtout à nos lectrices ; mais après avoir trouvé des expressions pour la première partie du spectacle, voilà que nous en cherchons vainement pour la seconde ; nous nous contenterons donc de leur dire que, comme il y avait eu des prix pour l'adresse, il y en eut pour la luxure et la bestialité.

Quelques jours après cette soirée étrange, qui rappelait si bien les veillées romaines de Tibère, de Néron et d'Héliogabale, Lucrèce, vêtue d'une robe de brocart d'or, dont des jeunes filles, vêtues de blanc et couronnées de roses, portaient la queue, sortit de son palais, marchant, au son des trompettes et des clairons, sur des tapis étendus par les rues où elle devait passer ; et accompagnée des plus nobles cavaliers et des plus belles femmes de Rome, elle se rendit au Vatican, où l'attendaient, dans la salle Pauline, le pape, le duc de Valentinois, don Ferdinand, procureur du duc Alphonse, et le cardinal d'Este, son cousin. Le pape s'assit d'un côté de la table, tandis que les envoyés ferrarais se tenaient debout de l'autre côté ; alors madame Lucrèce s'avança au milieu, et don Ferdinand lui mit au doigt l'anneau nuptial ; cette cérémonie accomplie, le cardinal d'Este s'approcha à son tour, et présenta à la fiancée quatre magnifiques bagues où étaient enchâssées des pierres précieuses ; puis, on apporta sur la table une assiette, richement incrustée d'ivoire, dont le cardinal tira une quantité de joyaux, de chaînes et de colliers, de perles et de diamants, dont le travail n'était pas moins précieux que la matière, et qu'il pria de nouveau Lucrèce d'accepter, en attendant ceux que son fiancé se promettait de lui offrir lui-même, et qui seraient plus dignes d'elle. Lucrèce accepta ces présents avec les démonstrations de la plus grande joie ; puis elle se retira dans une salle voisine, appuyée sur le bras du pape, et suivie des dames qui l'avaient accompagnée, laissant au duc de Valentinois le soin de faire aux hommes les honneurs du Vatican. Le soir, les invités se réunirent de nouveau, et, tandis qu'on tirait un magnifique feu d'artifice sur la place Saint-Paul, ils dansèrent jusqu'à la moitié de la nuit.

La cérémonie des fiançailles accomplie, le pape et

le duc de Valentinois s'occupèrent des apprêts du départ. Le pape, qui désirait que le voyage se fît avec un grand appareil, mit à la suite de sa fille, outre ses deux beaux-frères et les gentilshommes venus avec eux, le sénat de Rome et tous les seigneurs qui, par leur fortune, pouvaient étaler le plus de magnificence sur leurs habits et dans leur livrée. Parmi cette suite splendide, on distinguait Olivier et Rainiro Mattei, fils de Pierre Mattei, chancelier de la ville, et d'une fille que le pape avait eue d'une autre femme encore que la Vanozza : en outre, sa sainteté nomma en consistoire François Borgia, cardinal de Cosenza, légat *a latere*, pour accompagner sa fille jusqu'aux frontières des États ecclésiastiques.

De son côté, le duc de Valentinois envoya des messagers dans toutes les cités de la Romagne, pour que Lucrèce fût reçue dans chacune d'elles comme si elle en était souveraine et maîtresse ; aussitôt de grands préparatifs furent faits pour accomplir les ordres du duc. Cependant les messagers lui rapportèrent qu'ils craignaient fort que des murmures ne se fissent entendre à Césène, où, on se le rappelle, César, pour calmer l'agitation de la ville, avait laissé avec ses pleins pouvoirs le gouverneur Ramiro d'Orco. Or Ramiro d'Orco avait si bien accompli son œuvre, qu'il n'y avait plus rien à craindre sous le rapport de la rébellion ; car un sixième des habitants avait péri sur l'échafaud. Cependant il résultait de cette situation que l'on n'espérait pas obtenir de la ville en deuil les mêmes démonstrations de joie que l'on attendait d'Imola, de Faenza et de Pesaro ; mais le duc de Valentinois obvia à cet inconvénient avec une promptitude et une efficacité qui n'appartenaient qu'à lui. Un matin, les habitants de Césène trouvèrent en s'éveillant l'échafaud dressé sur la place, et sur l'échafaud un homme coupé en quatre quartiers, que surmontait, au bout d'un pieu, une tête détachée du tronc.

Cet homme, c'était Ramiro d'Orco.

Nul ne sut jamais par quelles mains l'échafaud nocturne avait été dressé, ni par quels bourreaux la terrible exécution avait été faite ; seulement, la république de Florence ayant fait demander à Machiavel, son légat à Césène, ce qu'il pensait de cette mort, Machiavel répondit :

« Magnifiques seigneurs,

Je ne puis rien vous dire touchant l'exécution de Ramiro d'Orco, sinon que César Borgia est le prince qui sait le mieux faire et défaire les hommes selon leurs mérites.

NICOLAS MACHIAVEL. »

Le duc de Valentinois ne s'était pas trompé dans sa prévision, la future duchesse de Ferrare fut admirablement reçue dans toutes les villes par lesquelles elle passa, et particulièrement dans la ville de Césène.

Pendant que Lucrèce allait rejoindre à Ferrare son quatrième mari, Alexandre et le duc de Valentinois résolurent de faire une tournée dans leur dernière conquête, le duché de Piombino. Le but apparent de ce voyage était de faire prêter serment à César par ses nouveaux sujets, et le but réel, de former dans la capitale de Jacques d'Appiano un arsenal à portée de la Toscane, à laquelle ni le pape ni son fils n'avaient jamais sérieusement renoncé. Tous deux partirent donc du port de Corneto sur six galères, accompagnés d'un grand nombre de cardinaux et de prélats, et le même soir arrivèrent à Piombino. La cour pontificale y demeura quelques jours, tant pour faire reconnaître le duc de Valentinois des habitants, que pour assister à quelques fonctions ecclésiastiques, dont la principale fut une chapelle tenue le troisième dimanche de carême, et dans laquelle le cardinal de Cosenza chanta une messe, où le pape assista pontificalement avec le duc et les cardinaux.

Puis, faisant succéder ses plaisirs accoutumés à ces graves fonctions, le pape fit venir les plus belles filles du pays, et leur ordonna de danser devant lui leurs danses nationales.

À ces danses succédaient des festins d'une somptuosité inouïe, et dans lesquels, à la vue de tous, quoiqu'on fût en carême, le pape ne se fit aucun scrupule de ne point faire maigre. Au reste, toutes ces fêtes avaient pour but de répandre une grande quantité d'argent dans le pays et de populariser le duc de Valentinois, en faisant oublier le pauvre Jacques d'Appiano.

Après Piombino, le pape et son fils visitèrent l'île d'Elbe, où ils ne s'arrêtèrent, au reste, que le temps nécessaire pour visiter les vieilles fortifications et ordonner d'en faire de nouvelles.

Enfin, les illustres voyageurs s'embarquèrent pour revenir à Rome ; mais à peine en mer, le temps étant devenu contraire, et le pape n'ayant pas voulu rentrer à Porto Ferrajo, on resta cinq jours sur les galères, qui n'avaient de provisions que pour deux. Pendant les trois derniers jours le pape ne vécut donc que de quelques poissons frits, pêchés à grand-peine, à cause du gros temps. Enfin, on arriva en vue de Corneto, et là, le duc de Valentinois, qui était sur une autre galère que celle montée par le pape, voyant que son bâtiment ne pouvait prendre terre, se jeta dans un bateau, et se fit conduire au port. Quant au pape, il fut contraint de continuer sa route vers Pontercole, où il arriva enfin après avoir été battu d'une tempête si violente, que tous ceux qui l'accompagnaient demeuraient comme abattus, ou par le mal de mer ou par la terreur de la mort. Le pape seul ne manifesta point un seul instant de crainte, demeurant, tout le temps que dura la tempête, sur le pont, assis dans son fauteuil, invoquant le nom de Jésus et faisant le signe de la croix. Enfin, la galère qui le portait entra dans la rade de Pontercole, où il prit terre à son tour, et ayant envoyé chercher des chevaux à Corneto, il rejoignit le duc, qui l'attendait dans cette ville. Tous deux alors revinrent, à petites journées, par Civita-Vecchia et Palo, et rentrèrent dans Rome après un mois d'absence. Presque en même temps qu'eux y arriva, venant chercher son chapeau, le cardinal d'Albret. Il était accompagné des deux infants de Navarre, qui y furent accueillis non seulement avec les honneurs qui convenaient à leur rang, mais encore comme des beaux-frères auxquels le duc de Valentinois était jaloux de montrer le cas qu'il faisait de leur alliance.

Cependant le temps était venu où le duc de Valentinois devait reprendre le cours de ses conquêtes. Aussi, comme dès le premier mai de l'année précédente le pape avait prononcé, en plein consistoire, une sentence de déchéance contre Jules-César de Varano, par laquelle, en punition du meurtre de son frère Rodolphe et de l'asile qu'il avait accordé aux ennemis du pape, il était exproprié de son fief de Camerino, lequel était réuni à la chambre apostolique, César partit de Rome pour la mettre à exécution. En conséquence, arrivé sur les frontières de Pérouse, qui appartenait à son lieutenant, Jean-Paul Baglione, il envoya Oliverotto da Fermo et Gravina Orsini ravager la Marche de Camerino, en même temps qu'il priait Gui d'Ubaldo de Montefeltro, duc d'Urbin, de lui prêter ses soldats et son artillerie, pour l'aider dans cette entreprise ; ce que le malheureux duc d'Urbin, qui était dans les meilleures relations avec le pape, et qui n'avait aucun motif de se défier de César, n'osa lui refuser. Mais le jour même où les troupes du duc d'Urbin se mettaient en route pour Camerino, les troupes du duc de Valentinois entraient dans le duché d'Urbin, et s'emparaient de Cagli, une des quatre villes de ce petit État. Le duc comprit ce qui l'attendait s'il essayait de faire résistance, et s'enfuit en habit de paysan ; de sorte qu'en moins de huit jours César se trouva maître de son duché, moins les forteresses de Maiolo et de San-Leo.

Le duc de Valentinois se retourna aussitôt vers Camerino, qui tenait toujours, excité par la présence de Jules-César de Varano, son seigneur, et de ses deux fils, Venantio et Annibal ; quant à l'aîné, qui se nommait Jean-Marie, il avait été envoyé par son père à Venise.

La présence de César amena des pourparlers entre les assiégeants et les assiégés. On rédigea une capitulation par laquelle Varano s'engageait à rendre la ville, à la condition que lui et ses fils en sortiraient sains et saufs, emportant avec eux leurs meubles, leurs trésors et leurs équipages. Mais ce n'étaient point là les intentions de César ; aussi, profitant du relâchement que l'annonce de la capitulation avait naturellement amené dans la vigilance de la garnison, il surprit la ville pendant la nuit qui précédait sa reddition, et s'empara de César de Varano et de ses deux fils, qui furent étranglés quelque temps après, le père à la Pergola et les deux fils à Pesaro, par don Michele Correglia, qui, quoique monté du rang de sbire à celui de capitaine, en revenait de temps en temps à son premier métier.

Pendant ce temps, Vitellozzo Vitelli, qui prenait le titre de général de l'Église, et qui avait sous ses ordres huit cents hommes d'armes, et trois mille fantassins, suivant les instructions secrètes et verbales qu'il avait reçues de César, poursuivait le système d'invasion qui devait envelopper Florence d'un réseau de fer et la mettre un jour dans l'impossibilité de se défendre. Digne élève de son maître, à l'école duquel il avait appris à user tour à tour de la finesse du renard ou de la force du lion, il avait noué des intelligences avec quelques jeunes seigneurs d'Arezzo pour se faire livrer cette ville. Cependant, la conjuration ayant été découverte par Guillaume de Pazzi, commissaire pour la république florentine, ce dernier fit arrêter deux des conjurés ; mais les autres, qui étaient beaucoup plus nombreux qu'on ne le croyait, s'étant aussitôt répandus dans la ville en criant aux armes, tout le parti républicain, qui voyait un moyen, dans une révolution quelconque, de secouer le joug de Florence, se réunit à eux, délivra les captifs, s'empara de Guillaume, et, ayant proclamé le rétablissement de l'ancienne constitution, mit le siège devant la citadelle, où s'était réfugié Côme de Pazzi, évêque d'Arezzo, fils de Guillaume, lequel, se voyant investi de tous côtés, envoya en toute hâte un messager à Florence pour demander des secours.

Malheureusement pour le cardinal, les troupes de Vitellozzo Vitelli étaient plus rapprochées des assiégeants que les soldats de la sérénissime république ne l'étaient des assiégés, de sorte qu'au lieu d'un secours, ce fut toute l'armée ennemie qu'il vit arriver. Cette armée était commandée par Vitellozzo, par Jean-Paul Baglione et Fabio Orsini, qui conduisaient avec eux les deux Médicis, lesquels accouraient partout où il y avait ligue contre Florence, et qui se tenaient à la disposition de Borgia pour rentrer, à quelque condition que ce fût, dans la ville qui les avait chassés. Le lendemain, un autre secours d'argent et d'artillerie envoyé par Pandolfo Petrucci arriva encore de même ; de sorte

224

que, le 18 juin, la citadelle d'Arezzo, qui n'avait reçu aucune nouvelle de Florence, fut obligée de se rendre.

Vitellozzo laissa les Arétins garder leur ville eux-mêmes, enferma Fabio Orsini dans la citadelle avec mille hommes, et, profitant de la terreur qu'avaient inspirée à toute cette partie de l'Italie les prises successives au duché d'Urbin, de Camerino et d'Arezzo, il marcha sur Monte-San-Severino, sur Castiglione-Aretino, sur Cortone et sur les autres villes du Val de Chiana, qui se rendirent successivement et presque sans se défendre. Arrivé ainsi à dix ou douze lieues de Florence seulement, et n'osant rien entreprendre de son chef contre elle, il fit savoir au duc de Valentinois où il en était. Celui-ci, pensant que l'heure était venue de frapper enfin le coup qu'il retardait depuis si long-temps, se mit aussitôt en route pour aller porter en personne sa réponse à ses fidèles lieutenants.

Mais les Florentins, s'ils n'avaient pas envoyé de secours à Guillaume de Pazzi, en avaient demandé à Chaumont d'Amboise, gouverneur du Milanais pour Louis XII, en lui exposant non seulement le danger qu'ils couraient, mais encore les plans ambitieux de César, qui, après avoir envahi les petites principautés d'abord, puis ensuite les États de second ordre, en viendrait peut-être à cet excès d'orgueil de s'attaquer au roi de France lui-même. Or les nouvelles de Naples étaient inquiétantes, de graves démêlés s'étaient déjà élevés entre le comte d'Armagnac et Gonzalve de Cordoue ; Louis XII pouvait avoir besoin au premier jour de Florence, qu'il avait toujours trouvée loyale et fidèle : il résolut donc d'arrêter les progrès de César, et non seulement envoya à celui-ci l'ordre de ne pas faire un pas de plus, mais encore il mit en marche, pour appuyer efficacement son injonction, le capitaine Imbaut avec quatre cents lances.

Le duc de Valentinois reçut sur la frontière de la Toscane une copie du traité signé entre la république et le roi de France, traité dans lequel le premier s'engageait à secourir son alliée contre quiconque l'attaquerait, et, joint à cette copie, la défense formelle que lui faisait Louis XII d'aller plus loin. César apprit en même temps qu'outre les quatre cents lances du capitaine Imbaut, qui étaient en route pour Florence, Louis XII, en arrivant à Asti, avait immédiatement acheminé sur Parme Louis de La Trimouille avec deux cents gens d'armes, trois mille Suisses et un train considérable d'artillerie. Il vit dans ces deux mouvements combinés des dispositions hostiles contre lui, et, faisant volte-face avec son habileté ordinaire, il profita de ce qu'il n'avait donné à aucun de ses lieutenants d'autre ordre que des instructions verbales, et écrivit à Vitellozzo une lettre foudroyante, dans laquelle il lui reprochait de l'avoir compromis pour son intérêt particulier, et lui ordonnait de rendre à l'instant même aux Florentins les villes et les forteresses qu'il avait prises sur eux, le menaçant, s'il hésitait un instant, de marcher lui-même avec ses troupes pour les lui reprendre.

Puis, cette lettre écrite, César Borgia partit aussitôt pour Milan, où venait d'arriver Louis XII, lui portant, par le fait même de l'évacuation des villes conquises, la preuve qu'on l'avait calomnié auprès de lui. Il avait en même temps mission du pape de renouveler pour dix-huit mois encore, au cardinal d'Amboise, l'ami plutôt que le ministre de Louis XII, son titre de légat *a latere* en France. Grâce à cette preuve publique de son innocence et à cette influence cachée, César eut bientôt fait sa paix avec le roi de France.

Mais ce ne fut pas tout : comme il était dans le génie de César de toujours sortir plus grand par quelque combinaison nouvelle d'une catastrophe qui eût dû l'abaisser, il calcula tout de suite le parti qu'il pouvait tirer de la désobéissance prétendue de ses lieutenants ; et comme déjà plus d'une fois il s'était inquiété de leur puissance et avait convoité leurs villes, il pensa que l'heure était peut-être venue de les faire disparaître et dû chercher dans l'envahissement de leurs propres domaines un dédommagement à cette Florence qui lui échappait sans cesse au moment où il croyait la tenir.

Et, en effet, c'était une chose fatigante que ces forteresses et ces cités qui s'élevaient, avec une autre bannière que la sienne, au milieu de cette belle Romagne dont il comptait faire son royaume. Ainsi Vitellozzo possédait Città di Castello, Bentivoglio tenait Bologne, Jean-Paul Baglione commandait à Pérouse, Oliverotto venait de s'emparer de Fermo ; enfin Pandolfo Petrucci était seigneur de Sienne : il était temps que tout cela rentrât sous un pouvoir unique. Les lieutenants du duc de Valentinois, pareils à ceux d'Alexandre, commençaient à se faire trop puissants, et il fallait que Borgia héritât d'eux s'il ne voulait pas qu'ils héritassent de lui.

Le duc de Valentinois obtint de Louis XII trois cents lances pour marcher contre eux.

De son côté, Vitellozzo Vitelli avait à peine reçu la lettre de César, qu'il avait compris qu'il était sacrifié par celui-ci à la crainte qu'il avait du roi de France ; mais Vitellozzo n'était pas une de ces victimes qu'on égorge ainsi en expiation d'une faute : c'était un buffle de la Romagne qui fait face avec ses cornes au couteau du sacrificateur ; d'ailleurs, l'exemple des Varani et des Manfredi était là, et mourir pour mourir, mieux valait tomber les armes à la main.

Vitellozzo Vitelli convoqua donc à Maggione ceux dont les existences et les domaines étaient menacés par ce nouveau revirement de la politique de César : c'étaient Paul Orsini, Jean-Paul Baglione, Hermès Bentivoglio, qui représentait son père Jean ; Antoine de Venafro, envoyé de Pandolfo Petrucci ; Oliverotto da Fermo et le duc d'Urbin ; les six premiers avaient tout à perdre, et le dernier avait déjà tout perdu.

Une ligue fut signée entre les confédérés : ils s'engageaient à résister à César, soit qu'il essayât de les battre partiellement, soit qu'il les attaquât tous ensemble.

César apprit cette ligue par le premier résultat qu'elle avait produit ; le duc d'Urbin, qui était adoré de ses sujets, s'était présenté avec quelques soldats devant la forteresse de San-Leo, elle se rendit à lui, et en moins de huit jours, villes et forteresses suivant cet exemple, tout le duché se retrouva au pouvoir du duc d'Urbin.

En même temps, chacun des confédérés proclama ouvertement sa révolte contre l'ennemi commun, et prit une attitude hostile.

Le duc était à Imola, où il attendait les troupes françaises, mais presque sans soldats ; si bien que, si Bentivoglio, qui tenait une partie du pays, et le duc d'Urbin, qui venait de reconquérir l'autre, avaient marché contre lui, il est probable, ou qu'ils l'eussent pris, ou qu'ils l'eussent contraint de fuir et de quitter la Romagne ; d'autant plus que les deux hommes sur lesquels il comptait, c'est-à-dire don Ugo de Cardona, qui était entré à son service après la prise de Capoue, et Michelotto, ayant mal suivi ses instructions, se trouvèrent tout à coup séparés de lui. En effet, il leur avait ordonné de se replier sur Rimini, et de lui ramener deux cents chevau-légers et cinq cents fantassins qu'ils commandaient ; mais ne connaissant pas l'urgence de sa situation, au moment où ils essayaient de s'emparer par surprise de la Pergola et de Fossombrone, ils furent entourés par Gravina, Orsini et Vitellozzo. Ugo de Cardona et Michelotto se défendirent comme des lions ; mais, quelques efforts qu'ils fissent, leur petite troupe fut taillée en pièces, Ugo de Cardona fut fait prisonnier, et Michelotto n'échappa au même sort qu'en se couchant parmi les morts ; puis, la nuit venue, il se sauva à Fano.

Cependant, tel qu'il était et presque sans troupes à Imola, les confédérés n'osèrent rien tenter contre César, soit par la crainte qu'il inspirait personnellement, soit qu'ils respectassent en lui l'ami du roi de France ; ils se contentèrent donc de s'emparer des villes et des forteresses environnantes. Vitellozzo avait repris les forteresses de Fossombrone, d'Urbin, de Cagli et d'Aggobbio ; Orsini et Gravina avaient reconquis Fano et toute la province ; enfin, Jean-Marie de Varano, le même qui, par son absence, avait échappé au massacre de toute sa famille, était rentré à Camerino, porté en triomphe par son peuple.

Rien de tout cela ne détruisit la confiance que César avait dans sa fortune, et tandis que d'un autre côté il pressait l'arrivée des troupes françaises, et appelait à sa solde tous ces petits gentilshommes qu'on appelait des *lances brisées*, parce qu'ils couraient le pays avec cinq ou six cavaliers seulement, s'engageant au service de quiconque avait besoin d'eux, il avait entamé des négociations avec ses ennemis, certain que du jour où il les amènerait à une conférence ils étaient perdus. En effet, César avait reçu du ciel le don fatal de la persuasion ; de sorte que, si bien prévenu que l'on fût de sa duplicité, il n'y avait pas moyen de résister, non pas à son éloquence, mais à cet air de franche bonhomie qu'il savait si bien prendre et qui faisait l'admiration de Machiavel, lequel, si profond politique qu'il fût, se laissa plus d'une fois tromper par elle. Pour engager Paul Orsini à venir traiter à Imola, il envoya donc aux confédérés le cardinal Borgia en otage ; aussi Paul Orsini n'hésita-t-il plus et arriva-t-il à Imola le 25 octobre 1502.

Le duc de Valentinois le reçut comme un ancien ami, dont on a été séparé quelques jours par des discussions légères et momentanées. Il avoua avec franchise que tous les torts étaient sans doute de son côté, puisqu'il s'était aliéné des hommes qui étaient à la fois de si loyaux seigneurs et de si braves capitaines ; mais, entre gens comme eux, il ajouta qu'une explication franche et loyale, comme celle qu'il donnait, devait remettre toutes choses dans le même état qu'auparavant. Alors, et comme preuve que ce n'était point la crainte, mais son bon vouloir, qui le ramenait à eux, il montra à Orsini les lettres du cardinal d'Amboise qui lui annonçaient l'arrivée prochaine des troupes françaises ; il lui fit voir celles qu'il avait rassemblées autour de lui, désirant, ajouta-t-il, qu'ils fussent bien convaincus que ce qu'il regrettait le plus dans tout cela, ce n'était pas tant la perte qu'il avait faite de capitaines si distingués, qu'ils étaient l'âme de sa vaste entreprise, que d'avoir, d'une manière si fatale pour lui, laissé croire au monde qu'il pouvait un seul instant avoir méconnu leur mérite ; qu'en conséquence, il se fiait à lui, Paul Orsini, qu'il avait toujours aimé entre tous, pour ramener les confédérés à une paix qui serait aussi profitable à tous que la guerre était nuisible à chacun, étant prêt à signer avec eux tout accommodement qui ne serait pas préjudiciable à son honneur.

Orsini était l'homme qu'il fallait à César ; plein d'orgueil et de confiance en lui-même, il était convaincu du vieux proverbe qui dit que : « Un pape ne peut régner huit jours, s'il a contre lui à la fois les Colonna et les Orsini. » Il crut donc, sinon à la bonne foi de César, du moins à la nécessité où il était de revenir à eux ; en conséquence, sauf ratification, il signa avec lui, le 18 octobre 1502, les conventions suivantes, que nous reproduisons telles que Machiavel les envoya à la magnifique république de Florence.

ACCORD ENTRE LE DUC DE VALENTINOIS ET LES CONFÉDÉRÉS

« Qu'il soit notoire, aux parties mentionnées ci-dessous, et à tous ceux qui verront les présentes, que son excellence le duc de Romagne d'une part, et de l'autre les Orsini, ainsi que leurs confédérés, désirant mettre fin à des différends, des inimitiés, des mésintelligences et des soupçons qui se sont élevés entre eux, ont résolu ce qui suit :

« Il y aura entre eux paix et alliance véritables et perpétuelles, avec un complet oubli des torts et injures qui peuvent avoir eu lieu jusqu'à ce jour, se promettant réciproquement de n'en conserver aucun ressentiment ; et en conformité desdites paix et union, son excellence le duc de Romagne reçoit dans ses confédération, ligue et alliance perpétuelles, tous les seigneurs précités ; et chacun d'eux promet de défendre les États de tous en général et de chacun en particulier contre toute puissance qui voudrait les inquiéter ou attaquer pour quelque cause que ce fût, exceptant toujours néanmoins le pape Alexandre VI et sa majesté très chrétienne Louis XII, roi de France : promettant d'autre part, et dans les mêmes termes, les seigneurs susnommés, de concourir à la défense de la personne et des États, de son excellence, ainsi qu'à celle des illustrissimes seigneurs don Guiffry Borgia, prince de Squillace, don Roderic Borgia, duc de Sermoneta et de Biselli, et don Jean Borgia, duc de Camerino et de Nepi, tous frères ou neveux de son excellence le duc de Romagne.

« De plus, comme la rébellion et l'envahissement du duché d'Urbin et de Camerino sont arrivés pendant les susdites mésintelligences, tous les confédérés précités et chacun d'eux s'obligent à concourir de toutes leurs forces au recouvrement des États ci-dessus et autres places et lieux révoltés et envahis.

« Son excellence le duc de Romagne s'oblige à continuer, aux Orsini et aux Vitelli, leurs anciens engagements de service militaire et aux mêmes conditions.

« Elle promet, de plus, de n'obliger qu'un d'entre eux, à leur choix, de servir en personne ; le service que pourront faire les autres sera volontaire.

« Elle s'engage aussi à faire ratifier le second traité, par le souverain pontife, qui ne pourra obliger le cardinal Orsini à demeurer dans Rome qu'autant que cela conviendrait à ce prélat.

« En outre, comme il existe quelques différends entre le pape et le seigneur Jean Bentivoglio, les confédérés précités conviennent qu'ils seront remis à l'arbitrage sans appel du cardinal Orsini, de son excellence le duc de Romagne, et du seigneur Pandolfo Petrucci.

« S'engagent aussi les confédérés précités, tous et chacun d'eux, aussitôt qu'ils en seront requis par le duc de Romagne, à remettre entre ses mains, comme otage, un des fils légitimes de chacun d'eux, et dans le lieu et dans le temps qu'il lui plaira d'indiquer.

« Promettant, de plus, les mêmes confédérés, tous et chacun d'eux si quelque projet tramé contre l'un d'eux venait à leur connaissance, de l'en avertir et de s'en prévenir tous réciproquement.

« Il est convenu, outre cela, entre le duc de Romagne et les susdits confédérés, de regarder comme l'ennemi commun quiconque manquerait aux présentes stipulations, et de concourir tous à la ruine des États qui ne s'y conformeraient pas.

Signé, CÉSAR, PAUL ORSINI,
AGAPIT, *secrétaire*. »

En même temps qu'Orsini reportait aux confédérés le traité rédigé entre lui et le Valentinois, Bentivoglio, ne voulant pas se soumettre à l'arbitrage indiqué, offrait à César de terminer leurs différends par un traité particulier, et lui envoyait son fils pour en rédiger les conditions : après quelques pourparlers, elles furent arrêtées ainsi qu'il suit :

Bentivoglio détacherait sa fortune de celle des Vitelli et des Orsini ;

Il fournirait pendant huit ans au duc de Valentinois cent hommes d'armes et cent arbalétriers à cheval ;

Il payerait douze mille ducats par année à César pour l'entretien de cent lances.

Moyennant quoi, son fils Annibal épouserait la sœur de l'évêque d'Enna, qui était nièce du duc de Valentinois, et le pape reconnaîtrait sa souveraineté sur Bologne.

Le roi de France, le duc de Ferrare et la république de Florence devaient être les garants de ce traité.

Cependant la convention qu'Orsini reportait aux confédérés éprouvait de leur part de vives difficultés ; Vitellozo Vitelli surtout, qui était celui qui connaissait le mieux César, ne cessait de répéter aux autres condottieri que cette paix était trop prompte et trop facile pour ne pas cacher quelque piège ; mais comme pendant ce temps le duc de Valentinois avait amassé une armée considérable à Imola, et que les quatre cents lances que lui prêtait Louis XII étaient enfin arrivées, Vitellozzo et Oliverotto se décidèrent à signer le traité apporté par Orsini et à le faire signifier au duc d'Urbin et au seigneur de Camerino, qui comprenant qu'il leur était désormais impossible de se défendre seuls, se retirèrent l'un à Città di Castello, et l'autre dans le royaume de Naples.

Cependant le duc de Valentinois, sans rien dire de ce qu'il comptait faire, se mit en route le 10 décembre, se dirigeant sur Césène avec la puissante armée qu'il avait réunie sous son commandement. Aussitôt tout commença de s'épouvanter, non seulement en Romagne, mais dans toute l'Italie septentrionale : Florence, qui le voyait s'éloigner d'elle, craignait que cette marche n'eût d'autre but que de déguiser son intention ; et Venise, qui le voyait s'approcher de ses frontières, avait envoyé toutes ses troupes sur les rives du Pô. César s'aperçut de cette crainte, et comme elle pouvait nuire à ses projets en inspirant de la défiance, il congédia en arrivant à Césène tous les Français qui étaient à son service, à l'exception de cent hommes d'armes que commandait M. de Candale, son beau-frère ; de sorte qu'il se trouva n'avoir plus autour de lui que deux mille hommes de cavalerie et dix mille fantassins.

Quelques jours se passèrent en pourparlers, car le duc de Valentinois avait trouvé dans cette ville des envoyés des Vitelli et des Orsini, lesquels étaient à la tête de leur armée dans le duché d'Urbin, mais, dès les premières discussions sur la marche à suivre dans la continuation de la conquête, il s'éleva de telles difficultés entre le général en chef et ces agents, qu'ils comprirent eux-mêmes qu'on ne pouvait rien arrêter par intermédiaires, et qu'une conférence entre César et l'un des chefs était urgente. En conséquence, Oliverotto da Fermo se risqua et vint joindre le duc de Valentinois pour lui proposer de marcher sur la Toscane ou de s'emparer de Sinigaglia, qui était la dernière pièce du duché d'Urbin qui ne fût pas retombée au pouvoir de César. César répondit qu'il ne voulait point porter la guerre en Toscane, parce que les Toscans étaient ses amis, mais qu'il approuvait le projet de ses lieutenants sur Sinigaglia : en conséquence, il se mit en marche pour Fano.

Cependant la fille de Frédéric, précédent duc d'Urbin, qui tenait la ville de Sinigaglia, et qu'on nommait la préfetesse, parce qu'elle avait épousé Jean della Rovere, que son oncle Sixte IV avait nommé préfet de Rome, jugeant qu'il lui serait impossible de se défendre contre les forces qu'amenait avec lui le duc de Valentinois, laissa la citadelle aux mains d'un capitaine, à qui elle recommanda d'obtenir pour la ville les meilleures conditions possibles, et s'embarqua pour Venise.

Le duc de Valentinois apprit cette nouvelle à Rimini, par un messager de Vitellozzo et des Orsini, qui lui annonça que le gouverneur de la citadelle, qui avait refusé de la leur remettre, était tout prêt à traiter avec lui : qu'en conséquence, ils l'engageaient à se rendre dans cette ville pour terminer cette affaire. César leur fit répondre qu'en conséquence de l'avis qu'ils lui donnaient, il renvoyait à Césène et à Imola une partie de ses troupes, qu'elles lui étaient inutiles, puisqu'il avait les leurs, qui, réunies à l'escorte qu'il gardait, seraient suffisantes, n'ayant point d'autre projet que la pacification complète du duché d'Urbin ; mais que cette pacification était impossible si ses anciens amis continuaient à se défier de lui, au point de ne débattre que par des agents intermédiaires des plans auxquels leur fortune était intéressée, aussi bien que la sienne. Le messager retourna avec cette réponse vers les confédérés, qui, tout en sentant la vérité de l'observation de César, n'en hésitèrent pas moins à faire ce qu'il demandait ; Vitellozzo Vitelli surtout montrait contre le duc de Valentinois une défiance que rien ne semblait pouvoir vaincre ; enfin, pressé par Oliverotto, Gravina et Orsini, il consentit à attendre le duc ; mais cela bien plutôt pour ne point paraître à ses compagnons plus timide qu'ils ne l'étaient eux-mêmes, que par l'effet de la confiance qu'il avait dans ce retour d'amitié que manifestait Borgia.

Le duc apprit cette décision, tant désirée par lui, en arrivant à Fano, le 20 décembre 1502. Aussitôt il appela près de lui huit de ses plus fidèles, parmi lesquels étaient MM. d'Enna, son neveu, Michelotto et Ugo de Cardona, et leur ordonna, aussitôt qu'ils seraient arrivés à Sinigaglia, et qu'ils verraient Oliverotto, Gravina, Vitellozzo et Orsini venir au-devant de lui, d'avoir, comme pour leur faire honneur, à se placer à leur droite et à leur gauche, deux pour un seul, de manière à ce qu'ils pussent, à un signal donné, ou les arrêter ou les poignarder ; puis il désigna à chacun d'eux celui auquel il devait s'attacher, leur recommandant de ne le quitter que lorsqu'il serait entré dans Sinigaglia, et arrivé au logement préparé pour lui ; puis, envoyant des ordres à ceux de ses soldats qui étaient cantonnés dans les environs, il leur fit savoir qu'ils eussent à se rassembler au nombre de huit mille sur les rives du Métaure, petit fleuve de l'Ombrie qui se jette dans la mer Adriatique, et qu'a illustré la défaite d'Asdrubal.

Le duc arriva au rendez-vous donné à son armée le 31 décembre, et fit partir aussitôt devant lui deux cents hommes de cavalerie, fit marcher l'infanterie immédiatement après elle ; puis, se mit à son tour en route au milieu de ses gens d'armes, suivant le bord de l'Adriatique, et ayant à sa droite les montagnes et à sa gauche la mer, quelquefois si resserrées entre elles, au reste, que l'armée ne pouvait passer à plus de dix hommes de front.

Au bout de quatre heures de marche, le duc, à un tournant du chemin, aperçut Sinigaglia, située à un mille de la mer à peu près, et à un trait de flèche des montagnes ; entre l'armée et la ville coulait une petite rivière, dont il lui fallut quelque temps côtoyer les bords en les descendant ; enfin il trouva un pont jeté en face d'un faubourg de la ville ; là le duc de Valentinois ordonna à sa cavalerie de s'arrêter : elle se plaça sur deux files, l'une entre le chemin et le fleuve, l'autre du côté de la campagne, laissant toute la largeur de la route à l'infanterie, qui défila, passa le pont, et, s'enfonçant dans la ville, alla se mettre en bataille sur la grande place.

De leur côté, Vitellozzo, Gravina, Orsini et Olive-rotto, pour faire place à l'armée du duc, avaient can-tonné leurs soldats dans de petites villes ou des villages aux environs de Sinigaglia ; Oliverotto seul avait conservé à peu près mille fantassins et cent cinquante cavaliers qui avaient leur caserne dans le faubourg par lequel entrait le duc.

À peine César avait-il fait quelques pas vers la ville, qu'il aperçut à la porte Vitellozzo, le duc de Gravina et Orsini qui venaient au-devant de lui ; les deux derniers assez gais et confiants, mais le premier si triste et si abattu, qu'on eût dit qu'il devinait le sort qui l'attendait ; et sans doute, en effet, en avait-il eu quelques pressen-timents ; car, au moment où il quitta son armée pour venir à Sinigaglia, il lui avait fait ses adieux comme s'il ne devait pas la revoir, avait recommandé sa famille à ses capitaines, et avait embrassé ses enfants en versant des larmes ; faiblesse qui avait paru étrange à tous de la part d'un si brave condottiere.

Le duc marcha à eux et leur tendit la main en signe d'oubli, et avec un air si loyal et si riant, que Gravina et Orsini ne conservèrent plus aucun doute sur le retour de son amitié, et qu'il n'y eut que Vitellozzo Vitelli qui demeura dans la même tristesse. Au même instant, et comme la chose leur avait été recommandée, les affidés du duc prirent leur place à la droite et à la gauche de ceux qu'ils devaient surveiller, et qui étaient tous là, à l'exception d'Oliverotto, que le duc ne voyait pas et commençait à chercher des yeux avec inquiétude ; mais, en traversant le faubourg, il l'aperçut qui exerçait sa troupe sur la place. Aussitôt il lui dépêcha don Michele et M. d'Enna, qui étaient chargés de lui dire qu'il était imprudent de faire sortir ainsi ses troupes, qui pouvaient se prendre de querelle avec celles du duc et amener une rixe ; que mieux valait, au contraire, les consigner dans leurs casernes et venir rejoindre ses compagnons qui étaient près de César. Oliverotto, que son destin entraînait avec les autres, ne fit aucune objection, ordonna à ses soldats de rentrer dans leurs logements, et mit son cheval au galop, escorté de chaque côté par M. d'Enna et par Michelotto, pour rejoindre César. César, dès qu'il le vit, l'appela, lui tendit la main, et continua sa marche vers le palais qui lui était destiné, ayant ses quatre victimes à sa suite.

Arrivé au seuil, César descendit le premier, et, ayant fait signe au chef de ses gens d'armes d'attendre ses ordres, il entra le premier, suivi d'Oliverotto, de Gravina, de Vitellozzo Vitelli et d'Orsini, chacun toujours accompagné de ses deux acolytes ; mais à peine eurent-ils monté l'escalier et furent-ils entrés dans la première chambre, que la porte se referma derrière eux, et que César se retourna en disant : « Voilà l'heure ! » C'était le signal convenu. Aussitôt chacun des anciens confédérés fut saisi et renversé, et, le poignard sur la gorge, forcé de rendre ses armes.

En même temps, et tandis qu'on les conduisait dans un cachot, César ouvrit la fenêtre, et, s'avançant sur le balcon, cria au chef de ses gens d'armes : « Allez ! »

Le chef était prévenu, il s'élança avec sa troupe vers les casernes où l'on venait de consigner les soldats d'Oliverotto, et ceux-ci, surpris sans défiance et à l'improviste, furent aussitôt faits prisonniers ; puis la troupe du duc se mit à piller la ville ; et le duc fit appeler Machiavel.

Le duc de Valentinois et l'envoyé de Florence demeurèrent à peu près deux heures enfermés ensemble, et comme Machiavel lui-même raconta le sujet de cette entrevue, nous allons rapporter ses propres paroles :

« Il me fit appeler, dit le légat florentin, et me témoigna, de l'air le plus serein, la joie que lui causait le succès de cette entreprise, dont il m'assura m'avoir parlé la veille, ce que je me rappelai, quoique *je n'eusse pas compris alors ce qu'il me voulait dire* ; il s'expliqua ensuite, en termes très sensés et pleins de la plus vive affection pour notre ville, sur les divers motifs qui lui faisaient désirer votre alliance, désir auquel il espérait que vous répondriez. Il a fini par m'engager à faire trois invitations à vos seigneuries : la première, que vous vous réjouissiez avec lui d'un événement qui faisait disparaître d'un seul coup les mortels ennemis du roi, les siens et les vôtres, et qui détruisait toutes les semences de trouble et de dissensions propres à dévaster l'Italie ; service qui, joint au refus qu'il avait fait aux prisonniers de marcher contre vous, devait exciter votre reconnaissance à son égard ; la seconde, de vous prier de lui donner, dans cette circonstance, une preuve éclatante de votre amitié, en faisant pousser votre cavalerie vers Borgo, et en y rassemblant des troupes de pied, afin de pouvoir, selon le besoin, marcher avec lui sur Castello ou sur Pérouse. Il désire enfin, et c'est la troisième chose qu'il réclame de vous, que vous fassiez arrêter le duc d'Urbin, s'il se réfugiait de Castello sur vos terres, en apprenant la détention de Vitellozzo. Comme je lui objectais qu'il ne serait point de la dignité de la république de le lui livrer, et que vous n'y consentiriez jamais, il approuva mon observation, et me dit qu'il suffisait que vous le retinssiez et ne lui rendissiez pas la liberté sans sa participation. J'ai promis à son excellence de vous mander tout ceci, dont elle attend la réponse. »

La même nuit, huit hommes masqués descendirent dans le cachot où étaient les prisonniers, qui crurent alors que l'heure fatale était venue pour tous. Mais les bourreaux n'avaient affaire pour le moment qu'à Vitellozzo Vitelli et à Oliverotto. Lorsqu'on signifia à ces deux capitaines leur condamnation, Oliverotto éclata en reproches contre Vitellozzo Vitelli, lui disant que c'était lui qui était cause qu'il avait pris les armes contre le duc ; quant à Vitellozzo Vitelli, la seule chose qu'il dit, fut qu'il priait le pape de lui accorder indulgence plénière pour tous ses péchés. Alors, les hommes masqués les firent sortir tous deux, laissant Orsini et Gravina attendre à leur tour un sort pareil, et emmenèrent ces élus de la mort dans un lieu écarté, en dehors des remparts de la ville, où ils furent étranglés, et où on les enterra aussitôt dans deux fosses creusées d'avance à cet effet.

Les deux autres avaient été gardés vivants jusqu'à ce qu'on sût si le pape avait, de son côté, fait arrêter le cardinal Orsini, l'archevêque de Florence et le seigneur de Sainte-Croix : aussi, dès qu'on eut reçu de sa sainteté la réponse affirmative, Gravina et Orsini, qui avaient été transférés au château de la Pièvre, furent étranglés à leur tour.

Quant au duc, après avoir laissé ses instructions à Michelotto, il était parti de Sinigaglia aussitôt la première exécution faite, en assurant à Machiavel qu'il n'avait jamais eu d'autre pensée que celle de rendre la tranquillité à la Romagne et à la Toscane, et qu'il croyait y avoir réussi par la prise et la mort de ceux-là qui étaient la cause de tous les troubles, et que, quant aux autres révoltes qui pourraient avoir lieu désormais, ce ne seraient plus que des étincelles qu'une goutte d'eau pourrait éteindre.

Le pape eut à peine appris que César tenait ses ennemis entre ses mains, que, pressé à son tour de gagner la même partie, il fit annoncer au cardinal Orsini, quoiqu'il fût minuit, que son fils s'était emparé de Sinigaglia, et qu'il l'invitait à venir le lendemain dès le matin causer avec lui de cette bonne nouvelle. Le cardinal, enchanté de cet accroissement de faveur, n'eut garde de manquer au rendez-vous donné. En conséquence, dès le matin, il monta à cheval pour se rendre au Vatican ; mais, au détour de la première rue, il rencontra le gouverneur de Rome avec un détachement de cavalerie qui se félicita du hasard qui leur faisait faire même route, et l'accompagna jusqu'au seuil du Vatican ; là le cardinal mit pied à terre, et commença de monter l'escalier ; mais à peine fut-il au premier palier, que déjà ses mules et ses équipages étaient saisis et enfermés dans les écuries du palais. De son côté, en entrant dans la salle du Perroquet, il se trouva, ainsi que toute sa suite, environné d'hommes armés, qui le conduisirent à une autre salle qu'on appelait la salle du Vicaire, et où il trouva l'abbé Alviano, le protonotaire Orsini, Jacques Santa-Croce et Rinaldo Orsini, qui étaient prisonniers comme lui ; en même temps le gouverneur recevait l'ordre de s'emparer du château de Monte-Giordano qui appartenait aux Orsini et d'en enlever tous les bijoux, toutes les tentures, tous les meubles et toute l'argenterie qui s'y trouveraient.

Le gouverneur s'acquitta en conscience de cette commission, et apporta au Vatican tout ce dont il s'était emparé, jusqu'au livre de comptes du cardinal. En consultant ce livre, le pape s'aperçut de deux choses : l'une, qu'une somme de deux mille ducats était due au cardinal, sans qu'il y eût le nom du débiteur, et l'autre, que le cardinal avait acheté, trois mois auparavant, pour quinze cents écus romains, une magnifique perle qui ne se retrouvait point parmi les objets qui étaient en son pouvoir : en conséquence, il ordonna qu'à compter de cette heure, et jusqu'au moment où cette négligence dans les comptes du cardinal serait réparée, les hommes qui lui apportaient deux fois par jour à manger, de la part de sa mère, n'entreraient plus au château Saint-Ange. Le même jour, la mère du cardinal envoya au pape les deux mille ducats, et le lendemain, sa maîtresse vint, sous des habits d'homme, apporter elle-même la perle réclamée. Mais sa sainteté, émerveillée de sa beauté sous ce costume, la lui laissa, à ce qu'on assure, pour le même prix qu'elle l'avait payée une première fois.

Quant au cardinal, le pape permit qu'on lui apportât, comme par le passé, sa nourriture, de sorte qu'il mourut empoisonné le 22 février, c'est-à-dire le surlendemain du jour où ses comptes avaient été réglés.

Le soir de sa mort, le prince de Squillace se mit en route pour prendre possession, au nom du pape, des terres du défunt.

Cependant le duc de Valentinois avait continué sa route vers Città di Castello et Pérouse, et s'était emparé de ces deux villes sans coup férir ; car les Vitelli s'étaient enfuis de la première, et Jean-Paul Baglione avait abandonné la seconde sans même essayer de faire résistance. Restait encore Sienne, où s'était enfermé Pandolfo Petrucci, le seul qui restât de tous ceux qui avaient signé la ligue contre lui.

Mais Sienne était sous la protection des Français. En outre, Sienne n'était pas des États de l'Église, et César n'avait aucun droit sur elle. Il se contenta donc d'exiger que Pandolfo Petrucci quittât la ville et se retirât à Lucques, ce qui fut exécuté.

Alors, tout étant tranquille de ce côté et la Romagne entière étant soumise, César Borgia résolut de retourner à Rome, pour aider le pape à se défaire de ce qui restait des Orsini.

La chose était d'autant plus facile, que Louis XII, ayant éprouvé des revers dans le royaume de Naples, avait désormais trop à s'occuper de ses propres affaires pour s'inquiéter de celles de ses alliés. Aussi César, faisant pour les environs de la capitale du saint-siège ce qu'il venait de faire pour la Romagne, s'empara-t-il successivement de Vicovaro, de Cera, de Palombera, de Lanzano et de Cervetti ; de sorte que, cette conquête achevée, César, n'ayant plus rien à faire et ayant soumis les États pontificaux depuis les frontières de Naples jusqu'à celles de Venise, revint à Rome, pour concerter avec son père les moyens de convertir son duché en royaume.

César y arriva tout juste pour partager avec Alexandre la succession du cardinal Jean Michel, qui venait de mourir empoisonné par un échanson qu'il avait pris des mains du pape.

Le futur roi d'Italie trouva son père préoccupé d'une grande spéculation : il avait, pour la solennité de la Saint-Pierre, résolu de faire neuf cardinaux. Or, voilà ce qu'il avait à gagner à cette nomination :

D'abord, les cardinaux nommés laissaient tous des charges vacantes : ces charges retombaient entre les mains du pape, qui les vendait.

Chacun des nouveaux élus achetait son élection plus ou moins cher, selon sa fortune : le prix, laissé au caprice du pape, variait de dix mille à quarante mille ducats.

Enfin, comme, devenus cardinaux, ils avaient, d'après la loi, perdu le droit de tester, le pape n'avait qu'à les empoisonner pour hériter d'eux ; ce qui le mettait dans la position du boucher qui, lorsqu'il a besoin d'argent, n'a qu'à égorger le mouton le plus gras de son troupeau.

La nomination eut lieu : les nouveaux cardinaux furent *Giovanni Castellar Valentino*, archevêque de Trani ; *Francesco Remolino*, ambassadeur du roi d'Aragon ; *Francesco Soderini*, évêque de Volterra ; *Melchior Copis*, évêque de Brissina ; *Nicolas Fiesque*, évêque de Fréjus ; *Francesco de Sprate*, évêque de Leome ; *Adriano Castellense*, clerc de la chambre, trésorier général et secrétaire des brefs ; *Francesco Loris*, évêque d'Elva, patriarche de Constantinople et secrétaire du pape ; et *Giacomi Casanova*, protonotaire et camérier secret de sa sainteté.

Le prix de leur simonie payé et les charges qu'ils avaient laissées vacantes vendues, le pape fit son choix sur ceux qu'il devait empoisonner ; le nombre fut fixé à trois, un ancien et deux nouveaux : l'ancien était le cardinal Casanova, et les nouveaux messeigneurs Melchior Copis et Adriano Castellense, qui avait pris le nom d'Adrien de Corneto de cette ville où il était né, et qui, dans ses charges de clerc de la chambre, de trésorier général et de secrétaire des brefs, avait amassé une immense fortune.

En conséquence, ces choses arrêtées entre César et le pape, ils firent inviter ceux qu'ils avaient choisis pour être leurs convives à venir souper dans une vigne située près du Vatican, et qui appartenait au cardinal de Corneto ; dès le matin de ce jour, qui était le 2 août, ils avaient envoyé leurs serviteurs et leur maître d'hôtel faire tous les préparatifs, et César avait remis lui-même au sommelier de sa sainteté deux bouteilles de vin préparé avec cette poudre blanche qui ressemblait à du sucre, et dont il avait si souvent éprouvé les propriétés mortelles, lui recommandant de ne servir ce vin que lorsqu'il le lui dirait et qu'aux personnes qu'il lui indiquerait : à cet effet, le sommelier avait mis le vin sur un buffet à part, recommandant sur toute chose aux valets de ne point y toucher, ce vin étant réservé pour le pape.

Vers le soir, Alexandre VI sortit à pied du Vatican, appuyé sur le bras de César, et se dirigea vers la vigne, accompagné du cardinal Caraffa ; mais, comme la chaleur était grande et la montée un peu rude, le pape, en arrivant sur la plate-forme, s'arrêta un instant pour reprendre haleine ; à peine y était-il, qu'en portant la main sur sa poitrine, il s'aperçut qu'il avait oublié dans sa chambre à coucher une chaîne qu'il avait l'habitude de porter au cou, et à laquelle pendait un médaillon d'or où était enfermée une hostie consacrée. Cette habitude lui venait d'une prédiction qu'un astrologue lui avait faite, que tant qu'il porterait une hostie consacrée, ni le fer ni le poison ne pourraient avoir prise sur lui : se voyant donc séparé de son talisman, il ordonna à monseigneur Caraffa de courir à l'instant même au Vatican, lui indiquant dans quel endroit de sa chambre il l'avait laissé, afin qu'il l'y prît et le lui apportât sans retard. Puis, comme la marche l'avait altéré, tout en faisant signe de la main à son envoyé de hâter le pas, il se retourna vers un valet et lui demanda à boire ; César, qui, de son côté aussi, était altéré, lui commanda d'apporter deux verres.

Or, par un hasard étrange, il était arrivé que le sommelier venait de retourner au Vatican pour y prendre des pêches magnifiques dont on avait fait le jour même cadeau au pape, et qu'il avait oublié d'apporter avec lui ; le valet s'adressa donc au sous-sommelier, lui disant que sa sainteté et monseigneur le duc de Romagne avaient soif et demandaient à boire. Alors le sous-sommelier, voyant deux bouteilles de vin à part, et ayant entendu dire que ce vin était réservé au pape, prit une des bouteilles, et faisant porter par le valet deux verres sur un plateau, leur versa de ce vin qu'ils burent l'un et l'autre sans se douter que c'était celui qu'ils avaient préparé eux-mêmes pour empoisonner leurs convives.

Pendant ce temps monseigneur Caraffa courait au Vatican, et, comme il était familier au palais, montait à la chambre du pape, une lumière à la main et sans être accompagné d'aucun domestique. Au tournant d'un corridor le vent souffla la lumière ; néanmoins, renseigné comme il l'était, il continua sa route, pensant qu'il n'avait pas besoin d'y voir pour trouver l'objet qu'il venait chercher ; mais en ouvrant la porte de la chambre, le messager recula d'un pas en jetant un cri de terreur ; une vision terrible venait de lui apparaître : il lui semblait avoir devant les yeux, au milieu de la chambre, entre la porte et le meuble où était le médaillon d'or, Alexandre VI, immobile et livide, couché dans une bière, aux quatre coins de laquelle brûlaient quatre flambeaux. Le cardinal resta un instant les yeux fixes et les cheveux hérissés, n'ayant point la force d'aller ni en avant ni en arrière ; mais, pensant enfin que tout cela était un prestige de ses sens ou une apparition infernale, il fit le signe de la croix en invoquant le saint nom de Dieu : tout s'évanouit aussitôt, flambeaux, bière, cadavre, et la chambre mortuaire rentra dans l'obscurité.

Alors le cardinal Caraffa, celui-là qui a raconté lui-même cet étrange événement et qui fut depuis le pape Paul IV, entra résolument dans la chambre, et, quoiqu'une sueur glacée lui coulât sur le front, il alla droit au meuble, et dans le tiroir indiqué ayant trouvé la chaîne d'or et le médaillon, il les prit et sortit précipitamment pour les aller reporter au pape. Il trouva le souper servi, les convives arrivés et sa sainteté prête à se mettre à table : du plus loin qu'elle le vit venir, sa sainteté, qui était très pâle, fit un pas vers lui ; Caraffa doubla la marche et présenta à sa sainteté le médaillon ; mais, au moment où le pape étendait le bras pour le prendre, il se renversa en arrière en jetant un cri qui fut aussitôt suivi de violentes convulsions ; quelques minutes après, et comme il s'avançait pour lui porter secours, César fut saisi du même mal : l'effet avait été plus rapide qu'à l'ordinaire ; car César avait doublé la dose du poison, et l'état de chaleur où ils étaient tous deux quand ils l'avaient pris augmentait sans doute son activité.

On transporta les deux malades côte à côte jusqu'au Vatican, où ils se séparèrent pour aller chacun à son appartement ; à compter de cette heure ils ne se revirent plus.

À peine au lit, le pape fut pris d'une violente fièvre qui ne céda ni aux vomitifs, ni aux saignées, et qui nécessita presque aussitôt l'application des derniers sacrements de l'Église ; cependant l'admirable constitution de son corps, qui semblait avoir trompé la vieillesse, lutta huit jours contre la mort ; enfin, après les huit jours d'agonie, il mourut sans avoir nommé une seule fois ni César ni Lucrèce, qui étaient cependant les deux pôles sur lesquels avaient tourné toutes ses affections et tous ses crimes. Il était âgé de soixante et douze ans et en avait régné onze.

Quant à César, soit qu'il eût moins bu du fatal breuvage que son père, soit que sa jeunesse l'emportât par sa force sur la force du poison, soit enfin, comme l'ont dit quelques-uns, qu'il eût, en rentrant dans son appartement, avalé un contrepoison qui n'était connu que de lui, il ne perdit pas un instant de vue la position terrible où il se trouvait, et ayant fait venir son fidèle Michelotto, avec ceux de ses hommes sur lesquels il pouvait le plus compter, il distribua la troupe dans les diverses chambres qui précédaient la sienne, et ordonna au chef de ne point quitter le pied de son lit, et de dormir couché sur une couverture, et la main sur la poignée de son épée.

Le traitement avait été le même pour César que pour le pape, seulement, aux vomitifs et aux saignées, on avait ajouté des bains étranges, que César avait demandés lui-même, ayant entendu dire qu'ils avaient autrefois, dans un cas pareil, guéri le roi Ladislas de Naples. Quatre poteaux, fortement scellés au parquet et au plafond, s'élevaient dans sa chambre, pareils à cette machine où les maréchaux ferrent les chevaux ; chaque jour un taureau y était amené, renversé sur le dos, et lié par les quatre jambes aux quatre poteaux ; puis, quand il était attaché ainsi, on lui faisait au ventre une entaille d'un pied et demi, par laquelle on tirait les intestins, et César, se glissant dans cette baignoire vivante encore, y prenait un bain de sang ; le taureau mort, César sortait pour être roulé dans des couvertures bouillantes, où, après d'abondantes sueurs, il se sentait presque toujours soulagé.

De deux heures en deux heures César envoyait demander des nouvelles de son père ; à peine eut-il appris qu'il était mort, que, quoique encore mourant lui-même, rappelant cette force de caractère et cette présence d'esprit qui lui étaient habituelles, il ordonna à Michelotto de fermer les portes du Vatican avant que le bruit de cette mort ne fût répandu dans la ville, et défendit qu'on laissât entrer dans l'appartement du pape qui que ce fût, tant qu'on n'en aurait pas enlevé les papiers et l'argent : Michelotto obéit aussitôt, alla trouver le cardinal Casanova, lui mit le poignard sur la gorge, se fit délivrer les clefs des chambres et des cabinets du pape, et, conduit par lui, en enleva deux coffres pleins d'or, qui pouvaient contenir cent mille écus romains en espèces, plusieurs caisses pleines de bijoux, et une grande quantité d'argenterie et de vases précieux ; tout fut transporté dans la chambre de César ; les postes qui le gardaient furent doublés ; puis, les portes du Vatican ayant été rouvertes, on proclama la mort du pape.

Cette mort pour être attendue n'en produisit pas moins un effet terrible par toute la ville, car quoique César fût vivant encore, son état de maladie laissait chacun en suspens : certes, si le vaillant duc de Romagne, si le puissant condottiere qui avait pris en cinq ans trente villes et quinze forteresses, eût été assis, l'épée à la main, sur son cheval de bataille, les choses n'eussent point été un instant flottantes et incertaines ; car, ainsi qu'il le dit depuis à Machiavel, son génie ambitieux avait tout prévu pour le jour de la mort du pape, excepté que lui-même serait mourant ; mais il était cloué dans son lit, suant son agonie empoisonnée ; de sorte que, quoiqu'il eût conservé la pensée, il avait perdu le pouvoir, et qu'il était forcé d'attendre et de subir les événements, tandis qu'il lui aurait fallu marcher au-devant d'eux et les maîtriser.

Il fut donc forcé de régler ses actions, non plus d'après son plan, mais d'après les circonstances. Ses ennemis les plus acharnés, ceux qui pouvaient le serrer de plus près, étaient les Orsini et les Colonna : aux uns il avait pris le sang, aux autres les biens ; il s'adressa à ceux à qui il pouvait rendre ce qu'il avait pris, et entama des négociations avec les Colonna.

Pendant ce temps on procédait aux obsèques pontificales ; le vice-chancelier avait envoyé des ordres aux membres élevés du clergé, aux supérieurs des couvents et aux confrères des séculiers de ne point manquer, sous peine d'être dépouillés de leurs dignités et offices, de se rendre, selon la coutume ordinaire, chacun avec sa compagnie au Vatican, pour y assister aux funérailles du pape ; chacun, en conséquence, se rendit au jour et à l'heure indiqués au palais pontifical, d'où le corps devait être transporté à l'église Saint-Pierre, où il devait être enterré. On trouva le cadavre seul et abandonné dans la chambre mortuaire ; car tout ce qui s'appelait Borgia, excepté César, s'était caché, ne sachant pas ce qui allait se passer, et c'était bien fait à eux ; car plus tard, un seul ayant été rencontré par Fabio Orsini, celui-ci le poignarda, et, en signe de cette haine qu'ils s'étaient jurée les uns aux autres, se lava la bouche et les mains avec son sang.

L'agitation au reste était si grande dans Rome, qu'au moment où le cadavre d'Alexandre VI allait entrer dans l'église, il s'éleva une de ces rumeurs comme il en passe tout à coup par les airs dans les temps d'orages populaires, ce qui produisit à l'instant même un si grand trouble dans le cortège, que les gardes se rangèrent en bataille, que le clergé se réfugia dans la sacristie, et que le porteur ayant laissé tomber la bière, et le peuple ayant arraché le drap qui la recouvrait, le cadavre se trouva découvert, et chacun put voir de plus près et impunément celui qui, quinze jours auparavant, faisait, d'un bout du monde à l'autre, trembler princes, rois et empereurs.

Cependant, par cette religion du sépulcre que chacun éprouve instinctivement et qui est la seule qui survive aux autres dans le cœur même de l'athée, la bière fut reprise et portée au pied du grand autel de Saint-Pierre, où, soulevée sur des tréteaux, elle fut exposée à la vue du public ; mais le pape était devenu si noir, si difforme et si enflé, qu'il était horrible à voir : son nez laissait échapper une matière sanguinolente, sa bouche béait hideusement, et sa langue était si monstrueusement enflée qu'elle en remplissait toute la cavité ; à cet aspect effroyable, il se joignait une fétidité si grande, que quoique l'on ait coutume, aux funérailles des papes, de baiser la main qui porta l'anneau du pécheur, pas un ne se présenta pour donner au représentant de Dieu sur la terre cette marque de religion et de respect.

Vers les sept heures du soir, c'est-à-dire quand le jour tombant ajoute encore une si grande tristesse au silence des églises, quatre crocheteurs et deux ouvriers charpentiers portèrent le cadavre dans la chapelle où il devait être enterré, et, l'ayant enlevé dans son catafalque de parade, le couchèrent dans la bière qui devait être son dernier palais ; mais il se trouva que la bière était trop courte, de sorte que le corps n'y put tenir qu'en lui ployant les jambes et en les faisant entrer à grands coups de poings ; alors les charpentiers posèrent le couvercle, et tandis que l'un d'eux était assis dessus, pour forcer les genoux de plier, les autres la clouèrent au milieu de ces plaisanteries shakespeariennes, dernière oraison qui retentit à l'oreille des puissants ; puis il fut, dit Tommaso Tommasi, placé à gauche du grand autel Saint-Pierre, sous une assez vilaine tombe.

Le lendemain, on trouva cette épitaphe écrite sur la pierre :

VENDIT ALEXANDER CLAVES, ALTARIA, CHRISTUM :
EMERAT ILLE PRIUS, VENDERE JURE POTEST.

C'est-à-dire : « Alexandre vendit les clefs, l'autel et
le Christ : au reste, il les pouvait vendre, les ayant
achetés auparavant. »

Par l'effet que la mort d'Alexandre VI avait produit
à Rome, on peut juger de celui qu'elle produisit non
seulement dans toute l'Italie, mais encore dans le reste
du monde ; un instant l'Europe plia, car la colonne
qui soutenait la voûte de l'édifice politique s'était
écroulée, et l'astre, aux regards de flamme et aux
rayons sanglants, autour duquel tout gravitait depuis
onze ans, venait de s'éteindre ; si bien que le monde,
frappé tout à coup d'immobilité, demeura un instant
dans les ténèbres et le silence.

Cependant, après le premier moment de stupeur, tout
ce qui avait une injure à venger se souleva et accourut
à la curée. Sforza reprit Pesaro, Baglione Pérouse, Gui
d'Ubaldo Urbin, et della Rovere Sinigaglia ; les Vitelli
rentrèrent dans Città di Castello, les Appiani dans Piombino, et les Orsini à Monte-Giordano et dans leurs autres
États : la Romagne seule resta immobile et fidèle, car
le peuple, qui n'a rien à juger dans les querelles des
grands, pourvu qu'elles ne descendent pas jusqu'à lui,
n'avait jamais été aussi heureux que sous le gouvernement de César.

Quant aux Colonna, ils s'étaient engagés à garder
la neutralité, moyennant quoi ils avaient été remis
en possession de leurs châteaux et de leurs cités de
Chinazzano, de Capo d'Anno, de Frascati, de Rocca
di Papa et de Nettuno, qu'ils trouvèrent en meilleur

état qu'ils ne les avaient quittées, le pape les ayant fait embellir et fortifier.

César, au reste, tenait toujours le Vatican avec ses troupes, qui, fidèles à sa mauvaise fortune, veillaient autour du palais, où il se tordait sur son lit de douleur en rugissant comme un lion blessé : de leur côté, les cardinaux, qui, au lieu de veiller aux obsèques du pape, s'étaient dans leur première terreur dispersés, chacun de son côté, commencèrent à se réunir tantôt à la Minerve, tantôt chez le cardinal Caraffa. Effrayés des forces qui restaient à César et surtout de ce que le commandement en était remis à Michelotto, ils réunirent tout ce qu'ils avaient d'argent pour lever de leur côté une armée de deux mille soldats dont Charles Taneo fut nommé chef, avec le titre de capitaine du sacré collège : on espérait donc que la tranquillité était rétablie, lorsqu'on apprit que Prosper Colonna arrivait avec trois mille hommes du côté de Naples, et Fabio Orsini du côté de Viterbe avec deux cents chevaux et plus de mille fantassins. En effet, ils entrèrent dans Rome, à un jour de distance l'un de l'autre seulement, tant chacun d'eux y était amené par une ardeur pareille.

Ainsi il y avait dans Rome cinq armées en présence les unes des autres : l'armée de César, qui tenait le Vatican et le Borgo ; l'armée de l'évêque de Nicastro, qui avait reçu d'Alexandre la garde du château Saint-Ange et qui, s'y étant enfermé, refusait de le rendre ; l'armée du sacré collège, qui stationnait aux environs de la Minerve, l'armée de Prosper Colonna, qui était campée au Capitole ; et l'armée de Fabio Orsini, qui s'était casernée à la Ripetta.

De leur côté, les Espagnols s'étaient avancés jusqu'à Terracine, et les Français jusqu'à Nepi.

Les cardinaux comprirent que Rome était sur une mine que la moindre étincelle pouvait faire sauter : ils réunirent les ambassadeurs de l'empereur d'Allemagne, des rois de France et d'Espagne et de la république de Venise, pour qu'ils élevassent la voix au nom de leurs maîtres. Les ambassadeurs, pénétrés de l'urgence de la situation, commencèrent par déclarer le sacré collège inviolable ; puis ils ordonnèrent aux Orsini, aux Colonna et au duc de Valentinois de quitter Rome et de se retirer chacun de son côté.

Les Orsini se soumirent les premiers à cet ordre : le lendemain leur exemple fut suivi par les Colonna. Il ne restait donc plus que César, qui consentait, disait-il, à sortir, mais qui auparavant voulait faire ses conditions : si on le lui refusait, il déclarait que les caves du Vatican étaient minées, et qu'il se ferait sauter avec ceux qui viendraient pour le prendre. On savait qu'il n'avançait rien qu'il ne fût capable de faire : on traita avec lui.

Il fut convenu que César sortirait de Rome avec son armée, son artillerie et ses bagages, et que, pour plus grande certitude qu'il ne serait attaqué ni molesté dans les rues de Rome, le sacré collège adjoindrait à sa troupe quatre cents fantassins qui, en cas d'attaque ou d'insulte, combattraient pour lui.

De son côté, César promit qu'il se retirerait à dix milles de Rome tout le temps que durerait le conclave, et qu'il n'entreprendrait rien ni contre cette ville ni contre aucun autre des États ecclésiastiques ; Fabio Orsini et Prosper Colonna avaient pris le même engagement. L'ambassadeur de Venise avait répondu pour les Orsini, l'ambassadeur d'Espagne pour les Colonna, l'ambassadeur de France répondit pour le duc de Valentinois.

Au jour et à l'heure dits, César fit d'abord partir son artillerie, qui se composait de dix-huit pièces de canon, accompagnées par les quatre cents fantassins du sacré collège, à chacun desquels il fit donner un ducat : derrière l'artillerie, venaient cent chariots escortés par son avant-garde.

Le duc sortit par la porte du Vatican : il était couché sur un lit couvert d'un dais d'écarlate, supporté par douze de ses hallebardiers, se tenant accoudé sur des coussins, afin que chacun pût voir son visage, dont les lèvres étaient violettes et les yeux injectés de sang : il avait auprès de lui son épée nue, pour indiquer que, tout faible qu'il était, il s'en servirait au besoin ; son meilleur cheval de bataille, caparaçonné de velours noir, avec ses armes brodées dessus, marchait près de son lit, conduit par un page, afin qu'il pût sauter en selle en cas d'attaque et de surprise ; devant et derrière lui, à sa droite et à sa gauche, marchait son armée, les armes hautes, mais sans que les tambours battissent, ni que les trompettes sonnassent, ce qui donnait quelque chose de profondément funèbre à tout ce cortège, qui, à la porte de la ville, trouva Prosper Colonna, qui l'attendait avec une troupe considérable.

César crut d'abord que, manquant à sa parole, comme il avait lui-même si souvent manqué à la sienne, Prosper Colonna allait l'attaquer. Il ordonna aussitôt de faire halte, et s'apprêta à monter à cheval ; mais Prosper Colonna, voyant quelle crainte avait pris César, s'avança seul jusqu'auprès du lit : il venait, au contraire, lui offrir de l'escorter, craignant pour lui quelque embûche de Fabio Orsini, qui avait hautement juré qu'il vengerait la mort de Paul Orsini son père, ou qu'il y perdrait son honneur. César remercia Colonna, mais il lui répondit que, du moment où Orsini était seul, il ne le craignait pas. Alors Prosper Colonna salua le duc, et rejoignit sa troupe, avec laquelle il se dirigea vers Albano tandis que César prenait le chemin de Città di Castello, qui lui était restée fidèle.

Là, César se retrouva non seulement maître de son sort, mais encore arbitre de celui des autres : sur les vingt-deux voix qu'il avait au sacré collège, douze lui étaient restées fidèles, et comme le conclave se composait en tout de trente-sept cardinaux il pouvait avec ses douze voix faire pencher la majorité du côté qui lui plairait. Il se trouva donc courtisé à la fois par le parti espagnol et par le parti français, chacun de son côté désirant faire élire un pape de sa nation. César écouta tout sans rien promettre ni refuser, et donna ses douze voix à François Piccolomini, cardinal de Sienne, une des créatures de son père, qui était resté son ami, et qui fut élu pape le 8 octobre, sous le nom de Pie III.

César ne s'était pas trompé dans son espérance : à peine élu, Pie III lui envoya un sauf-conduit pour rentrer dans Rome ; le duc y reparut avec deux cent cinquante hommes d'armes, deux cent cinquante chevau-légers, huit cents fantassins, et alla loger en son palais ; ses soldats campèrent à l'entour.

Pendant ce temps, les Orsini, poursuivant leurs projets de vengeance contre César, levaient force troupes à Pérouse et dans les environs, pour le venir attaquer jusque dans Rome, et comme ils croyaient voir que la France, au service de laquelle ils s'étaient engagés, ménageait le duc, à cause de ses douze voix sur lesquelles elle comptait pour faire élire, au prochain conclave, le cardinal d'Amboise, ils passèrent au service des Espagnols.

En même temps César signait un nouveau traité avec Louis XII, par lequel il s'engageait à le soutenir de toutes ses forces, et même de sa personne, aussitôt qu'il pourrait remonter à cheval, dans le maintien de sa conquête de Naples ; de son côté, Louis XII lui garantissait la possession des États qu'il tenait encore, et lui promettait son aide pour recouvrer ceux qu'il avait perdus.

Le jour où ce traité fut connu, Gonzalve de Cordoue fit publier à son de trompe, dans les rues de Rome, l'ordre à tout sujet du roi d'Espagne, servant dans une armée étrangère, de rompre à l'instant même son engagement sous peine d'être traité comme coupable de haute trahison.

Cette mesure enleva au duc de Valentinois dix ou douze de ses meilleurs officiers et près de trois cents soldats.

Alors les Orsini, voyant son armée ainsi réduite, entrèrent dans Rome, soutenus par l'ambassadeur d'Espagne, et citèrent César devant le pape et le sacré collège, pour qu'il eût à y rendre compte de ses crimes.

Fidèle à ses engagements, Pie III répondit qu'en sa qualité de prince souverain, le duc de Valentinois, pour son administration temporelle, ne relevait que de lui-même et ne devait compte de ses actions qu'à Dieu.

Cependant, comme ce pape sentait que, malgré toute sa bonne volonté, il ne pourrait peut-être pas protéger longtemps le duc de Valentinois contre ses ennemis, il lui donna le conseil de tâcher de se réunir à l'armée française qui s'avançait toujours vers Naples, et au milieu de laquelle seulement il serait en sûreté. César résolut de se retirer à Bracciano, où Jean Jordan Orsini, qui l'avait autrefois accompagné en France, et qui était le seul de sa famille qui ne se fût pas déclaré contre lui, lui offrait un asile au nom du cardinal d'Amboise ; il ordonna donc un matin à ses troupes de se mettre en marche pour cette ville, et, se plaçant au milieu d'elles, il sortit de Rome.

Mais, si secret que César eût tenu son dessein, les Orsini en avaient été prévenus, et ayant fait, dès la veille, sortir tout ce qu'ils avaient de troupes par la porte de San-Pancracio, ils avaient, en prenant, un long détour, coupé le chemin au duc de Valentinois ; de sorte qu'en arrivant à la Storta, il trouva, en bataille et l'attendant, l'armée des Orsini qui était de moitié au moins supérieure à la sienne.

César comprit qu'engager le combat, faible comme il l'était encore, c'était courir droit à sa perte ; aussi ordonna-t-il à ses troupes de se retirer, et comme c'était un excellent stratégiste, il échelonna si habilement sa retraite, que ses ennemis le suivirent, mais n'osèrent point l'attaquer, et qu'il rentra dans la ville pontificale sans avoir perdu un seul homme.

Cette fois César descendit droit au Vatican, pour se placer encore plus directement sous la protection du pape ; il distribua ses soldats autour du palais pontifical, de manière à en garder toutes les issues. En effet, les Orsini, décidés à en finir avec César, avaient résolu de l'attaquer partout où il serait et sans respect pour la sainteté du lieu : ce qu'ils tentèrent, mais sans succès, tant, de tous les côtés, les troupes de César firent bonne garde et présentèrent bonne défense.

Alors les Orsini, qui n'avaient pu forcer les portes du château Saint-Ange, espérèrent avoir meilleur marché du duc en sortant de Rome et en revenant l'attaquer par la porte Torione ; mais César avait prévu ce mouvement, et ils trouvèrent la porte barricadée et gardée. Ils n'en poursuivirent pas moins leur dessein, remettant à la force ouverte la vengeance qu'ils devaient obtenir de la ruse ; et ayant surpris les approches de la porte, ils y mirent le feu ; ce passage ouvert, ils pénétrèrent dans les jardins du château, où ils trouvèrent César les attendant à la tête de sa cavalerie.

En face du danger, le duc avait retrouvé toutes ses forces ; aussi se précipita-t-il le premier sur ses ennemis, en appelant Orsini à grands cris, afin d'en finir avec lui s'il le rencontrait ; mais ou Orsini ne l'entendit point ou n'osa le combattre ; de sorte qu'après une lutte acharnée, César, qui était numériquement de deux tiers plus faible que son ennemi, vit sa cavalerie taillée en pièces, et, après avoir fait personnellement des miracles de force et de courage, fut obligé de rentrer au Vatican.

Il y trouva le pape à l'agonie : las de lutter contre la parole engagée par ce vieillard au duc de Valentinois, les Orsini, par l'entremise de Pandolfo Petrucci, avaient gagné le chirurgien du pape, qui lui avait mis, sur une plaie qu'il avait à la jambe, un emplâtre empoisonné.

Le pape était donc expirant quand César, tout couvert de poussière et de sang, entra dans sa chambre, poursuivi par ses ennemis, qui ne s'étaient arrêtés qu'aux murs du palais même, derrière lesquels les maintenaient encore les débris de son armée.

Pie III, qui sentait qu'il allait mourir, se souleva sur son lit, remit à César la clef du corridor qui conduisait au château Saint-Ange, et un ordre au gouverneur de le recevoir, lui et sa famille, de le défendre jusqu'à la dernière extrémité, et de le laisser sortir lorsque bon lui semblerait : puis il retomba évanoui sur son lit.

César prit par la main ses deux filles, et, suivi des petits ducs de Sermoneta et de Nepi, se réfugia dans le dernier asile qui lui était ouvert.

La même nuit le pape mourut : il avait régné vingt-six jours seulement.

Comme il venait d'expirer, et, sur les deux heures du matin, César, qui s'était jeté tout habillé sur son lit, entendit ouvrir la porte de sa chambre : ne sachant pas ce qu'on avait à faire chez lui à cette heure, il se souleva sur son coude en cherchant de l'autre main la poignée de son épée ; mais au premier coup d'œil il reconnut le nocturne visiteur : c'était Julien della Rovere.

Tout brûlé par le poison, tout abandonné de ses troupes, tout tombé du faîte de sa puissance qu'il était, César, qui ne pouvait plus rien pour lui-même, pouvait encore faire un pape : Julien della Rovere venait lui acheter les voix de ses douze cardinaux.

César posa ses conditions, qui furent acceptées.

Une fois élu, Julien aiderait César à recouvrer ses États de la Romagne ; César resterait général de l'Église ; enfin François-Marie della Rovere, préfet de Rome, épouserait une des filles de César.

À ces conditions, César vendit ses douze cardinaux à Julien.

Le lendemain, sur la demande de Julien, le sacré collège ordonna aux Orsini de s'éloigner de Rome tout le temps que durerait le conclave.

Le 31 octobre 1503, au premier tour de scrutin, Julien della Rovere fut élu pape, et prit le nom de Jules II.

À peine installé au Vatican, son premier soin fut d'y appeler auprès de lui César, auquel il rendit son ancien logement : alors, comme le duc entrait en pleine convalescence, il commença de s'occuper du rétablissement de ses affaires, qui s'étaient fort empilées depuis quelque temps.

C'est que la défaite de son armée et son entrée au château Saint-Ange, où on le croyait prisonnier, avaient amené de grands changements en Romagne. Césène s'était remise sous la puissance de l'Église, dont elle avait dépendu autrefois ; Jean Sforza était rentré à Pesaro ; Ordelafi s'était emparé de Forli ; Malatesta réclamait Rimini ; les habitants d'Imola avaient massacré leur gouverneur, et la ville était partagée entre deux opinions, l'une qui voulait qu'on se remît au pouvoir des Riarii, l'autre qu'on se donnât à l'Église ; Faenza était restée fidèle plus longtemps qu'aucune autre ; mais enfin, perdant l'espoir de voir César recouvrer sa puissance, elle avait appelé François, fils naturel de Galeotto Manfredi, seul et dernier héritier de cette malheureuse famille, dont tous les descendants légitimes avaient été massacrés par Borgia.

Il est vrai de dire que les forteresses de ces différentes places n'avaient point partagé ces révolutions et étaient demeurées immuablement fidèles au duc de Valentinois.

Aussi n'était-ce pas précisément la défection de ces villes que, grâce à leurs forteresses, on pouvait reconquérir, qui inquiétait César et Jules II : c'était le dévolu que Venise avait jeté sur elles.

En effet, Venise avait, au printemps de la même année, signé son traité de paix avec les Turcs ; de sorte que, débarrassée de son éternel ennemi, elle venait de ramener ses forces vers la Romagne, qu'elle avait toujours convoitée ; ses troupes avaient été acheminées vers Ravenne, dernière place de ses États, et avaient été mises sous le commandement de Jacob Venieri, qui avait manqué de prendre Césène par surprise, et qui n'avait échoué que par le courage de ses habitants ; mais cet échec avait été bientôt compensé par la reddition des forteresses du Val de Lamone, et de Faenza, par la prise de Forlimpopoli, et par la reddition de Rimini, que Pandolphe Malatesta, son seigneur, échangea contre la seigneurie de Cittadella, dans l'État de Padoue, et le rang de gentilhomme vénitien.

Alors César fit une proposition à Jules II : c'était de faire à l'Église une cession momentanée de ses États de la Romagne, afin que le respect que les Vénitiens portaient à la juridiction pontificale sauvât ces villes de leurs entreprises ; mais, dit Guicciardini, Jules II, en qui l'ambition, si naturelle aux souverains, n'avait pas encore étouffé les restes de la probité, refusa de recevoir les places, de peur de s'exposer à la tentation de les retenir plus tard contre ses promesses.

Cependant, comme les circonstances étaient urgentes, il proposa à César de quitter Rome, d'aller s'embarquer à Ostie et de passer par mer à la Spezzia, où devait le recevoir Michelotto, à la tête de cent hommes d'armes et de cent chevau-légers, seuls restes de sa magnifique armée, et de là, de se rendre par terre à Ferrare, et de Ferrare à Imola, où, une fois arrivé, il jetterait assez haut son cri de guerre pour que ce cri fût entendu de toute la Romagne.

C'était un conseil selon le cœur de César ; aussi César accepta-t-il à l'instant même.

Cette résolution soumise au sacré collège fut approuvée par lui, et César partit pour Ostie, accompagné de Barthélemy della Rovere, neveu de sa sainteté.

César se croyait enfin libre, et se voyait d'avance sur son bon cheval de bataille, menant une seconde fois la guerre par tous ces lieux où il avait déjà combattu, lorsqu'en arrivant à Ostie, il y fut rejoint par les cardinaux de Sorrente et de Volterra, qui venaient, au nom de Jules II, lui demander la remise de ces mêmes citadelles que trois jours auparavant il avait refusées ; c'est que dans l'intervalle le pape venait d'apprendre que les Vénitiens avaient fait de nouveaux envahissements, et avait reconnu que le moyen proposé par César était le seul qui pût les arrêter.

Mais ce fut à son tour César qui refusa, inquiet de ces tergiversations et craignant qu'elles ne cachassent un piège : il déclara en conséquence que la cession que lui demandait le pape était inutile, puisqu'avec l'aide de Dieu il serait en Romagne avant huit jours. Les cardinaux de Sorrente et de Volterra retournèrent donc à Rome avec un refus.

Le lendemain matin, au moment où César mettait le pied sur la galère où il allait s'embarquer, il fut arrêté au nom de Jules II.

César crut d'abord que c'en était fait de lui ; il était habitué à ces façons de faire, et savait quelle courte distance il y a entre la prison et la tombe ; la chose était d'autant plus facile vis-à-vis de lui, que certes le pape, s'il l'eût voulu, n'eût point manqué de prétextes pour lui faire son procès. Mais le cœur de Jules II était d'une autre trempe que le sien, facile à la colère, mais ouvert à la clémence ; de sorte qu'au moment où le duc de Valentinois rentra à Rome, ramené par ses gardes, l'inflation momentanée qu'avait causée son refus à Jules II étant déjà calmée, il fut reçu par le pape dans son palais et avec ses manières accoutumées et sa courtoisie ordinaire, quoique dès le même jour il lui fût facile de voir qu'il était gardé à vue. En retour de ce bon accueil, César consentit à faire au pape la cession de la forteresse de Césène, comme d'une ville qui, ayant appartenu à l'Église, retournait à l'Église ; et remettant cet acte, signé par César, à l'un de ses capitaines, que l'on nommait Pierre d'Oviedo, Jules II lui ordonna d'aller prendre possession de cette forteresse au nom du saint-siège. Pierre d'Oviedo obéit, et partant aussitôt pour Césène, il se présenta muni de son acte devant don Diego Chignone, noble condottiere espagnol, qui tenait la forteresse au nom du duc de Valentinois. Mais, après avoir pris lecture du papier que lui remettait Pierre d'Oviedo, don Chignone répondit que, comme il savait son maître et seigneur prisonnier, ce serait infâme à lui d'obéir à un ordre selon toute probabilité arraché par la violence, et que, quant à celui qui l'avait apporté, il méritait la mort pour s'être chargé d'une aussi lâche commission : en conséquence, il ordonna à ses soldats de s'emparer de Pierre d'Oviedo et de le jeter du haut en bas des murailles ; ce qui fut exécuté à l'instant même.

Ce trait de fidélité faillit devenir fatal à César : en apprenant le traitement fait à son messager, le pape entra dans une si grande colère, qu'une seconde fois son prisonnier se crut perdu ; de sorte que, pour racheter sa liberté, il fit le premier à Jules II des propositions nouvelles, qui furent rédigées en traité et validées par une bulle. Par ces conventions, le duc de Valentinois était tenu de consigner entre les mains de sa sainteté, dans le délai de quarante jours, les forteresses de Césène et de Bertinoro, et de donner les contre-seings de celle de Forli : le tout avec la garantie de deux banquiers de Rome, qui devaient répondre d'une somme de quinze mille ducats, montant des dépenses que le gouverneur prétendrait avoir faites dans la place pour le compte du duc.

De son côté, le pape s'engageait à faire conduire César à Ostie sous la seule garde du cardinal de Sainte-Croix et de deux officiers, qui lui rendraient liberté entière le jour même où ses engagements seraient remplis : dans le cas contraire, César serait ramené à Rome et constitué prisonnier au château Saint-Ange.

En exécution de ce traité, César descendit le Tibre jusqu'à Ostie, accompagné du trésorier du pape et de plusieurs de ses serviteurs : le cardinal de Sainte-Croix partit après lui, et l'y rejoignit le même jour.

Cependant comme César craignait qu'après la remise de ses forteresses Jules II, malgré la parole donnée, ne le retînt prisonnier, il fit demander par l'intermédiaire des cardinaux Borgia et Remolino, qui, ne se croyant pas en sûreté à Rome, s'étaient retirés à Naples, un sauf-conduit à Gonzalve de Cordoue et deux galères pour aller le rejoindre : courrier par courrier le sauf-conduit arriva, annonçant que les galères ne tarderaient pas à le suivre.

Sur ces entrefaites, le cardinal de Sainte-Croix ayant appris que, sur l'ordre du duc, les gouverneurs de Césène et de Bertinoro avaient fait la remise de ces forteresses aux capitaines de sa sainteté, il se relâcha peu à peu de sa rigidité envers son prisonnier, et commença, comme il savait que la liberté lui devait être rendue un jour ou l'autre, à le laisser sortir sans garde. César alors, craignant qu'il ne lui arrivât, au moment de s'embarquer sur les galères de Gonzalve, ce qui lui était arrivé lorsqu'il avait mis le pied sur celles du pape, c'est-à-dire, qu'il ne fût arrêté une seconde fois, se cacha dans une maison hors de la ville ; et lorsque la nuit fut venue, montant un mauvais cheval de paysan, il gagna Nettuno, où, ayant loué une petite barque, il s'embarqua pour Mont-Dragone et de là gagna Naples. Gonzalve le reçut avec une si grande joie, que César se trompa à son motif, et cette fois se crut enfin sauvé. Cette confiance redoubla lorsque, s'étant ouvert de ses desseins à Gonzalve, et lui ayant dit qu'il comptait gagner Pise, et de là passer en Romagne, Gonzalve lui permit de recruter à Naples autant de soldats qu'il lui conviendrait, lui promettant deux galères pour s'embarquer avec eux. César, trompé à ces démonstrations, s'arrêta près de six semaines à Naples, voyant chaque jour le gouverneur espagnol et discutant avec lui ses projets et ses plans. Mais Gonzalve ne l'avait retenu ainsi que pour avoir le temps de prévenir le roi d'Espagne que son ennemi était entre ses mains ; de sorte que, se croyant au moment de son départ et ayant déjà fait embarquer ses troupes sur ses deux galères, César se rendit au château pour prendre congé de Gonzalve. Le gouverneur espagnol le reçut avec sa courtoisie ordinaire, lui souhaita toutes sortes de prospérités, et l'embrassa en le quittant ; mais, à la porte du château, César trouva un des capitaines de Gonzalve nommé Nuño Campejo, qui l'arrêta en lui disant qu'il était prisonnier de Ferdinand le Catholique. À ces paroles, César poussa un profond soupir, et maudit sa fortune, qui l'avait poussé à se fier à la parole d'un ennemi, lui qui avait manqué si souvent à la sienne.

César fut immédiatement conduit au château, où la porte de la prison se referma sur lui, sans qu'il eût l'espoir que personne vînt à son aide ; car le seul être dévoué qui lui restât au monde était Michelotto, et il avait appris que Michelotto avait été arrêté du côté de Pise par ordre de Jules II.

Pendant que l'on conduisait César en prison, un officier se rendait chez lui pour y reprendre le sauf-conduit que lui avait donné Gonzalve.

Le lendemain de son arrestation, qui avait eu lieu le 27 mai 1504, César fut mené à bord d'une galère, qui leva l'ancre aussitôt, et fit voile pour l'Espagne : pendant toute la traversée, il n'avait avec lui qu'un page pour le servir ; et, aussitôt son débarquement, il fut conduit au château de Medina del Campo.

Dix ans après, Gonzalve, proscrit à son tour, avouait à Loxa, sur son lit de mort, qu'au moment de paraître devant Dieu, deux actions pesaient cruellement à sa conscience : l'une était sa trahison envers Ferdinand l'autre son manque de parole envers César.

César resta deux ans en prison, espérant toujours que Louis XII le réclamerait comme pair du royaume de France ; mais Louis XII, consterné de la perte de la bataille du Garigliano, qui lui enlevait le royaume de Naples, avait assez de ses propres affaires sans s'occuper de celles de son cousin. Le prisonnier commençait donc à désespérer, lorsqu'un jour, en rompant son pain pour déjeuner, il y trouva une lime, une fiole contenant une liqueur narcotique, et un billet de Michelotto qui lui annonçait qu'étant sorti de prison, il avait quitté l'Italie, l'avait suivi en Espagne, et était caché avec le comte de Bénévent dans le village voisin ; il ajoutait qu'à compter du lendemain, ils l'attendraient, lui et le comte, toutes les nuits sur le chemin de la forteresse au village avec trois excellents chevaux ; maintenant c'était à lui de tirer de sa lime et de sa fiole le meilleur parti possible. Quand le monde entier avait abandonné le duc de Romagne, un sbire s'était souvenu de lui.

La prison où il était enfermé depuis deux ans pesait trop à César pour qu'il perdît un seul instant ; aussi le même jour il attaqua un barreau de sa fenêtre, qui donnait sur une cour intérieure, et parvint facilement à le mettre en tel état, qu'il ne fallait qu'une dernière secousse pour le détacher. Mais, outre que la fenêtre était élevée de soixante-dix pieds à peu près, on ne pouvait sortir de la cour que par une issue réservée au gouverneur, et dont lui seul avait la clef, encore cette clef ne le quittait-elle jamais ; le jour, elle était suspendue à sa ceinture ; la nuit, déposée sous son chevet : là donc était la principale difficulté.

Cependant, tout prisonnier qu'il était, César avait toujours été traité avec les égards dus à son nom et à son rang : chaque jour, à l'heure du dîner, on le venait prendre dans la chambre qui lui servait de prison, pour le conduire chez le gouverneur, qui lui faisait les honneurs de sa table en noble et courtois chevalier. Il est vrai de dire aussi que don Manuel était un vieux capitaine ayant servi avec honneur le roi Ferdinand, ce qui faisait que, tout en gardant César selon la rigueur des ordres reçus, il avait un grand respect pour un si brave général et écoutait avec grand plaisir le récit de ses batailles. Il avait donc souvent insisté pour que César non seulement dînât, mais encore déjeunât avec lui ; heureusement que le prisonnier, par pressentiment peut-être, avait refusé jusqu'alors cette faveur ; et bien lui en avait pris, puisque, grâce à sa solitude, il avait pu recevoir les instruments d'évasion que Michelotto lui avait envoyés.

Or, il arriva que, le jour même où il les avait reçus, César, en remontant chez lui, fit un faux pas et se foula le pied ; à l'heure du dîner, il essaya de descendre ; mais il prétendit souffrir si cruellement qu'il y renonça. Le gouverneur vint le voir dans sa chambre et le trouva étendu sur son lit.

Le lendemain, César ne se trouvant pas mieux, le gouverneur lui fit servir à dîner, et vint le voir comme la veille ; il trouva son prisonnier si triste et si ennuyé de cette solitude, qu'il lui offrit de venir partager son souper avec lui : César accepta avec reconnaissance.

Cette fois, c'était le prisonnier qui faisait les honneurs à son hôte ; aussi César fut-il d'une courtoisie charmante ; le gouverneur voulut profiter de cet abandon pour lui faire quelques questions sur la manière dont il avait été arrêté, et lui demanda en vieux Castillan, pour qui l'honneur est encore quelque chose, la vérité sur le manque de foi de Gonzalve et de Ferdinand vis-à-vis de lui. César se montra on ne peut plus disposé à lui faire une confidence entière ; mais il lui indiqua par un signe que les valets étaient de trop. Cette précaution paraissait si naturelle, que le gouverneur n'en prit aucun ombrage et s'empressa de renvoyer tout le monde, afin de rester au plus vite en tête à tête avec son convive. Lorsque la porte fut refermée, César remplit son verre et celui du gouverneur, en proposant la santé du roi : le gouverneur lui fit raison ; César commença aussitôt son récit ; mais à peine fut-il au tiers, que, si intéressant qu'il fût, les yeux de son hôte se fermèrent comme par magie, et qu'il se laissa aller sur la table profondément endormi.

Au bout d'une demi-heure, les serviteurs, n'entendant plus aucun bruit, rentrèrent et trouvèrent les deux convives l'un sur la table et l'autre dessous : ce n'était point un événement assez extraordinaire pour qu'ils y accordassent une grande attention ; aussi se contentèrent-ils de porter don Manuel dans sa chambre, et César sur son lit ; puis, remettant au lendemain la desserte du souper, ils refermèrent la porte avec le plus grand soin, laissant le prisonnier seul.

César resta encore un instant immobile et en apparence plongé dans le plus profond sommeil ; mais, lorsqu'il eut entendu les pas s'éloigner, il souleva doucement la tête, ouvrit les yeux, se laissa glisser de son lit, marcha vers la porte, lentement, il est vrai, mais sans paraître aucunement se ressentir de l'accident de la veille, demeura quelques minutes l'oreille appuyée à la serrure ; puis, relevant la tête avec une expression de fierté indéfinissable, il s'essuya le front avec la main, et pour la première fois depuis la sortie de ses gardes, respira librement et à pleine poitrine.

Il n'y avait pas de temps à perdre ; son premier soin fut de fermer aussi solidement la porte en dedans qu'elle était fermée en dehors, de souffler sa lampe, d'ouvrir la fenêtre et d'achever de scier son barreau. Cette opération terminée, il détacha les bandes qui comprimaient sa jambe, arracha les rideaux de sa fenêtre et ceux de son lit, les déchira par lanières, y ajouta les draps, la nappe, les serviettes, et, grâce à tous ces objets réunis et placés bout à bout, forma une corde de cinquante à soixante pieds de longueur, fit des nœuds de distance en distance, fixa la corde solidement, et par une de ses extrémités, au barreau voisin de celui qu'il venait de couper ; puis, montant sur la fenêtre, il commença de mettre à exécution la partie vraiment périlleuse de l'entreprise, en se cramponnant des pieds et des mains à ce frêle conducteur. Heureusement César était aussi fort qu'adroit ; aussi parcourut-il toute la longueur de la corde sans accident ; mais, arrivé à son extrémité, suspendu au dernier nœud, il chercha en vain la terre sous ses pieds ; la corde était trop courte.

La situation était terrible ; l'obscurité de la nuit ne permettait pas au fugitif de distinguer à quelle distance il pouvait être encore du sol, et sa fatigue s'opposait à ce qu'il essayât même de remonter. César fit une courte prière : lui seul aurait pu dire si c'était à Dieu ou à Satan ; puis, abandonnant la corde, il tomba d'une hauteur de douze à quinze pieds à peu près.

Le péril était trop grand pour que le fugitif s'inquiétât de quelques légères contusions qu'il s'était faites dans sa chute ; il se releva donc aussitôt, et, s'orientant par la direction de sa fenêtre, il alla droit à la petite porte de sortie ; arrivé là, il mit la main dans la poche de son justaucorps, une sueur froide lui passa sur le front : soit qu'il l'eût oubliée dans sa chambre, soit qu'il l'eût perdue dans sa chute, il n'avait plus la clef.

Cependant, en rappelant ses souvenirs, il écarta entièrement la première idée, pour ne s'arrêter qu'à la seconde qui était la seule probable ; il traversa donc de nouveau la cour, cherchant à reconnaître l'endroit où elle pouvait être tombée, à l'aide du mur d'une citerne sur lequel il avait mis la main en se relevant ; mais l'objet perdu était si petit et la nuit si obscure, qu'il y avait peu de chance que cette recherche eût un résultat ; cependant César s'y livrait tout entier, car dans cette clef était sa dernière ressource ; lorsque tout à coup une porte s'ouvrit, et une ronde de nuit parut précédée de deux torches. César se crut un instant perdu ; mais, songeant à la citerne qui était derrière lui, il y descendit aussitôt, et laissant sa tête seule hors de l'eau, il suivit avec toute l'anxiété de sa situation les mouvements des soldats qui s'avancèrent de son côté, passèrent à quelques pas de lui, traversèrent la cour et disparurent par une porte opposée. Mais si courte qu'avait été leur lumineuse apparition, elle avait éclairé le sol ; César, à la lueur des torches, avait vu briller la clef tant cherchée, et à peine la porte par laquelle les soldats avaient disparu était-elle refermée, qu'il était maître de sa liberté.

À moitié chemin du château au village, deux cavaliers et un cheval de main attendaient : ces deux cavaliers étaient le comte de Bénévent et Michelotto. César sauta sur le cheval qui était sans maître, serra également la main au comte et au sbire ; puis, tous trois s'élancèrent vers la frontière de la Navarre, où ils arrivèrent après trois jours de marche et où il fut admirablement reçu par le roi Jean d'Albret, frère de sa femme.

De la Navarre, César comptait passer en France, et, de la France, faire, avec le secours du roi Louis XII, une tentative sur l'Italie ; mais pendant sa détention au château de Medina del Campo, Louis XII avait fait la paix avec l'Espagne ; de sorte que, lorsqu'il apprit la fuite de César, au lieu de le soutenir comme il avait quelque droit de s'y attendre, étant son parent par alliance, il lui ôta son duché de Valentinois et le dépouilla de sa pension. Mais il restait à César à peu près deux cent mille ducats sur les banquiers de Gênes ; il leur écrivit pour lui faire passer cette somme, avec laquelle il comptait lever quelques troupes en Espagne et en Navarre, et faire une tentative sur Pise : cinq cents hommes, deux cent mille ducats, son nom et son épée, c'était plus qu'il n'en fallait pour ne pas perdre toute espérance.

Les banquiers nièrent ce dépôt.

César se trouva à la merci de son beau-frère.

Un des vassaux du roi de Navarre, nommé le prince Alarino, venait alors de se révolter : César prit le commandement de l'armée que Jean d'Albret envoya contre lui, suivi par Michelotto, aussi fidèle à sa mauvaise qu'à sa bonne fortune. Grâce au courage de César et aux savantes dispositions qu'il prit, le prince Alarino fut battu dans une première rencontre ; mais, le surlendemain de cette défaite, celui-ci, ayant rallié son armée, présenta le combat vers les trois heures de l'après-midi : César l'accepta.

Pendant près de quatre heures on se battit de part et d'autre avec acharnement ; mais enfin, comme le jour commençait à baisser, César voulut décider la bataille en chargeant lui-même, à la tête d'une centaine d'hommes d'armes, sur un corps de cavalerie qui faisait la principale force de son adversaire ; mais, à son grand étonnement, au premier choc cette cavalerie lâcha pied, et prit la fuite, se dirigeant vers un petit bois où elle semblait chercher un refuge. César la poursuivit la lance dans les reins jusqu'à la lisière de la forêt ; mais là, tout à coup, ceux qu'il poursuivait firent volte-face, trois ou quatre cents archers s'élancèrent hors du bois et leur vinrent en aide ; les compagnons de César, voyant alors qu'ils étaient tombés dans une embuscade, prirent la fuite et abandonnèrent lâchement leur maître.

Resté seul, César ne voulut pas reculer d'un pas ; peut-être aussi avait-il assez de la vie, et son héroïsme lui venait-il plutôt du dégoût que du courage : quoi qu'il en soit, il se défendit comme un lion ; mais, criblé de flèches et de traits d'arbalète, son cheval finit par s'abattre en lui engageant la jambe. Aussitôt ses adversaires fondirent sur lui, et l'un d'eux, lui posant une pique à fer mince et aigu au défaut de la cuirasse, lui traversa la poitrine : César jeta un blasphème au ciel, et mourut.

Cependant le reste de l'armée avait été défait, grâce au courage de Michelotto, qui s'était battu de son côté en vaillant condottiere ; mais, en revenant le soir au camp, il apprit par ceux qui avaient pris la fuite qu'ils avaient abandonné César et que César n'avait point reparu. Alors trop certain, d'après le courage bien connu de son maître, qu'il lui était arrivé malheur, il voulut lui donner une dernière preuve de son dévouement en n'abandonnant point son corps aux loups et aux oiseaux de proie. Il fit donc allumer des torches ; car il faisait nuit close, et dix ou douze de ceux qui avaient poursuivi avec César la cavalerie jusqu'au petit bois, ayant consenti à l'accompagner, il se mit à la recherche de son maître. Arrivé à l'endroit indiqué, il vit cinq hommes étendus à côté l'un de l'autre : quatre étaient habillés ; mais le cinquième, qu'on avait dépouillé de ses vêtements, était entièrement nu. Michelotto descendit de son cheval, lui souleva la tête en l'appuyant sur son genou, et, à la lueur des torches, il reconnut César.

Ainsi tomba, le 10 mars 1507, sur un champ de bataille inconnu, près d'un village ignoré que l'on appelle Viane, à la suite d'une mauvaise escarmouche avec le vassal d'un roitelet, celui que Machiavel présente aux princes comme un modèle d'habileté, de politique et de courage.

Quant à Lucrèce, la belle duchesse de Ferrare, elle mourut pleine de jours et d'honneurs, adorée par ses sujets comme une reine, et chantée comme une déesse, par l'Arioste et par Bembo.

Il y avait une fois à Paris, à ce que raconte Boccace, un brave et honnête homme, négociant de son état, nommé Jean de Civigny, lequel faisait un grand commerce de draperie, et qui s'était lié par des relations d'affaires et des rapports de voisinage avec un de ses confrères très riche, nommé Abraham, qui, quoique juif, jouissait d'une bonne réputation. Or, Jean de Civigny, ayant apprécié les qualités du digne israélite, en vint à craindre que, si galant homme qu'il fût, sa fausse croyance ne menât tout droit son âme à la perdition éternelle ; de sorte qu'il commença à le prier doucement et amicalement de renoncer à l'erreur dans laquelle il était et d'ouvrir les yeux à la foi chrétienne, laquelle, ainsi qu'il pouvait en juger, prospérait et augmentait tous les jours, tant elle était la seule vraie et bonne ; tandis que la sienne, et la chose était visible, diminuait si fort, qu'elle ne tarderait pas de disparaître entièrement du monde. Le juif, de son côté, répondait qu'excepté dans la religion juive, il n'y avait pas de salut, qu'il y était né, qu'il prétendait y vivre et mourir, et qu'il ne connaissait aucune chose au monde qui pût l'amener à un autre avis. Néanmoins, dans sa ferveur convertissante, Jean ne se tenait pas pour battu, et il n'y avait point de jour que, par ces bonnes paroles avec lesquelles le marchand séduit l'acheteur, il ne démontrât la supériorité de la religion chrétienne sur la religion juive ; et quoique Abraham fût un grand maître dans la loi de Moïse, soit à cause de l'amitié qu'il portait à Jean de Civigny, soit que le Saint-Esprit descendît sur la langue du nouvel apôtre, il commença enfin à goûter les prédications du digne marchand, quoique cependant, toujours obstiné dans sa croyance, il n'en voulût décidément pas changer : mais d'autant plus il persistait dans son erreur, d'autant plus Jean s'entêtait à sa conversion ; si bien qu'avec l'aide de

Dieu, ce dernier ayant fini par l'ébranler à force d'instances, Abraham lui dit un jour :

— Écoute, Jean ; puisque tu as tant à cœur que je me convertisse, me voilà disposé à te faire ce plaisir ; mais auparavant je veux aller à Rome voir celui que tu appelles le vicaire de Dieu sur la terre, étudier sa façon de vivre et ses mœurs, ainsi que celles de ses frères les cardinaux ; et si, comme je n'en doute pas, elles sont en harmonie avec la morale que tu me prêches, j'avouerai, comme tu as pris tant de peine à me le démontrer, que ta foi est meilleure que la mienne, et je ferai ce que tu désires ; mais, au contraire, si cela n'est pas, je resterai juif comme je suis ; car ce n'est point la peine, à mon âge, de changer ma croyance contre une plus mauvaise.

Jean fut fort désolé lorsqu'il entendit ces paroles ; car il se dit alors tristement à lui-même : « Voilà que j'ai perdu le temps et la peine que je croyais avoir si bien employés lorsque j'espérais avoir converti ce malheureux Abraham ; car, s'il a le malheur d'aller, comme il le dit, à la cour de Rome, et d'y voir la vie scélérate qu'y mènent les gens d'Église, au lieu de se faire chrétien, de juif qu'il est, il se ferait bien plutôt juif s'il était chrétien. » Alors, se retournant vers Abraham, il lui dit :

— Eh ! mon ami, pourquoi veux-tu prendre une si grande fatigue et faire une si grande dépense que d'aller à Rome ? Sans compter que par terre ou par mer, pour un homme riche comme tu l'es, la route est pleine de dangers. Crois-tu donc qu'il n'y aura pas bien ici quelqu'un pour te donner le baptême ? et s'il te reste quelques doutes à l'endroit de la foi que je t'ai démontrée, où trouveras-tu mieux qu'ici des théologiens capables de les combattre et de les détruire ? C'est pourquoi, vois-tu, ce voyage me semble tout à fait superflu : figure-toi bien que les prélats sont là-bas ce que tu les as vus ici, et d'autant meilleurs qu'ils approchent davantage du pasteur suprême. Eh ! donc, si tu en crois mon conseil, tu remettras cette fatigue pour le moment où, ayant commis quelque gros péché, tu en voudras avoir l'absolution ; et alors je te ferai compagnie, et nous irons ensemble.

Mais le juif répondit :

— Je crois, mon cher Jean, que toutes choses sont comme tu me les as dites ; mais tu sais comme je suis entêté. J'irai donc à Rome, ou je ne me ferai pas chrétien.

Alors Jean, voyant sa volonté, jugea qu'il était inutile de la combattre plus longtemps, et lui souhaita un bon voyage : seulement il perdit en lui-même tout espoir ; car il était certain que, si la cour de Rome était encore ce qu'il l'avait vue lui-même, son ami reviendrait de son pèlerinage plus juif que jamais.

Cependant Abraham monta à cheval, et, du meilleur train qu'il put, s'achemina vers Rome, où étant enfin arrivé il fut merveilleusement reçu par ses coreligionnaires : et là, s'étant arrêté un assez long temps, il commença d'étudier les façons de faire du pape, des cardinaux, des autres prélats et de toute la cour. Mais, à son grand étonnement, tant par ce qui se passa sous ses yeux que par ce qu'on lui raconta, il trouva que, depuis le pape jusqu'au dernier sacristain de Saint-Pierre, tous commettaient de la manière la plus déshonnête du monde le péché de la luxure ; et cela sans aucun frein, remords, ni honte ; de sorte que les belles filles et les beaux jeunes gens avaient pouvoir d'obtenir toutes les grâces et toutes les faveurs. Et, en outre de cette luxure à laquelle ils s'adonnaient si publiquement, il vit qu'ils étaient gourmands et buveurs ; et cela à tel point qu'ils se faisaient plus esclaves de leur ventre que ne le sont les animaux les plus gloutons. Et lorsqu'il regarda encore plus avant, il découvrit qu'ils étaient si avares et si cupides d'argent, qu'ils vendaient et achetaient à deniers comptant le sang humain et les choses divines, et cela moins consciencieusement encore qu'on ne faisait à Paris des draps et d'autres marchandises. Ayant donc vu cela et encore beaucoup d'autres choses si honteuses qu'il ne convient pas de les dire ici, il parut à Abraham, qui était un homme chaste, sobre et droit, qu'il en avait vu assez : si bien qu'il se résolut de retourner à Paris ; ce qu'il fit avec la promptitude qui suivait d'ordinaire ses résolutions. Jean de Civigny lui fit grande fête à son retour, quoiqu'il eût perdu l'espoir de le revoir converti ; aussi lui laissa-t-il le loisir de se remettre avant de lui parler de rien, pensant qu'il serait toujours temps pour lui d'apprendre la mauvaise nouvelle à laquelle il s'attendait. Cependant, après quelques jours de repos, Abraham étant venu de lui-même faire une visite à son ami, Jean se hasarda à lui demander ce qu'il pensait du saint-père, des cardinaux et des autres gens de la cour pontificale. À ces mots, le juif s'écria :

— Que Dieu les damne tous tant qu'ils sont ! car, si bien que j'aie ouvert les yeux, je n'ai pu découvrir chez eux aucune sainteté, aucune dévotion, aucune bonne œuvre ; mais, au contraire, la luxure, l'avarice, la gourmandise, la fraude, l'envie, l'orgueil, et pis encore que tout cela, si toutefois il y a pis : si bien que toute la machine m'a paru marcher bien plutôt par une impulsion diabolique que par un mouvement divin. Or, comme, d'après ce que j'ai vu, ma conviction profonde est que votre pape, et par conséquent les autres avec lui, s'emploient de tout leur génie, de tout leur art, de toute leur sollicitude, à faire disparaître de la surface de la terre la religion chrétienne, dont ils devraient être la base et le soutien, et comme, malgré toute la peine et tout le soin qu'ils se donnent pour arriver à ce but, je vois que votre religion s'augmente chaque jour, et chaque jour devient plus brillante et plus pure, il me reste démontré que le Saint-Esprit lui-même la protège et la défend comme la seule vraie et comme la plus sainte : c'est pourquoi, autant avant d'aller à Rome tu m'avais trouvé sourd à tes avis et rebelle à ton désir, autant, depuis que je suis revenu de cette Sodome, j'ai l'inébranlable résolution de me faire chrétien. Allons donc de ce pas à l'église, mon cher Jean ; car je suis tout prêt à me faire baptiser.

Et maintenant il n'y a pas besoin de dire si Jean de Civigny, qui s'attendait à un refus, fut heureux de ce consentement : aussi, sans aucun retard, il s'achemina avec son filleul vers Notre-Dame-de-Paris, où il pria le premier prêtre qu'il rencontra d'administrer le baptême à son client, ce que celui-ci s'empressa de faire : moyennant quoi, le nouveau converti échangea son nom juif d'Abraham contre le nom chrétien de Jean : et comme le néophyte avait, grâce à son voyage à Rome, acquis une foi profonde, les bonnes qualités qu'il avait déjà s'accrurent tellement dans la pratique de notre sainte religion qu'après une vie exemplaire, il mourut en odeur de sainteté.

Ce conte de Boccace répond si admirablement au reproche d'irréligion que pourraient nous faire ceux qui se tromperaient à nos intentions, que, ne comptant pas y faire d'autre réponse, nous n'avons point hésité à le mettre tout entier sous les yeux de nos lecteurs.

Au reste, n'oublions pas que, si la papauté a eu ses Innocent VIII et ses Alexandre VI, qui en sont la honte, elle a eu aussi ses Pie VII et ses Grégoire XVI, qui en sont l'honneur.

NOTE

Le poison des Borgia, disent les auteurs contemporains, était de deux sortes : en poudre et liquide.

Le poison en poudre était une espèce de farine blanche presque impalpable, ayant le goût de sucre, et que l'on nommait *Cantarelle*. On ignorait sa composition.

Quant au poison liquide, il se préparait, à ce qu'on assure, d'une façon assez étrange pour ne la point passer sous silence. Nous rapportons, au reste, ce que nous lisons, et ne prenons rien sur nous, de peur que la science ne nous donne un démenti.

« On faisait avaler à un sanglier une forte dose d'arsenic ; puis, au moment où le poison commençait à agir, on pendait l'animal par les pieds ; bientôt les convulsions se déclaraient, et une bave mortelle et abondante coulait dans sa gueule ; c'était cette bave recueillie dans un plat d'argent, et transvasée dans un flacon hermétiquement bouché qui formait le poison liquide. »

Imprimé en France par

MAURY-IMPRIMEUR
à Malesherbes (Loiret)
en mai 2011

POCKET – 12, avenue d'Italie - 75627 Paris cedex 13

N° d'impression : 164326
Dépôt légal : mai 2011
S21708/01